АЛЕКСАНДРА
МАРИНИНА
КОРОЛЕВА ДЕТЕКТИВА

Адрес официального сайта Александры Марининой в Интернете
http://www.marinina.ru

АЛЕКСАНДРА
МАРИНИНА

ОБОРВАННЫЕ
НИТИ

Том 3

ЭКСМО

МОСКВА
2013

УДК 82-3
ББК 84(2Рос-Рус)6-4
М 26

Разработка серии Geliografic

Маринина А.

М 26 Оборванные нити : т. 3 / Александра Маринина. — М. : Эксмо, 2013. — 416 с. — (Королева детектива).

ISBN 978-5-699-61982-5

Судмедэксперт Сергей Саблин — человек кристально честный, бескомпромиссный, но при этом слишком прямолинейный — многим кажется грубым, с тяжелым характером. Да что там многим – всем, включая родную мать и любимую женщину. Но для врача Саблина истина — главное, на сделки с совестью он не идет, чем бы его ни приманивали и чем бы ни грозили люди, заинтересованные в тех или иных выводах вскрытия...

УДК 82-3
ББК 84(2Рос-Рус)6-4

ISBN 978-5-699-61982-5

ЧАСТЬ ПЯТАЯ

ГЛАВА 3

И снова наступила середина декабря. Как-то незаметно миновал год в новой должности. Саблин по-прежнему вскрывал трупы и дежурил в составе следственно-оперативной группы, работа Бюро более или менее наладилась, и вполне можно было подумать о дне рождения. Правда, на этот раз дата не круглая, но зато и нервотрепки меньше, чем в прошлом году.

День рождения пришелся на середину недели, и Сергей, чтобы сохранить к вечеру хотя бы немного сил и бодрости, взял себе только одно вскрытие — несложное и не требующее много времени: пожилой человек умер дома, все диагнозы известны, все сведения от лечащих врачей получены. С утра секционную занимали врачи, вскрывающие четыре трупа, доставленные с места автокатастрофы, а исследование трупа пожилого мужчины предполагалось провести после этого.

Всю первую половину рабочего дня Саблин занимался обычной текучкой, радуясь, что хотя бы сегодня не возникает никаких неожиданных проблем. Наконец, ему сообщили, что сскционная освободилась и можно готовить труп для вскрытия. Сергей попросил Светлану сделать ему чай с сушками.

— Сергей Михайлович, — сказала она, ставя перед начальником чашку и блюдце с пятью сушками, — там вас мужчина спрашивает, в регистратуре.

— Кто? — недовольно спросил он: Сергей не любил, когда его отвлекали пустыми разговорами даже перед несложными вскрытиями. — Кто-то из родственников? Или милицейский?

— Да ну, милицейских я всех в лицо знаю. — Светлана, похоже, даже обиделась. — Такой забавненький. Но на родственника не похож, больно морда сияет. Так что, пригласить? У него пакет в руках нарядный. Наверное, с днем рождения вас поздравить хочет.

— Ладно, — кивнул Саблин, — если забавненький, то приведи, пусть настроение поднимет.

Через несколько минут Светлана снова открыла дверь и пропустила в кабинет начальника Бюро мужчину лет тридцати пяти-тридцати семи, как на глазок определил Сергей. Мужчина был невысок, крепок, одет в черную кожу с массой заклепок и прочих металлических прибамбасов. На ногах — сапоги «казаки» с острыми носами. Типичный байкерский прикид.

— С днем рождения, Сергей Михайлович! — громко заявил посетитель. — Примите от нас всех и от меня лично, не побрезгуйте!

Он водрузил на стол перед Саблиным яркий пакет, содержимое которого весьма недвусмысленно звякнуло. Сергей понял, что это кто-то из тех мотоциклистов, с которыми его свел случай два месяца назад.

— Спасибо, — поблагодарил он. — Как там дела у ваших товарищей? Поправились?

— Порядок, Сергей Михайлович! Алекс хромает пока, но бодр и весел.

— А второй? Кажется, Макс? С разрывом селезенки. Как он?

Байкер хмыкнул.

— Да тоже вроде ничего. Сергей Михайлович, вы что, не узнаете меня? Это же я, Макс. Максим.

Саблин всмотрелся повнимательнее: действительно, тот самый. Стрижку изменил, что ли?

— Я вас не узнал сразу, — извинился он. — Вы какой-то другой стали.

— Ну да, — весело согласился байкер Макс. — Я волосы покрасил. Это называется «грязный блондин». Потому и не узнали, наверное. Вот пришел «спасибо» вам сказать. Здорово вы тогда помогли. Мне в больнице сказали, что если бы вы не сделали то, что сделали, мне бы кранты пришли. Я вообще-то давно узнал, как вас найти, но раньше не приходил, хотел в день рождения поздравить.

— А как вы про день рождения-то узнали? — удивился Сергей. — Кто вам сказал?

Макс неопределенно пожал плечами:

— Всегда нужно уметь собрать важную информацию о тех, кто тебе интересен. Разве не так?

И внимательно посмотрел на Сергея. «Ну-ну, давай-давай, строй из себя значительную личность», — язвительно подумал Саблин. Важную информацию он умеет собирать! Ишь ты, какой! Да еще о тех, кто ему интересен.

— Стало быть, я вам интересен? — холодно спросил он. — Весьма польщен столь высокой оценкой моей скромной персоны. Благодарю за внимание и за подарок. У вас все?

Байкер в изумлении уставился на него.

— Сергей Михайлович, вы что, обиделись на меня? Ну так я и знал! Вечно я что-нибудь ляпну неподходящее, а люди обижаются. Ну простите засранца, а?

У меня язык — как помело, честное слово, несу невесть что, потом сам раскаиваюсь.

Сергей неожиданно расхохотался — до того расстроенный и виноватый вид был у байкера. Макс начинал ему нравиться.

Саблин заглянул в стоящий на столе пакет. Так и есть, три бутылки, все разные, но по виду не дешевые.

— Это виски, — пояснил Максим. — Самый лучший, какой в городе есть.

— Любите виски? — рассеянно спросил Сергей, прикидывая, как лучше поступить с неожиданным подарком: отнести домой и при случае выпивать по рюмочке под настроение; выставить сегодня на стол, когда придут немногочисленные гости; или передарить кому-нибудь, например той же Светлане, пусть у нее к новогоднему столу будет хорошее спиртное, сама она такого небось не купит. Или раздать по бутылке Светлане, Изабелле Савельевне и Таскону, дескать, на рабочем месте пьянствовать я запрещаю, а дома выпейте за мое здоровье, считайте, что я «проставился».

— Нет, — Максим обезоруживающе улыбнулся, — байкеры виски не особо потребляют, мы же все-таки за рулем.

— Да? А что пьют байкеры? — осведомился Сергей.

— Ну, пиво, конечно, но чаще ББЧ.

— Что-что?

— Большой байкерский чай — в пивную кружку кипяток, не меньше двух пакетиков чая, лучше три, и сахар.

«Кстати, — подумал Сергей, — почему бы не предложить ему чаю? А то как-то негостеприимно получается, человек пришел с днем рождения поздравить, а я...»

— Вы, наверное, раньше хорошим врачом были? — простодушно спросил байкер, отпивая осторожно принесенный Светланой горячий чай из чашки в мелкий голубой цветочек.

— Почему — был? — насмешливо спросил Саблин.

— Ну, до того, как вас в трупорезы поперли. Накосячили где-то, да? Или за пьянку выгнали?

Господи, сколько раз Сергею приходилось объяснять несведущим людям суть своей профессии! Надоело. Хотя парень вроде симпатичный, не надо бы на нем срываться и грубить, пусть и очень хочется.

— В медицине «косячить» нельзя вообще, — спокойно заметил он. — Ни в какой ее области. И не надо думать, что есть отрасли медицины, в которых пьянствовать нельзя, а есть такие, в которых можно. Это крайне опасное заблуждение.

— У вас тут морг, — со святой убежденностью произнес Макс. — Тут одни покойники, какая ж тут медицина? Медицина — это когда живых людей лечат, а тут уже мертвые.

— Ну и какая разница?

— Ну как... Чтобы живых лечить, надо много знать всякого, уметь и все такое, а с покойниками-то какая наука? Чего там особенного уметь надо? Разрезал да посмотрел, и всего делов. Любой сможет. Даже меня можно наблатыкать за пару недель.

— Да? Хорошо, пошли со мной, — решительно произнес Сергей. — Посмотришь. А заодно и я посмотрю.

Он легко и незаметно перешел на «ты», и почему-то впервые в жизни ему это не показалось неуместным.

— На что? — Макс недоверчиво прищурился.

— На покойника. То есть на труп. Трупов не боишься?

— Да нет вроде...

— А смерти? Имей в виду: когда идет вскрытие, смерть всегда стоит рядом, за плечом у эксперта.

Стоит, дышит ему в затылок и следит за каждым его движением.

— Зачем? — вытаращил глаза Максим.

— А ей интересно, сможет ли человек, обыкновенный смертный, пусть и очень квалифицированный и знающий, разгадать ее тайну. Она загадку загадывает и смотрит, разгадает ее эксперт или нет. Стоит и усмехается, еще и в ухо гадости всякие нашептывает. Не боишься?

— Да нет вроде... — повторил байкер, но на этот раз как-то не очень уверенно.

— Вот и славно. Пойдем. Я его вскрою, а ты посмотришь и скажешь, как там и чего.

— Да легко! — с воодушевлением откликнулся Максим.

Приготовленный для вскрытия труп был не криминальным, поэтому Сергей вполне мог допустить присутствие в секционной посторонних. Он попросил Макса подождать в приемной, переоделся и повел байкера на первый этаж в помещение морга. Макс шел спокойно, с любопытством оглядывался по сторонам и даже пытался сунуть нос в каждую приоткрытую дверь. Никакого напряжения или испуга Саблин в нем не замечал. Это было странно. Обычно сохранение такого спокойствия лучше удается женщинам, они почему-то меньше боятся смерти и покойников, ведь традиционно даже обмывание и одевание умерших поручалось именно представительницам слабого пола, в то время как сильный пол испытывал перед трупами и вообще всем, что связано с кончиной человека, просто-таки панический ужас, смешанный с отвращением.

В секционной Макс тоже держался ровно, не бледнел, не отворачивался, напротив, следил за манипуляциями Саблина с нескрываемым интересом и то и дело задавал вопросы:

— А это что? Ну надо же, а я думал, это ниже находится... А вот это что такое? А почему оно такое темное? А это разве такое маленькое? Я думал, оно больше. Ни фига себе! — воскликнул он, когда дело дошло до сердечной мышцы. — А почему посередине? Оно же слева!

Сергей только покачал головой, не прекращая диктовать медрегистратору. «Ну почему, — уже в который раз подумал он, — почему люди так мало интересуются собственным телом? Почему они ничего о нем не знают и знать не хотят?»

Перед выделением органокомплекса он сделал перерыв на пять минут и посмотрел на Макса, который к этому времени страшно расчихался и без конца утирал льющиеся из глаз слезы.

— Ну? И что ты видишь? Вот я тебе задачу облегчил, все, что сам увидел, вслух проговорил, ты слышал. Так что с человеком случилось? От чего он умер?

Макс пристально рассматривал разрезанное и раскрытое тело. Прошла минута, другая, третья...

— Ни хрена не понять, — удрученно констатировал байкер и снова чихнул. — А вы-то как тут разбираетесь? Это ж башку сломать можно, весь мозг набок съедет. Теперь понятно.

— Что тебе понятно?

— Что про трупорезов фигню всякую несут. Это ж до фигища всего знать надо, чтобы вот так работать.

Он полез в карман и достал огромный не очень свежего вида носовой платок, которым принялся утирать глаза и нос.

— Простыл, что ли, — пробормотал он.

— Да не простыл ты, — усмехнулся Саблин. — Это у тебя аллергия.

— Аллергия? На что? Сейчас декабрь, ничего не цветет, пыльцы нет никакой. Да я и не ел сегодня ничего такого, все как обычно.

— А у нас, Максим, в морге вечная весна, — мрачно пошутил Саблин. — Вечное, так сказать, цветение. У нас тут такие аллергены повсюду используются, что мама не горюй.

— Как же вы тут работаете? — удивился Макс.

— Вот так и работаем, — пожал плечами Саблин. — Все болеем поголовно, кто чем. А нам за это — сокращенный рабочий день и пол-литра молока. Только кого эти пол-литра спасут, когда здоровье окончательно угробишь... Ладно, продолжим. Если тебе надоело или плохо себя чувствуешь — иди, ты уже и так все увидел.

— Нет, — упрямо покачал головой байкер, — я останусь, если можно. Я еще не все понял.

Саблин посмотрел на него недоумевающе.

— И чего же ты не понял, друг Максим?

— Вы про смерть говорили... Про то, что она за спиной стоит... Я не почувствовал. А мне интересно. Можно я подожду? А вдруг почувствую.

— Ну, стой, — усмехнулся Сергей.

— А вы сами почувствовали? Была она здесь сегодня?

— Она и сейчас здесь, пока никуда не ушла.

— Сергей Михайлович, а как это... — байкер замялся. — Как вы ее чувствуете? Холод, что ли? Или воздух колеблется? Или звуки какие-то? Как? Мне на что внимание обратить?

Медрегистратор смотрела на него со странным выражением не то сочувствия к его простодушию, не то неодобрения, которое вызывали в ней разговоры о смерти. Была она женщиной немолодой, много повидавшей и проведшей в секционной сотни и тысячи часов за долгие годы работы в морге, и про смерть знала побольше иных врачей.

— Ты, сынок, не жди, не присматривайся, — негромко сказала она, — смерть, если захочет, — сама тебе знак даст, тогда и почувствуешь, и даже сомневаться не будешь, сразу точно поймешь: вот она. Стоит рядом. А если специально ждать, то она не покажется. Она тоже прятаться умеет.

— Угу, — подтвердил Саблин, занимаясь органокомплексом, — слушай, что знающий человек говорит. Когда выйдем отсюда — напомни, я тебе таблетку дам от аллергии, а то ты весь на слезы и сопли изойдешь.

Исследование трупа, как и ожидал Сергей, оказалось несложным и недолгим. Нарезав кусочки для гистологии, он разрешил санитару зашивать тело и со словами: «Всем спасибо, все свободны!» — покинул секционную. Максим шел следом, не переставая оглядываться по сторонам.

— А хотите, я вам в морге стены распишу? И совсем бесплатно — только краски ваши? А то что у вас тут — мрачнота какая-то, серость, обыденность. Я бы вам такие стены сделал! И цвет можно подобрать для настроения, и рисунок сделать, хоть пейзаж, хоть абстрактный, какой хотите. Здесь же не одни только покойники, здесь ведь и люди работают, о них тоже надо заботиться, чтобы у них на душе было радостно. Человек должен видеть красоту, а не эти вот ваши монохромные стены мертвенного цвета. Как в морге, ей-богу.

Сказал — и тут же рассмеялся.

Сергей усмехнулся — Северогорский морг в стиле HEAVY METAL. Мечта любого гота! Да они сюда толпами повалят, вместе с доморощенными сатанистами и прочими неформалами.

— Нет, спасибо. У нас медицинское учреждение. С одной стороны, есть этические нормы, общепринятые устоявшиеся взгляды обычных людей на то, как должно выглядеть медицинское учреждение. А с другой стороны, есть требования СанПина, в которых указано, какого цвета должны быть потолки и стены, чем покрашены и так далее. Рисунков СанПином не предусмотрено. Но я могу тебя свести с директором похоронной службы, он как раз ремонтирует и оформляет по-новому Зал прощаний. Покажешь ему эскизы — может быть, и сговоритесь...

— А СанПин — это что за хрень? Начальник краевой, что ли?

— Это санитарные правила и нормы, утвержденные Минздравом и обязательные для всех медицинских учреждений.

— Так это для медицинских же! А у вас тут... Ой, простите, Сергей Михайлович, опять я пургу какую-то гоню, — смутился Максим. — Никак не перестрою мозги в том направлении, что ваши трупы это тоже медицина, да еще, пожалуй, и покруче, чем бабкам давление мерить или прыщи лечить.

Сергей стал подниматься на второй этаж, Максим следовал за ним как привязанный.

— Ты художник, что ли? — спросил Саблин.

— Ну... как сказать... — Байкер рассмеялся. — Вообще-то да, художник. Но работаю в школе, преподаю рисование и черчение, кружок веду по истории живописи, студию тоже веду, учу детишек рисовать. Ну и всякие там праздники оформляю, наглядную агитацию.

— Художник? — фыркнул Сергей. — Какой же ты художник, если строение человеческого тела не представляешь? Вас ведь должны специально учить, разве нет?

— Так скелет же только и мускулатура, то есть то, что проявляется во внешней форме. А внутренности всякие мы не изучали.

— А ничего, что ты байкер? Это твоей репутации учителя не вредит? — осведомился Сергей. — И облик у тебя несколько, сам понимаешь...

Он сделал неопределенный замысловатый жест рукой.

— Так облик-то только для байка, — пояснил Максим. — Я же в школу в «косухе» не хожу. Для работы у меня джинсы и свитер, как у всех.

— А прическа? — поддел его Саблин. — Ничего, что мужчина-учитель красит волосы? По-моему, это противоречит дресс-коду школьного педагога.

— А! — Максим беззаботно улыбнулся. — Это сейчас я еще приличный, все-таки возраст, сами понимаете, а раньше я вообще с такой головой в школу ходил! Меня завуч воспитывать замучилась. Потом отстали, когда поняли, что детям нравится: я человек творческий и их к творчеству приобщаю, а творчество — оно ведь рамок и канонов не признает, оно должно быть свободным и ничем не ограниченным.

За разговором они дошли до приемной, в которой Максим оставил огромного размера теплую длинную куртку. Саблин был уверен, что сейчас байкер оденется и уйдет, но тот не спешил прощаться.

— Вы мне еще таблетку обещали, — напомнил он, в очередной раз чихнув и шмыгнув изрядно покрасневшим носом.

Сергей завел его к себе в кабинет и стал рыться в ящике стола в поисках лекарства, которое всегда держал на рабочем месте.

— Держи, — он протянул Максу продолговатую голубую таблетку, — выпей прямо сейчас, минут через двадцать все должно пройти. Иди-иди, — улыб-

нулся он, глядя на байкера, который мялся возле двери, — тебе Света водички нальет, запьешь лекарство.
А мне переодеться нужно. И вообще, у меня рабочий
день заканчивается.

— Сергей Михайлович, вы торопитесь? — с какой-
то неожиданной робостью спросил Макс. — Я еще
узнать хотел...

Вообще-то никуда Саблин особо не торопился.
День будний, праздновать день рождения решили
в субботу, а сегодня они с Ольгой просто посидят
вдвоем, а может, и втроем, если Петя Чумичев не из-
менит своим привычкам. Сергей по дороге домой купит торт — он с детства любит сладкое, а Оля собиралась приготовить его любимый салат и нажарить
свиных отбивных с толстым жирным краешком.
Сама она считала такую еду крайне вредной для здоровья и допускала ее только по особым случаям. Но
это все будет не раньше семи-восьми вечера, а сейчас только три... И в самом деле, спешить некуда.

Решение пришло неожиданно и в первый момент
показалось Саблину даже каким-то странным.

— Макс, а давай ты будешь называть меня на
«ты», — предложил он. — Тебе сколько лет?

— Тридцать четыре.

— А мне сорок один сегодня исполнилось, разница невелика. Значит, так: ты сейчас выходишь, я пере-
одеваюсь, потом Света сделает нам чайку, раздобудет
какой-нибудь еды, мы с тобой посидим, пообедаем,
и ты спросишь у меня все, что хотел. Годится?

— Класс! — искренне обрадовался Максим. — Спасибо.

Светлана задачу поняла быстро, сбегала сперва
к биологам, потом к гистологам, затем к Изабелле Савельевне и с миру по нитке собрала вполне достой-
ный двух зрелых мужчин обед, состоявший, правда,
в основном из принесенной накануне продукции

Лялечки Таскон. Однако среди пакетов и пакетиков обнаружились и печенье, и конфеты, и даже одно яблоко и три мандарина. Ловкая Света изобразила из этого богатства весьма привлекательный натюрморт, который и внесла на подносе в кабинет начальника.

— Света, меня ни для кого нет, — сказал Сергей. — Я ушел. У меня день рождения. Вы тоже можете идти. И приемную заприте. У меня ключи есть.

— Я посижу, Сергей Михайлович, — ответила секретарь, — телефон ведь звонить будет не переставая, вам никакого покоя не дадут. А так я хоть отвечу, что вас нет, так они звонить перестанут.

Он почувствовал, что страшно проголодался, и набросился на еду, прихлебывая горячий сладкий чай с лимоном. Максим тоже ел с удовольствием. Оба молчали. Теперь уже Сергей недоумевал: зачем? Для чего он это затеял? Пригласил совершенно постороннего и абсолютно не нужного ему мужика вместе пообедать, да не в кафе или в ресторане, а в собственном служебном кабинете! Он что, с ума сошел? Ему заняться больше нечем? Он вчера еще наметил посмотреть в гистологии «стекла» по одному интересному случаю, вскрытие по которому проводил две недели назад Филимонов: выставленный им диагноз несколько удивил Сергея, и он решил сам проверить и убедиться в том, что эксперт-танатолог не ошибся. Вот и занялся бы. И литературу по специальности, совсем свежую, из Москвы прислали, тоже надо выкроить время, чтобы хотя бы пролистать.

Он в юности был душой компании, весельчаком и острословом, великолепным рассказчиком, к которому всегда было приковано внимание окружающих, но с годами Сергей Саблин стал нелюдимым, желчным и злым, сторонился новых знакомых и не был особо общительным. Ему достаточно Ольги для того, чтобы дружить, и Петьки Чумичева, чтобы выпить в сугубо мужской компании. А этот Максим... Зачем, ну зачем он предложил ему остаться?! Да еще позволил перейти на «ты», тем самым резко сократив дистанцию между ними, ту самую дистанцию, которую он в последнее время, с тех пор как стал начальником Бюро, строго соблюдал и настороженно следил за тем, чтобы ее никто не уменьшил. Справедливости ради надо сказать, что он первым начал называть байкера на «ты». Сергей это отлично помнил и потому злился на себя еще больше.

От недавнего хорошего и легкого настроения не осталось и следа. Надо поскорее закончить эти никому не нужные посиделки и уходить.

— Так что ты хотел спросить?

Максим торопливо дожевал пирожок с вареньем.

— Я хотел узнать: ничего, что я теперь совсем без селезенки?

— Выживешь, — коротко ответил Саблин, усмехнувшись.

— А для чего тогда она нужна, если без нее можно жить?

— Ты что, хочешь медицинский ликбез прослушать? Так на это у меня времени нет. Медицина не такая простая наука, чтобы ею можно было за пять минут овладеть.

Максим смутился.

— Да нет, мне просто интересно, на что способен человеческий организм. Вот без селезенки он обходиться может, это я понял, а как с другими органами?

И снова Сергей с удивлением почувствовал, что злость уходит, уступая место расслабленности и благодушию. Этот байкер Макс волшебник, что ли? Почему он так удивительно действует на Саблина? Не успев дать себе ответ на вопрос, Сергей пустился в неторопливые пространные рассказы о разных экспертных случаях, демонстрирующих невероятные способности человеческого организма.

Когда он был на сертификационном цикле в областном центре, коллега из Новосибирска поведал ему о вызове милиции и «Скорой помощи» к мужчине, которого ударили табуреткой по голове. Когда врачи прибыли на место, пострадавший лежал на полу лицом вниз, а из затылочной части головы торчала табуретка, ножка которой вошла в вещество головного мозга на целых восемь сантиметров. Так он мало того что выжил, он еще и на вопросы прибывших работников милиции отвечал!

— Вот как бывает, — говорил Сергей. — Бабка пришла в сельскую амбулаторию, голова у нее побаливает. Ей лекарство выписали, она пришла домой и стала его пить. А через какое-то время померла. И что оказалось? У нее в черепе гвоздь! Она его сама себе вколотила и ходила с ним, жизни радовалась, а потом вот головка что-то болеть начала. Неделю с гвоздем ходила.

— А зачем гвоздь-то? — спросил Макс.

— Да кто ж ее знает, захотелось, наверное, вот и вколотила. Сенильная деменция, по всей вероятности. Проще говоря — старческий маразм. Старая-то она старая, а вот хватило же здоровья на неделю с такой травмой.

Байкер слушал очень внимательно, не сводя глаз с Сергея и даже прищурившись слегка от напряжения.

— Это много — неделя? — уточнил он.

— Для такой травмы — да. Но неделя — это что! Один мужик вообще тридцать один год с обломком клинка перочинного ножа ходил и в ус не дул. Ему восемнадцать лет в драке ножом в голову заехали. Где-то после сорока лет стали головные боли мучить, его и лечили от гипертонической болезни, атеросклероза сосудов головного мозга и динамического нарушения мозгового кровообращения. У него еще и лишний вес был, ожирение, так что в диагнозе никто и не усомнился. Лечили-лечили, пока он не умер в сорок девять лет. И только на вскрытии нашли в черепе отломок клинка длиной шесть с половиной сантиметров. Жена и рассказала, что в восемнадцать лет его во время драки ударили. Кровотечение из раны быстро прекратилось, и потом обследование полости черепа никогда не проводилось. Самое смешное, что на наружной поверхности височной кости и кожи заушной области очевидных следов травмы не обнаружено. Никому поэтому и в голову не приходило, что у него в башке инородное тело сидит. Или другой пример тебе приведу: парню выстрелили в лицо из газового пистолета, так он целых три дня с пулей в голове ходил, кололся, чтобы головную боль снять, с медсестрами заигрывал в стационаре. И ничего, кроме головной боли, не чувствовал. Ну, шатало чуть-чуть. И только на четвертый день почувствовал себя плохо, а через несколько часов умер.

— Слушай, — задумчиво проговорил Макс, — а сколько крови должно из человека вытечь, чтобы он умер?

— А это тоже как повезет, — развел руками Саблин. — По общему правилу — если человек теряет больше двух литров крови, то наступает так называемое жизнеугрожающее состояние. Но вот был случай, мужик получил травму, в результате произошел разрыв нижней полой вены и почечной артерии, так он с такими повреждениями еще двенадцать часов прожил, из них — только последние два в стационаре, а остальные десять часов дома сидел, по улице ходил, что-то делал. Умер, вскрыли, а там кровь в брюшной полости и в забрюшинной клетчатке. Измерили объем — четыре литра крови из системы кровообращения утекло, а он еще жил и целых десять часов двигался и сознание не терял. Он и в больницу-то сам пришел, дескать, что-то нездоровится ему, слабость какая-то и голова кружится. А другой мужик вообще выступил — не поверишь! Его ножом в сердце пырнули, так он еще полтора километра домой шел, рану тряпочкой прикрывал, а плохо ему стало только через шестнадцать часов, вот тогда он уже «Скорую» вызвал.

— Умер? — тихо спросил байкер.

— Какое там! Спасли. Жив-здоров. Алкаш был запойный. А со здоровьем опять же повезло.

— Да, — согласно кивнул Максим, — действительно повезло мужику со здоровьем. А правду говорят, что так везет в основном алкашам и всяким никчемным личностям? А хорошим людям не везет?

— Ну, это я не знаю, статистику не вел, — рассмеялся Сергей, — но опять же случай припоминаю, очень показательный. Молодая баба, беременная, на шестом месяце, напилась до полуобморока, ее изнасиловали бутылкой водки, она два-три дня провалялась в лесополосе, двигаться не могла — очень больно, потом добралась до трассы, ее там подобрали и до дома довезли. Десять дней прошло с момента события, когда она соизволила дойти до больницы. И что оказалось? Бутылкой ей порвали стенку влагалища, и бутылка прошла в брюшную полость. И с этим она десять дней жила. И выжила. Вот таким дурам всегда везет, бутылка закапсулировалась, отграничилась спайками с формированием абсцесса. А какая-нибудь хорошая девчонка сто пудов умерла бы. Эта ведь и чувствовала себя неплохо. Так, побаливало чего-то...

— Жуть какая, — пробормотал Максим вполголоса. — А вот есть что-нибудь такое, чтобы наверняка? Ну, такое, после чего никто и минуты не проживет?

— Да что ж тебя такие странные вещи-то интересуют! — удивился Сергей. — Ты молодой мужик, тебе жить да радоваться, смерти вон избежал по счастливой случайности, а ты все про нее, родимую, говоришь.

— Нет, ну правда, мне хочется понять, как жизнь из человека уходит.

Как уходит жизнь... Сергей Саблин тоже хотел бы это понять, с самого детства этим вопросом интересовался. А так до сих пор и не понял ничего.

— Наверняка — это только если голову отрубить гильотиной, во всех остальных случаях, как говорится, возможны варианты. Вот представь себе: парень попал под колеса паровоза, его разрезало на две части. То есть совсем пополам. Одна половина справа от рельса лежит, другая — слева. Отдельно друг от друга. Так он сообщил сотруднику милиции свою фамилию, имя, отчество, возраст, адрес да еще рассказал об обстоятельствах происшествия. Прожил еще сорок пять минут, из которых первые двадцать пять был в сознании, правильно оценивал происшедшее и отвечал на вопросы. Полтела — по одну сторону рельса, полтела — по другую, а он на вопросы отвечает.

— Это как? — шепотом спросил Максим. — Ты не шутишь? Не разыгрываешь? Этого же просто не может быть!

— Вот и все так подумали. При такой травме вся кровь должна была вытечь за считаные минуты. А она почему-то не вытекла, и мозговое кровообращение еще какое-то время поддерживалось. Когда вскрыли — поняли, что произошло. Оказалось, что реборда колеса и рельс сдавили брюшную аорту, и стенки сосуда как бы склеились, не позволяя крови вытекать. Но ты представь себе и другое: этот несчастный ведь должен был от болевого шока сознание потерять, а он его сохранял еще двадцать пять минут! Вот тебе и безграничные возможности человеческого организма. Они настолько велики и неисследованы, что иногда и убить-то себя — запаришься пыль глотать.

— Не понял, — озадаченно протянул байкер-художник. — Это как же?

— А вот так же! Женщина решила с жизнью расстаться, два раза выстрелила себе в грудь из мелкашки ТОЗ-16, ну, один раз — ладно, но на второй-то откуда силы взялись и самообладание? Так она после этого залезла на печку, легла, винтовку и коробку патронов рядом положила, то есть решила, что если так не помрет — еще раз стрелять будет. А на вскрытии у нее нашли сквозное пулевое ранение сердца. А есть такие, знаешь, упертые суициденты: у них намерение покончить с собой быстро не проходит. Вот опять же мужик ввел себе в сердце швейную иглу длиной четыре с половиной сантиметра, ходил с ней неделю, все ждал, когда конец наступит, а он не наступает и не наступает. Так он взял и повесился.

Случаев из экспертной практики Сергей Саблин знал много, в лице нового знакомого он нашел благодарного слушателя, и когда спохватился, было уже начало седьмого.

— Мне пора. — Он встал и начал собираться. — Поздно уже, меня дома ждут. Приятно было познакомиться.

— Мне тоже, — широко улыбнулся Максим. — Ты спортбар на Пролетарской знаешь?

— Проезжал на машине, а так — не заходил, а что?

— Я там арт-директором подвизаюсь, так что заходи, всегда обслужат в лучшем виде. Там в одном углу байкеры тусуются, в другом — обычные посетители, а есть еще отдельный зал с двумя телевизорами, там болельщики собираются. Обстановка нормальная, пиво хорошее, бочковое. Заходи. Глядишь, и пересечемся.

Саблину неохота было объяснять, что при его работе и — главное! — при его характере посещать спортбары нет ни возможности, ни желания. Поэтому он просто кивнул и ответил:

— Обязательно.

* * *

Наличие служебной машины существенно облегчало жизнь, через двадцать минут Сергей уже поднимался в свою квартиру. Дверь к Ильиным была распахнута настежь, из глубины квартиры доносился разгневанный голос Жанны Аркадьевны и тихий монотонный жалобный бубнеж ее драгоценного супруга, на лестнице, рядом с дверью, тосковали большой чемодан и туго набитая дорожная сумка. Дверь в квартиру Сергея тоже была приоткрыта. Все понятно, Кармен опять скандалит со своим Дантесом, а добросердечная Ольга прислушивается, чтобы в случае крайнего обострения ситуации кинуться на помощь. Так уже бывало.

Он тихонько вошел в прихожую, надеясь неожиданным появлением испугать Ольгу: настроение после чаепития с Максимом оставалось по-прежнему благодушным, и Сергей был не прочь пошутить или устроить розыгрыш. Однако едва сделав пару шагов по прихожей, он услышал, как на кухне Ольга с кем-то разговаривает. Прислушавшись, Сергей понял и тяжело вздохнул: у них в гостях Ванда Мерцальская.

Девушка, с которой Оля познакомилась в больнице, частенько захаживала к ним в гости, причем Саблин точно знал, что сама Ольга никогда инициативу не проявляла и Ванду не приглашала, но если та спрашивала позволения зайти, не отказывала. О чем они разговаривали — Сергею было неведомо, но точно так же неведомо ему было, какие вообще темы для разговоров могут быть у этих столь непохожих друг на друга женщин, да еще при такой значительной разнице в возрасте. Впрочем, думал он, наверное, разница в возрасте имеет значение только для мужчин, а бабы в любые года найдут о чем поговорить.

Он на цыпочках приблизился к дверному проему и стал слушать, выжидая удобный момент, чтобы напугать дам и удивить, а еще лучше — поставить в неловкое положение и чем-нибудь смутить.

— Вот эти — чтобы грудь росла, — журчал нежный голосок Ванды, — там есть специальная программа, кому надо побольше, кому поменьше, для всех разное количество пилюль и в разное время суток принимать надо. А вот эти — чтобы ноги были длиннее, я себе взяла пять упаковок, как раз на год должно хватить. За год же ноги вырастут, правда, Ольгуша? Я понимаю, за два месяца, конечно, такого результата не будет, но за год-то... Вот ты медик, ты скажи, год — это достаточно или надо было больше взять, может, года на два?

— Да нет, я думаю, года достаточно.

В серьезном голосе Ольги Саблин уловил едва сдерживаемый смех.

— А давай я для тебя тоже закажу, хочешь? Этих БАДов нигде нет, они жутко дефицитные, их привозят из Индонезии или из Малайзии, я забыла точно, откуда. Но откуда-то издалека. Я договорюсь, чтобы для тебя тоже привезли. Правда, они стоят... Ой, лучше не спрашивай, но ведь это же нужно, красота-то дороже любых денег, правда? А вот эти — для талии, на десять сантиметров тоньше делается. И еще, —

Ванда понизила голос, хотя на кухне они были одни, — там и для мужчин тоже есть таблетки. Может, Сереже надо? Тетка сказала, что вырастает прямо сантиметров на двадцать, а то и на сорок, если долго принимать.

Сергей плотно сжал губы, удерживая рвущийся наружу хохот. Ну Ванда, ну дурища! Что у нее в голове вместо мозга? Даже не опилки, наверное, опилками-то наверняка можно лучше соображать. И как Оля это все терпит?

— Ну куда тебе сорок-то сантиметров? — прыснула Ольга. — Что ты с ними будешь делать?

— Да, это правда, — задумчиво отозвалась Ванда. — Сорок — это много, пожалуй. Но двадцать-то хорошо! Размер, форму — все можно подкорректировать, если правильно составить программу. А они составляют для каждого индивидуально, с учетом особенностей, состояния здоровья, возраста и все такое. В общем, серьезные люди.

— Ты что, всерьез во все это веришь? — спросила Ольга со смехом.

— Ну а что? Тетка такая приличная приходила, выглядит хорошо, на мошенницу не похожа. И у нее целое портфолио было с собой, фотографии тех, кто пил эти таблетки, «до» и «после». Знаешь, как впечатляет? Такая коряга была, а стала прямо модель.

— Ванда, мне кажется, что слово «портфолио» мужского рода...

— Да ладно, какая разница... Так заказывать для тебя? Ну, хотя бы для ног, грудь у тебя и так хорошая, а ноги и попу я бы подправила. Но это на мой вкус, конечно. Если Сереже нравится...

— Сереже нравится, — громко заявил Саблин, делая шаг вперед и появляясь на кухне. — Перестань портить мою женщину, я люблю ее такой, какая она есть, и не хочу, чтобы она менялась.

Ванда испуганно пискнула и вжала голову в плечи, а Ольга вскочила и обняла его.

— Ты давно тут стоишь? Подслушиваешь наши дамские секреты?

— Ну, насчет сорока сантиметров — это, пожалуй, уже мужской секрет, — шутливо отозвался он. — Мы праздновать сегодня будем или продолжим обсуждать размерный ряд?

— Переодевайся, у меня все готово. Ты торт купил?

Торт он, конечно же, купить забыл: задумался о чем-то, сидя в машине, и проскочил мимо магазина.

— Ничего, — успокоила его Ванда, — я принесла пирожные, нам хватит.

Сергей прошел в комнату, чтобы снять костюм и сменить его на привычную удобную домашнюю одежду. Ольга, оставив гостью на кухне одну, стояла рядом с ним.

— Слушай, а почему у нас дверь опять открыта? Что у Ильиных сегодня? Кровавое побоище?

— Типа того, — усмехнулась она. — Кармен собралась уходить в табор.

— Куда?!

От неожиданности Сергей выронил вешалку с брюками и пиджаком, которую уже собирался отправить в шкаф.

— В табор, — невозмутимо повторила Ольга. — Ну, ты ж понимаешь... В общем, она пока только угрожает, а бедный Анатолий Иванович ее уговаривает передумать и остаться с ним. Я думаю, еще минут сорок, максимум — час, и она передумает.

— И давно она, с позволения сказать, думает? — иронично осведомился Саблин.

— Да часа три уже. В общем, когда Ванда пришла, процесс думанья был в самом разгаре. Сейчас уже ничего, на спад пошло.

Он стал надевать джинсы и толстовку.

— Петька не объявлялся? — спросил он.

— Объявлялся, грозился зайти. Я вот думаю, может, выпроводить Ванду, пока он не появился? Она девочка красивая, а Петька ходок известный. Нечего понапрасну соблазны подбрасывать неустойчивым людям, — задумчиво проговорила Ольга. — Как ты считаешь?

— Да ну брось! У Петьки такая жена, что ему никакие ванды не нужны. Оль, — он понизил голос до шепота, — как ты можешь это выносить? У меня мозги расплавились за три секунды, хотя я успел услышать совсем мало, а ты часами с ней треплешься. Как можно быть такой клинической дурой?

— Сереженька, смотри на это по-другому. Она чудесная добрая девочка, да, она глупа, и что? Зато она несет в себе огромный позитивный заряд, она как солнышко, все вокруг освещает и всех согревает. Ты целый день провел в морге, рядом со смертью, а тут тебе на блюдечке преподносят возможность вдохнуть свежего воздуха, чистоты и наивности. Ну разве плохо? Пользуйся, пока есть возможность. Пойдем на кухню, начнем торжественно ужинать и отмечать твой день рождения, а Ванда пусть трещит. Ты в слова-то не вслушивайся, ты слушай голос, мелодию, смотри на красивую молодую женщину, получай удовольствие. Расслабляйся. Других возможностей отстроиться от негатива у нас с тобой все равно нет.

— Ладно, — со вздохом согласился Сергей, признавая в глубине души, что она права.

Он постарался последовать совету Ольги и не вслушиваться в слова гостьи, а просто поглощать вкусную еду и впитывать в себя исходящее от Ванды легкое веселье и готовность бесконечно радоваться и удивляться всему подряд. Но к тому моменту, когда Ольга подала чай с пирожными, он все-таки не выдержал: врач взял в нем верх над усталым экспертом.

— Дай мне по одной таблетке каждого твоего препарата, я попрошу одного своего знакомого криминалиста посмотреть.

— Зачем? — непонимающе спросила Ванда.

Сергей перехватил одобрительный взгляд Ольги: она поняла, о чем он подумал. Ну в самом деле, мало ли чего туда намешали, отравится еще девка, не дай бог. Но и пугать молодую женщину понапрасну не хотелось.

— Ну как же, — перехватила инициативу Ольга, — эксперты посмотрят состав и скажут точно, сколько нужно пить, чтобы получился тот эффект, который тебе нужен. А то вдруг окажется, что если пить твои БАДы год, то грудь увеличится на два размера, а если два года — то на пять или шесть. Представляешь, какой будет ужас?

— Ну да, — растерянно кивнула Ванда, — на пять или шесть — это уже будет девятый-десятый, это мне много.

— Или ноги, — подхватил Сергей злорадно, — вырастут на метр. Представляешь, ты станешь на метр выше. Ты же себе мужика с таким ростом никогда не найдешь, а тебе надо замуж выходить, жизнь устраивать. Или вообще, вдруг это окажется наркотик? И сама пристрастишься, и еще, не дай бог, сядешь за распространение.

— На метр?! Да ну вас, ребята, вы меня разыгрываете, такого не может быть. Но вообще-то насчет мужиков — это правда, мужик сейчас низкорослый пошел, высоких-то наищешься... А насчет наркотиков — это что, на самом деле? Меня посадить могут? Но я же не знала, что там в этих пилюльках, я же думала, что это...

— Посадят, посадят, — злорадно подтвердил Сергей.

И только тут Ванда поняла, что над ней если и не издеваются, то дружески подшучивают, и с готовностью расхохоталась первая. Ванда вообще была не обидчивой и, несмотря на глупость, кое-каким чувством юмора все-таки обладала, во всяком случае, его хватало для того, чтобы посмеяться над собой.

— Ванда, кукла, нельзя быть такой доверчивой, — укоризненно произнес Саблин. — Что ж ты так буквально воспринимаешь все, что тебе говорят? Вот слушаю я тебя и вспоминаю случай из своей практики, такие же доверчивые люди попались. Пили втроем, один из собутыльников плакать начинает и говорит, дескать, рак горла у меня, долго не проживу, если его оттуда не убрать. Двое других поняли все буквально и предложили помочь в извлечении рака. Намотали ему веревку на шею и давай тянуть изо всех сил. Несчастный хрипит, задыхается, а дружбаны его радуются: хорошо, говорят, рак выходит, щас еще чуть-чуть поднажмем — он и вылезет окончательно, и станет наш товарищ здоровым и веселым.

Ванда посмотрела на него с недоумением.

— И что, выдавили?

Сергей не выдержал и разразился неудержимым хохотом.

— Нет, — отсмеявшись ответил он, — не выдавили. Помер мужик. Удавили они его от большого старания. Ну, и сели, соответственно. Так я это к тому, дорогая моя Ванда Мерцальская, что не нужно все принимать на веру и понимать буквально. Фильтровать надо базар, понимаешь?

Ванда не успела ничего ответить, потому что незапертая дверь в квартиру распахнулась, и ворвался пахнущий полярным морозом и дорогой туалетной водой Петр Андреевич Чумичев.

Опасения Ольги оказались не напрасными: Петр, едва увидев красавицу Ванду, тут же распушил перья и начал с ней заигрывать. Ванде внимание Чумы льстило, он был хорошо одет и всем своим видом демонстрировал успешность в делах и в жизни в целом. Девушка находилась в постоянном поиске спонсоров, имея их одновременно по два-три и периодически меняя, поэтому флирт с руководителем отдела социальных программ крупнейшего комбината пришелся ей как нельзя более кстати.

Выпито было немало, съедено все подчистую, разошлись далеко за полночь. Разумеется, Петр Андреевич повез Ванду домой на своей машине.

— Саблин, — сонным голосом спросила Ольга, засыпая, — как ты думаешь, у Чумы с Вандой чтонибудь склеится? Мне так неловко перед Петькиной женой, она такая славная, мы с ней приятельствуем, а теперь получается, что я как сводня... Они же у меня дома познакомились, значит, если что — я буду чувствовать себя виноватой.

— Выброси из головы, — равнодушно ответил Сергей. — Не твоя проблема. Они взрослые люди, сами разберутся.

Ему не хотелось думать ни о Петькиной жене, которая и в самом деле была очень славной и весьма неглупой женщиной, ни о самом Петьке, который постоянно крутил романы и романчики с молоденькими девочками, ни тем более о глупой и наивной Ванде Мерцальской.

Ему хотелось спать.

ГЛАВА 4

Зима миновала как-то уж очень быстро, даже несмотря на то, что здесь, за полярным кругом, она длилась чуть ли не до конца апреля. Сергей много работал, но старался в свободное время давать себе хоть какую-то, хотя бы минимальную физическую нагрузку. За эти месяцы он сблизился с байкером Максом и неожиданно для себя открыл прелесть пеших прогулок по городу в обществе человека явно неординарного, много знающего и обладающего нетривиальными взглядами на жизнь. И еще Сергея забавляла манера Максима выражать свои мысли: глубокие по сути, они были облечены в форму пацанского дворового лексикона.

— Ты и в школе так с детьми разговариваешь? — подшучивал над ним Саблин. — И с учителями? И даже с завучем?

— Нет, — смеялся Максим, — на работе в бюджетной организации я стараюсь держать себя в руках. Хотя один бог знает, чего мне это стоит. Не терплю я никаких рамок и канонов, мне свобода нужна.

Несколько раз, когда подсохло и потеплело, Максим давал Саблину свой байк прокатиться, каждый раз делая озабоченное лицо и объясняя, что настоящий байкер свою машину никогда никому не даст и он поступается принципами только из уважения к человеку, спасшему ему жизнь. Ездить на байке Сергею нравилось, и ближе к лету он всерьез озаботился тем, чтобы приобрести подержанный мотоцикл.

— Идея — супер! — радовался Максим. — Если хочешь, я тебе протекцию составлю, найдем отличную машину и недорого.

Но Сергей колебался.

— А держать его где? — спрашивал он.

— Да хоть у меня в гараже!

— А ты? Разве тебе гараж не нужен?

— Серега, не парь мне мозг, — морщился Максим. — Я свой байк в гараж только для технических работ пригоняю, а так он у меня всегда под задницей, я и на работу на нем езжу, и вообще всюду. На ночь возле дома оставляю. Но даже если что случится — гараж большой, там когда-то отцовская машина стояла, пока я ее не разбил, так что места и на два байка хватит.

В конце концов Сергей решился. Макс подобрал ему у знакомого байкера, собравшегося уезжать «на материк», хороший мотоцикл с относительно небольшим пробегом и замечательными ходовыми качествами. И — что немаловажно — очень дешево. Совершив товарно-денежный обмен, они — каждый на своем байке — отправились в ту часть города, где находился гараж.

— Держи ключи, — сказал Максим, когда они остановились перед одной из дверей в длинном ряду гаражей, — учись открывать, у меня замок с придурью, заедает.

Саблин сделал несколько неудачных попыток, пока, наконец, не нашел то положение бородки ключа, при котором механизм проворачивался и замок открывался.

Гараж и в самом деле оказался просторным, два байка здесь легко поместятся, и еще место останется.

— Осваивайся, — гостеприимно предложил Макс. — Походи, посмотри, где тут что, разберись, где свет включается, где кран с водой.

Сергей не спеша обошел гараж по периметру, отмечая, кроме обычных для гаража запахов бензина, машинного масла, ржавого железа и пыли, и другой запах, чужеродный для места, где хранится автотехника. Этот «чужой» запах почему-то ассоциировался с запахами кабинета химии, какими он помнил их еще со школьных времен.

Внутреннее пространство гаража имело не строго прямоугольную форму, в противоположном от входа углу имелось что-то вроде выгородки. Сергей из любопытства отодвинул матерчатую шторку, прикрывающую вход, и увидел небольшой закуток с верстаком, уставленным большим количеством банок и склянок, пузырьков и бутылочек, там же был и стеклянный змеевик. Аккуратным рядком лежали тряпичные мешочки, из которых торчали буроватые стебли неизвестного ему растения. Над верстаком тянулась закрепленная на вбитых в стену гвоздях веревочка, на ней сушились пучки травы, названия которой Сергей тоже не знал. Он поднял голову и заметил проделанное под самым потолком окошко.

— Ты что, самогон здесь гонишь? — крикнул он Максу, возившемуся на улице со своим байком.

Макс не ответил — видимо, не слышал. Сергей еще раз окинул взглядом самодельную лабораторию, хмыкнул и пошел к выходу.

— Ты что-то говорил? — спросил сидящий на корточках Макс, занимаясь задним колесом. — Извини, я не расслышал.

— Я спрашивал: ты что, самогон в гараже гонишь? Там у тебя прямо химкомбинат целый.

Ему показалось, что Максим не то смутился, не то смешался...

— Да нет, — с нарочитым безразличием ответил тот. — Это я так...

Продолжать ему явно не хотелось, а особо любопытным Сергей Саблин никогда не был.

Главное — у него теперь есть свой мотоцикл и есть место, где он может спокойно храниться всю рабочую неделю, и есть ключи от гаража. Значит, пока не наступят холода, можно будет ездить, ловя бьющий в лицо ветер, который выдувает из головы все тяжелые мысли и мрачные впечатления, трупный запах и вид развороченного кишечника. Можно будет ехать так быстро, что в какой-то момент возникнет ощущение стремительного удаления от всего, что привязывает эксперта Саблина к самой темной и страшной тайне человеческой жизни — к смерти.

* * *

Он гонял на байке все лето, не пропуская ни одного выходного, если, конечно, не было дежурства или срочной работы. Иногда ездил один, чаще — вместе с Максом, который первое время пытался приобщить Саблина к байкерской компании, но, встретив упорное сопротивление Сергея, оставил эту идею.

— Я не люблю скопления людей, — сказал ему Саблин. — Я — существо не общественное, бирюк, волк-одиночка. Это у тебя полно друзей-приятелей, а я в них не нуждаюсь.

— Как же ты живешь? — искренне недоумевал Максим. — Ведь люди — это же так интересно! Все разные, у каждого свои прибамбасы, своя придурь, и проявляется она у всех по-разному. Это ж сплошной кайф — с разными людьми общаться. Неужели у тебя совсем никого нет здесь, кроме твоей Ольги и меня? Ты еще говорил, одноклассник у тебя здесь, да?

— Да, Петр Андреевич, на комбинате трудится, руководит социальными программами. Ну, еще несколько человек есть, с кем мне приятно общаться, но близких отношений, конечно, ни с кем не завожу.

— Ну и с кем тебе приятно общаться? Расскажи, хоть знать буду, — хмыкнул Макс.

Сергей в двух словах описал заведующую тана-тологией Изабеллу Савельевну Сумарокову, экспер-та-биолога Таскона и криминалиста Глеба, сына Татьяны Геннадьевны Кашириной, с которым он по-сле того памятного празднования Дня милиции то и дело сталкивался во время дежурств. Если такое случалось, они с удовольствием общались, обсуж-дая самые разные предметы, но за рамки контактов в следственно-оперативной группе их отношения так и не вышли: больно велика разница в возрасте, целых шестнадцать лет. Для Саблина это было поис-тине непреодолимой пропастью.

Услышав о том, что Лев Станиславович Таскон давно и серьезно интересуется историей судебной медицины и знает массу прелюбопытнейших фак-тов, Максим то и дело просил Сергея рассказать «что-нибудь эдакое из старинной жизни судебных медиков» и восторгался, когда Саблину удавалось восстановить по памяти некоторые цитаты, которы-ми так и сыпал биолог. У художника-байкера оказал-ся весьма тонкий слух, он хорошо чувствовал слово и однажды даже сказал, услышав «...кто кого убьет так, что он не тотчас, но по некотором времени умрет, то надлежит о том освидетельствовать, что он от тех ли побоев умре, или иная какая болезнь приключи-лась...»:

— От тех ли побоев умре, или иная какая болезнь приключилась... Это ж с ума сойти! Представляешь, как можно это на полотне подать?

— На полотне? — удивился Саблин. — Ты имеешь в виду, написать картину с изображением умираю-щего от побоев, что ли? Или я чего-то не понял?

— Да ни фига ты не понял, — рассмеялся Мак-сим. — Ты за мелодикой фразы следишь?

— Нет. Я вообще не знаю, что это такое, — признался Сергей.

Максиму всегда удавалось удивить его или поставить в тупик. Все-таки он был очень нестандартным даже для такого нетипичного человека, как Сергей Саблин.

— Ну и не надо тебе, раз не знаешь, — махнул рукой байкер. — Я каждую фразу вижу графически, она у меня перед глазами плывет в виде полосок, зигзагов, вензелей всяких, окружностей... Короче, не парься, тебе это ни к чему. А вот когда ты про историю рассказываешь и цитаты приводишь, у меня в голове прямо целые полотна возникают. Без сюжета, абстрактные, но очень точно передающие и структуру фразы, и ее смысл, и даже настроение. Я тебе как-нибудь покажу, когда случай представится. Ты мне красивую цитату нароешь, а я тебе ее на холсте изображу.

Рассказ о Глебе Морачевском тоже вызвал у Макса живейший интерес, особенно когда Сергей, нахваливая молодого эксперта, упомянул о том, что он много учился и многое умеет.

— В наше время редко можно встретить молодого парня, который так увлечен своей работой, — говорил Сергей. — А он еще и не пьет. Вообще ничего. Можешь себе представить такое?

— Не могу, — честно признался байкер. — Может, у него дефект какой-нибудь? Ну там, со здоровьем или с головой непорядок? Какой-то он больно ангельский у тебя получился, только крыльев не хватает. Не бывает таких.

— Да я тоже думал, что не бывает, а вот присмотрелся к нему повнимательнее — и понял, что он настоящий, неподдельный. Трудоголик. А я трудоголиков уважаю, сам такой. Но дефекты у него есть, как же без этого, — усмехнулся Саблин. — По девкам он активно приударяет, крутит им мозги, а жениться не хочет. Говорит, что однажды уже был женат и ему надолго хватило впечатлений. Так что в этом смысле он нормальный.

— А-а-а, — протянул Максим с уважением, — тогда да. Слушай, а познакомь меня с ним, а?

— Зачем? — удивился Саблин.

— Ну так интересно же! Парень такой необычный, у него в голове, наверное, много всякого забавного есть, я люблю людей с изюминкой, ты же знаешь. Ты вот уж на что зловредный тип, хамский и наглый, — при этих словах Максим рассмеялся и хлопнул Сергея по спине, словно извиняясь, — но я тебя люблю, потому что у тебя внутри много всякого такого.

Какого «такого», он никогда толком не объяснял, но Сергею и без его объяснений все было понятно. Он быстро приспособился к манере Максима выражать свои мысли больше при помощи жестов и интонаций, нежели терминов и определений, и прекрасно ориентировался в потоке его слов.

Максим еще несколько раз просил познакомить его с криминалистом, но Сергею это казалось неуместным. Он даже и сам не знал почему. Просто чувствовал.

Общение с байкером-художником всегда поднимало Саблину настроение. Сперва он удивлялся тому, как положительно действует на него этот человек, потом привык и удивляться перестал, просто принял как факт и помнил об этом. И если в будние дни позволял себе справляться с мрачностью и тяжелым состоянием духа при помощи двух-трех рюмок крепкого спиртного, то в выходные его единственным лекарством стали поездки на байке и встречи с Максом.

* * *

В субботу Сергей планировал просмотреть «стекла», которые в течение недели старательно выбирал из гистологического архива: он собирал материал для научной статьи. Склонившись над окулярами микроскопа, он вполуха прислушивался к бормотанию включенного телевизора, стараясь не пропустить в конце выпуска местных новостей прогноз погоды на завтра, чтобы спланировать воскресный день. Хотелось использовать последние более или менее теплые и светлые дни перед наступлением длинной темной холодной полярной ночи. Ухо выхватило знакомую фамилию, произнесенную диктором, а затем послышался голос заместителя начальника горотдела внутренних дел, который с гордостью рассказывал о раскрытии преступления, не так давно взбудоражившего весь Северогорск:

— ...наши сотрудники сумели в кратчайшие сроки раскрыть преступление, совершенное, как у нас говорят, в условиях полной неочевидности. Ни очевидцев, ни каких-либо других свидетелей — никого, и орудие преступления тоже не обнаружили. Но оперативники проявили настойчивость и смекалку, — вещал он.

Сергей оторвался от микроскопа, протянул руку к пульту и прибавил звук. Дослушал интервью с замом по розыску до конца и злобно чертыхнулся. Ну и козел!

— Оль! — крикнул он.

Ольга, что-то читавшая, свернувшись клубочком на диване, оторвалась от книги.

— Что случилось? Не кричи, я тебя хорошо слышу.

— А интервью зама по розыску тоже слышала?

— Ты же громкость прибавил, — улыбнулась она. — А я не глухая пока. И что? Тебе что-то не понравилось?

Ему не понравилось! Конечно, ему не понравилось. Да при раскрытии этого преступления вся доказательственная база строилась исключительно на заключении судебно-медицинского эксперта! В конце сентября в озере нашли полуразложившийся труп мужчины. Опознать по лицу было уже невозможно, но эксперт из отделения медико-криминалистической экспертизы смог восстановить пальцевый узор на двух пальцах, и это сделало возможным провести дактилоскопию трупа и проверить по информационной базе. Таким образом, имя потерпевшего установили, и выяснилось, что мужчина этот пропал без вести еще в июне. Сам труп был уже «гнилым», частично в стадии жировоска, к тому же весь покрыт тягучим липким илом. Вскрывал его один из тех двух экспертов-танатологов, о которых Изабелла Савельевна говорила: «Надежды на них никакой». Ну и дал он заключение о том, что «причину смерти установить не представляется возможным ввиду гнилостных изменений трупа». Вроде бы дело обычное, когда речь идет о таких трупах... Но у оперативников и следователя было другое мнение. Они установили круг подозреваемых и выявили главного и основного претендента на роль убийцы, которого и задержали в надежде на то, что заключение судмедэксперта даст им в руки доказательства его вины. Более того, они старательно «поработали» с задержанным, запугали его тем, что «судебные медики все точно установят и скажут, никуда тебе не деться», и выколотили из подозреваемого явку с повинной, пока он не опомнился. И вдруг такой облом! Судебные медики ничего не нашли и ничего сказать не могут. А как же суд? Какими доказательствами подпирать обвинение? Явка с повинной тут никак не прокатывала, поскольку на суде обвиняемый от всего откажется и в красках поведает, как его били и всяческими иными способами прессовали злые дядьки-милиционеры.

И делегация в составе следователя и оперативников, а также парочки их начальников пришла на поклон к Саблину, который только-только вернулся из отпуска.

— Сергей Михайлович, выручайте! — взмолились они. — Не знаем, что делать. Дело разваливается. Не отпускать же махрового убивца-душегуба!

В принципе Сергей знал, что нужно делать в таких случаях, и прекрасно понимал, почему эксперт, вскрывавший труп, этого не сделал. Не был бы он в отпуске — сам бы вскрыл и произвел все полагающиеся манипуляции. А теперь придется заставлять эксперта это делать. Ладно, ничего, пусть поучится. Трудно? Еще бы! А кому сейчас легко?

Манипуляции и в самом деле были нелегкими. Труп нужно было натурально скальпировать, то есть отсепаровать всю кожу с туловища трупа, потом ее отчистить и отмыть под холодной водой. Эта работа занимает несколько часов, и на протяжении этих часов нет ни одной хоть сколько-нибудь приятной минуты. Зато в результате была найдена колото-резаная рана с явными признаками прижизненности, и рана эта находилась в подлопаточной области слева. То есть ударили потерпевшего ножом, да не в ногу куда-нибудь и не в руку, а прямо в сердце попали.

И вот теперь в телевизионной студии заместитель начальника горотдела, приходивший тогда к Саблину на поклон, сидел и с важным видом разглагольствовал о том, какие молодцы оперативники и какой умный в прокуратуре следователь, а о том, как судебно-медицинский эксперт несколько часов возился, снимая кожу с гнилого трупа и отмывая ее водой, никто и не вспомнил.

Кому же такое понравится?!

— Саблин, ты меня удивляешь, — спокойно и ласково ответила Ольга, натягивая плед, которым она укрывалась, до самого подбородка: Сергей курил в комнате, поэтому окно постоянно было открыто, и из него тянуло сырым холодным воздухом. — Это что, в первый раз происходит? Я знаю обо всех твоих экспертизах, я своими глазами вижу, чего тебе это стоит и каким ты приходишь с работы, и ни разу за все эти годы никто в средствах массовой информации не то что добрым словом не вспомнил — даже просто не упомянул судебных медиков. И никогда тебя это особо не злило. Согласна, это не просто несправедливо — это чудовищно несправедливо, но ты в экспертизе тринадцать лет, должен был уже привыкнуть. Чего ты именно сегодня так взъелся? У тебя были экспертизы и посложнее.

Почему именно сегодня? Он и сам не знал. Действительно, раньше как-то мирился, а сегодня вот взорвался.

— Оль, — тихо спросил он, — а может, я старею? Может, у меня переносимость падает?

Она встала с дивана и подошла к нему, глядя своими темными глазами в обрамлении невероятно длинных ресниц, которыми он за шестнадцать лет так и не перестал восхищаться.

— Саблин, мы все стареем, это нормально. Не заморачивайся из-за этого. Не бойся ничего, у тебя впереди еще много лет активной работы. И перестань так болезненно реагировать на то, чего ты не можешь изменить. Одни работают — другие пожинают лавры. Так было всегда и всюду. Это закон жанра.

Смотреть «стекла» расхотелось, настроение испортилось. Сергей долго перебирал диски из своей коллекции вестернов, собрался было посмотреть любимый фильм «Веревка и кольт», но передумал: нежная печаль безысходности — это не то, что ему сейчас нужно. Выбрал что полегче — «спагетти-вестерн» Серджо Леоне. Но и это проверенное средство не помогло. На экране мелькали лошадиные морды, неизменно ассоциирующиеся у Сергея с понятием благородства и преданности, и каждый кадр, в котором он видел лошадь, отзывался болезненным уколом в груди: ну почему в животных есть эти качества, а в людях — нет?

Не досмотрев фильм, он выключил плеер и позвонил Максиму.

— Ты говорил, что в Северогорске есть старые конюшни?

— Ну да. А что, хочешь посмотреть? Не вопрос, — живо откликнулся художник. — Я тебя отвезу, все покажу. Когда ты хочешь? Завтра?

Сергею стало спокойнее. Завтра он встретится с Максом, своей Большой Таблеткой, и поедет туда, где раньше находились лошади и где, возможно, еще осталась аура чистоты и благородства.

* * *

— И все-таки мне не верится, что здесь были лошади.

Саблин упрямо покачал головой, разглядывая строение, бывшее, по заверениям Макса, когда-то конюшней: сработанное из добротных плах, оно стояло на сваях в два обхвата, и казалось, что северные ветры за много лет слизнули с него кожу, оставив только скелет. Стропила и верхние перекрытия кое-где упали внутрь, а листовая обшивка напоминала грязное кружево. Однако пол, как ни странно, остался в целости и сохранности.

Максим нетерпеливо мотнул головой.

— Ну, смотри, вот это станок для правки подков, видишь? Стойла видишь? Ясли в них видишь? И кто тут, по-твоему, мог обитать? Свиньи, что ли? Или собаки?

— Но что они тут делали? Как вообще выживали? Я не понимаю!

— Как что делали? — удивился художник. — Работали. Их вовсю использовали, они грузы таскали до тех пор, пока железнодорожную ветку не построили до порта. А так — на лошадках. В шестидесятые годы в Северогорске еще «Скорая помощь» конной тягой пользовалась, между прочим. И вообще, на Севере лошадей много было, они и рыбацкие сани тянули, и ручные буровые установки волокли. В Северогорске целый цех гужевого транспорта был, даже начальники конной тягой не брезговали, пока персональные автомобили не появились. После войны, знаешь, как лошадки ценились! Автомобильная промышленность когда еще на ноги встанет, а грузы возить надо, людей возить надо, так у нас тут конюшни ставили с таким расчетом, чтобы до любого значительного объекта близко было. Как кому чего срочно понадобится — повозка тут как тут, хоть пассажира вези, хоть груз перемещай.

Он медленно шел вдоль бывшей конюшни, заглядывая внутрь, Сергей следовал за ним, жадно вбирая глазами каждую мелочь, пропитанную аурой животных, когда-то здесь живших. Ему казалось, что он каждой клеткой кожи ощущает тепло, исходившее много лет назад от крупных красивых лошадей, чувствует их запах, видит, как трясут они головами, и слышит издаваемое при этом фырканье.

— Давай внутрь войдем, — предложил он.

Внутри ощущение присутствия лошадей стало еще сильнее, Сергей поймал себя на том, что, бросая взгляд на перегородку, отделяющую стойло от прохода, ждет, что увидит лошадь, рослую, с крепкими ногами и мощной грудной клеткой, с узорчато вылепленным носом на крупной морде. И каждый раз, видя пустое стойло, вспоминал, что лошадей здесь давно уже нет. Но их присутствие было так дьявольски ярко... «Гены проснулись, — насмешливо подумал он. — Бабки-тетки были колдуньями. Поздновато, пожалуй, в сорок один год. Впрочем, может быть, никакие это не гены, просто внушаемость и впечатлительность. Хотя какая у меня может быть внушаемость? И тем более впечатлительность! Я бы тогда судмедэкспертом и дня не проработал. Внушаемость — это стопроцентная профнепригодность эксперта, который не должен обращать внимания ни на что, кроме своего собственного внутреннего убеждения. А уж впечатлительность, да при работе в морге, да с детскими или, к примеру, гнилыми трупами...»

— Смотри!

Голос Максима вывел его из задумчивости. Сергей повернул голову и посмотрел в ту сторону, куда показывал байкер. На нескольких стойлах сохранились таблички с именами тех, кто здесь когда-то стоял: Муза, Мустанг, Ангар, Сердолик... Папа с мамой и сынок. И еще какой-то сосед. Мустанг — сын Музы и Ангара, в этом можно было не сомневаться, памятуя правила составления лошадиных кличек. Сергей замер, опершись ладонями о деревянные столбы и закрыв глаза. Он мысленно разговаривал с давно умершими лошадьми, точно так же, как разговаривал с теми, чьи трупы ему приходилось вскрывать. «Что с вами случилось, Муза, Ангар и Мустанг? Вы были семьей, вы стояли рядом, вы могли каждый день видеть друг друга, ощущать запах друг друга, слышать голоса. Что было в вашей жизни? Любовь? Привязанность? Или неприязнь? Кто из вас ушел первым? Наверное, Ангар, ведь он был таким мощным, таким неутомимым, и его использовали днем и ночью, не давая отдохнуть, и неразумно и быстро растратили весь его ресурс. Муза осталась вдвоем с Мустангом. А ты, Мустанг, в кого пошел? Если в отца, то и тебя ждала незавидная участь. А если в маму, изящную и невысокую кобылку, то, вполне возможно, твоя участь была предрешена с самого начала: в гужевом транспорте тебе не место. Значит, тебя поэксплуатировали немного и отправили в другое место для использования в каких-то других целях. Нет, вряд ли, в этом случае табличку с твоим именем сняли бы и заменили другой, на которой стояло бы имя той лошади, которую поставили сюда вместо тебя. А табличка до сих пор жива... Значит, ты был с родителями по крайней мере до того момента, пока не перестала функционировать конюшня... А что потом? Куда вас всех дели? Как вы доживали свой век? И сколько прожили? И как ушли?»

Почему-то Сергей ни минуты не сомневался в том, что Ангар был именно мощным и выносливым и умер раньше Музы. И в том, что Муза была невысокой и не особо сильной, он тоже был уверен. Вот только их сына Мустанга никак не мог себе представить.

Ему стало легче. Лошади, которые изо дня в день, в любую стужу, в этих местах доходящую, случается, до минус пятидесяти пяти, таскали немыслимой тяжести грузы и обеспечили строительство и выживаемость города при наверняка весьма скудном фураже, забыты. Никто о них не вспоминает, хотя именно благодаря им и стоит сегодня Северогорск. И огромное число людей живо до сих пор тоже благодаря именно гужевому транспорту. Но в памяти ничего не сохранилось... Честный и тяжелый труд остался неоцененным ни современниками, ни потомками и неоплаченным добрыми воспоминаниями.

Ну что ж, несправедливо в этой жизни поступают не только с судебно-медицинскими экспертами.

Они посидели на остатках деревянного крыльца, помолчали и двинулись в обратный путь. Максим предложил сделать петлю и доехать до скал, откуда открывался немыслимой красоты вид на тундру, напоминающий пейзаж какой-то неведомой далекой планеты. Это было одним из его излюбленных мест.

— Мне всегда какие-нибудь идейки в голову забредают, когда я на тундру таращусь, — объяснял он Сергею. — Вот ведь удивительное дело: вид один и тот же, а идейки каждый раз разные, друг на друга не похожие.

Саблин не возражал. Они домчались до скал, Максим постоял неподвижно минут сорок, только иногда переминался с ноги на ногу, потом лицо его озарилось улыбкой:

— Есть! Поймал мысль! Ну, ребята в спортбаре в аут выпадут, когда я сделаю так, как придумал.

Обратный путь пролегал мимо сбившихся в жалкую кучку нескольких домишек-развалюх, гордо именуемых «частным сектором». Сергей каждый раз страшно удивлялся: как можно здесь жить? Но, надо заметить, обитатель в этих хибарах был только один, во всяком случае, именно этого вечно небритого и вечно пьяного мужика было видно. Кроме него, они здесь никого не замечали.

Небритый алкаш был большим любителем свежего воздуха, и каждый раз, когда Сергей с Максом проезжали мимо «частного сектора», восседал на крыльце, опустив голову и что-то разглядывая на земле. Иногда в зубах у него дымилась сигарета и почти всегда рядом, на крыльце, стояла бутыль с самогоном и пара открытых консервных банок.

Недалеко от крыльца к вбитому в землю столбу была привязана собака поистине устрашающего вида: небольшая, грязная, облезлая, она то покорно лежала на земле, положив некрасивую морду на лапы, то хрипло и заполошно лаяла в пространство, пытаясь оборвать веревку и вырваться на волю. Сергей, с детства не проходивший равнодушно мимо животных, с первого же раза обратил внимание на то, что в пределах досягаемости от собаки нет ни миски с едой, ни миски с водой и вообще не заметно каких бы то ни было признаков того, что животное кормят. Но если раньше ему удавалось просто заметить и проехать мимо, то сегодня, после посещения конюшен, что-то оборвалось внутри, и он нажал на тормоз. Ехавший впереди Максим, услышав, что звук работающего двигателя смолк, тоже остановился и оглянулся.

— Ты чего?

Саблин не ответил. Он подошел к калитке и громко крикнул:

— Хозяин! Эй, хозяин!

Дремавшая на привязи собака вздрогнула и приоткрыла глаза. Сидевший на крыльце алкаш нехотя поднял голову.

— Чего надо? — сиплым голосом спросил он.

— Слушай сюда, — все так же громко проговорил Сергей. — Если я еще раз увижу твою собаку привязанной, если я еще раз увижу, что у нее нет еды и воды, я тебя убью. Ты меня понял?

— А пошел ты на ...

Алкаш грязно выругался и снова уткнулся глазами в землю между надетыми на ноги грязными резиновыми сапогами.

— Ты меня слышал? — грозно спросил Саблин. — Я по два раза не повторяю. Увижу, что ты плохо обращаешься с псиной, — убью и не поморщусь.

Он сел на байк и завел двигатель. Максим наблюдал за этой сценой, не сходя со своего байка, и увидев, что Сергей готов ехать, рванул вперед.

Уже возле гаража, когда Саблин ставил свой мотоцикл, байкер спросил:

— Ну, и что это было?

— Это было, — невнятно и хмуро ответил Саблин, давая понять, что к разъяснениям не расположен. — У тебя какое-нибудь оружие есть?

— Ну, есть, — кивнул Максим. — Пистолет, травматика. А что, надо?

— Оформлено, как положено?

— Да, и разрешение на хранение, и разрешение на ношение, все есть. Ты можешь толком объяснить, что случилось?

— В следующий раз, когда поедем к скалам, возьми с собой.

— Ты в уме? — Максим выразительно покрутил пальцем у виска. — Ты что собрался делать? Убивать этого кретина спившегося? И не жалко потом будет сесть из-за такого дерьма?

— Возьми с собой, — повторил Сергей и, не прощаясь, направился к остановке автобуса: от гаража Макса до центра города было не очень близко.

* * *

В следующие выходные поездка к скалам не состоялась, у Максима было много работы в спортбаре, который он собирался оформить в соответствии с новыми идеями владельца, и Саблин, проведя несколько часов в сладком книжно-компьютерном безделье, решил сходить к нему. Выпить пива, которое там действительно было хорошим, пообщаться с Максом, если у того выдастся несколько свободных минут, и заодно развеяться и отвлечься. Сергей всегда очень чувствовал атмосферу любого места и реагировал на нее. Пребывание в спортбаре среди здоровых веселых мужиков разного возраста, но преимущественно молодых, азартно болеющих за «наших» и рвущих глотку в попытках сбросить накопившийся за рабочую неделю адреналин, словно наполняло Сергея свежей упругой энергией, которой хватало ему потом на несколько дней. Конечно, далеко не всегда в баре на Пролетарской «болели» истово и безудержно, все-таки игры с участием «наших», к каковым относились и российские сборные, и областные команды, проходили не каждый день, но сегодня — Сергей это знал точно — должен был состояться матч отборочного тура по футболу, очень ответственный для российских спортсменов. Значит, непременно будет и гул голосов, и истошные выкрики, и отчаянные стоны, и топанье ногами, и прочие атрибуты «болельщицкого» поведения тех, кому не удается из-за климатических условий реализовать весь этот набор на открытых стадионах.

Большие сборища людей он никогда не любил, но уроки деда Анисима приучили его не нервничать и не раздражаться в переполненных орущими возбужденными людьми помещениях. Он при желании умел их просто не замечать, отстраиваясь от окружающей обстановки и погружаясь в собственные размышления. Репутация у спортбара на Пролетарской была хорошей, здесь не случалось ни массовых драк, ни поножовщины, и за все годы работы в Северогорском Бюро судмедэкспертизы Сергей не припоминал ни одного случая, когда из этого заведения доставляли бы потерпевших с серьезными травмами.

Увидев Саблина, устроившегося за столиком в той части бара, которая была предназначена не для болельщиков и не для байкеров, а для обычных посетителей, пробегающий мимо Максим затормозил и радостно воскликнул:

— О! Класс! У нас сегодня забойный матч! И пиво свежее привезли, сейчас бочки распечатывают. Ты уже заказал?

— Нет еще, думаю, что взять, — ответил Сергей, рассеянно листая скудное меню, набранное для солидности крупным шрифтом с огромными межстрочными интервалами, чтобы нехитрый ассортимент занял хотя бы несколько страниц.

— Бутерброды с красной рыбой сегодня не бери, — понизив голос, посоветовал Макс, — отстой полный. Возьми белую рыбку и ветчину.

— А из горячего что посоветуешь?

— Ну как что? У нас, кроме жареной картошки, и нет ничего приличного, сам знаешь. Но зато картошку жарят — полный улет! Бери, тебе же всегда нравилось. Серега, я помчался, мне тут надо... Короче, у тебя время есть? Часок просидишь?

— Надеюсь.

— Хочу тебе показать кое-что из моих придумок, ну, помнишь, то, что мне в голову пришло, когда мы в прошлое воскресенье на скалы ездили?

Сергей пообещал дождаться, когда художник освободится, сделал заказ и погрузился в свои мысли.

Он даже не заметил, как началась драка. Очнулся только тогда, когда краем глаза уловил массовое передвижение болельщиков в сторону ведущей на улицу двери. Замелькали куски металлической арматуры, послышался характерный звук выстрела из травматического пистолета. Сергей резко поднялся, опрокинув стул. Основное действо происходило на улице перед баром. Трудно предположить, что северогорские болельщики явились в спортбар посмотреть футбольный матч, вооруженные прутами и травматикой. Значит, оружие принадлежит каким-то пришлым, которые большой группой явились выяснять отношения.

Он не раздумывал ни секунды. Занимаясь в детстве и ранней юности боксом, больших высот Сергей не достиг и даже «кандидата в мастера спорта» не получил: слишком рано пришлось оставить занятия в секции из-за проблем со зрением. Но удар, поставленный тренерами, он сохранил. И бойцовских качеств не утратил. А уж помноженный на его нынешний вес удар этот мог оказаться поистине сокрушительным.

Выскочив из бара, он тут же «приложил» молодого рослого парня, угрожающе размахивавшего арматуриной, и собрался было разобраться со следующим, когда подкатили «уазики» патрульно-постовой службы и микроавтобус. Вооруженные милиционеры начали теснить дерущихся к стене здания. «Ну, я попал, — мелькнуло в голове у Сергея. — Сейчас меня заметут вместе со всеми, и завтра весь город будет знать, что начальник Бюро судмедэкспертизы участвовал в массовой драке, а послезавтра эта информация обрастет прелестными подробностями вроде того, что я был в стельку пьян, оказывал сопротивление при задержании, кричал, грязно бранился и угрожал милиционерам всех их урыть, воспользовавшись своими связями». Вдалеке послышался вой сирен: к милиции ехало подкрепление.

«Быстро они примчались, — подумал он. — Наверное, конфликт назрел раньше, и кто-то заботливо позвонил в дежурную часть, как чуял, что дело до побоища дойдет. А я ничего не заметил...»

Он начал крутить головой в попытках найти выход из неприятной ситуации и вдруг почувствовал, как кто-то потянул его за руку. Сергей опомниться не успел, как понял, что его буквально тащат к узкому проходу между зданиями, которого он никогда прежде не замечал, хотя бывал в баре неоднократно. Едва протиснув массивный торс туда, куда его влек неизвестный в темной куртке и надвинутой низко на лоб шерстяной шапочке, он оказался в проходном дворе. Парень в куртке бежал впереди, Саблин изо всех сил старался не отстать. Миновав еще один двор, они оказались на параллельной улице и остановились.

— Ну, Сергей Михайлович, вы даете! — услышал он знакомый голос. — Что ж вы такие заведения-то посещаете? Несолидно для вашей должности.

Перед ним стоял криминалист Глеб Морачевский. Ничего себе!

— А вы-то что здесь делаете, Глеб?

— То же, что и вы, — усмехнулся тот. — Спасаюсь от ментов.

— Вы были в баре? — недоверчиво спросил Саблин. — Вы же говорили, что не пьете. Лгали?

— Не пью, — подтвердил криминалист. — Но в баре ведь не только пьют, там еще и общаются. Мне нужно было с приятелем встретиться. Зашел вот на свою голову. Не хватало еще, чтобы матери потом глаза кололи тем, что ее сынок в баре ввязался в драку. Да и самому неприятно, на работе тоже не похвалят.

— А что произошло-то? — поинтересовался Сергей. — Я как-то все пропустил, задумался, а когда очнулся — все уже в разгаре. Я так понял, конфликт назревал за какое-то время до начала драки? Уж больно быстро пэпээсники прибыли, обычно их не дождешься, а тут примчались.

— Ну да, — кивнул Глеб, — там какие-то приезжие из областного центра пришли «поболеть», слово за слово, начали права качать, с нашими сцепились, ну, наши байкеров на подмогу кликнули и пришлых выперли. Так они нашли где-то местную босоту с арматуринами и притащили в бар выяснять, у кого длиннее. Похоже, кто-то из администрации ситуацию просек и ментов заранее вызвал. Ну и правильно сделал. Хорошо, что я вас заметил, вам бы тоже ни к чему в «обезьяннике» париться.

— Это верно, — с благодарностью произнес Сергей. — Я ваш должник, Глеб.

— Да бросьте вы, — улыбнулся молодой человек. — Дорогу отсюда найдете? Или вас проводить куда-нибудь? Этот проход между домами мало кто знает, поэтому те, кто ходит на Пролетарскую, здесь обычно плохо ориентируются, не понимают, куда попали.

Саблин огляделся, нашел ориентир — кинотеатр «Полярная звезда» — и сообразил, куда идти дальше, чтобы попасть в конце концов к себе домой.

— Найду. Спасибо вам, Глеб.

— Кстати, Сергей Михайлович, если вы за своего приятеля беспокоитесь, то имейте в виду: с ним все в порядке, он на улицу не выходил.

Саблин в изумлении уставился на Морачевского.

— Вы о ком? О Максиме?

— Ну, это уж я не знаю, — засмеялся Глеб. — Я с ним незнаком. Просто видел, как он к вам подходил, вы разговаривали. Я вообще часто здесь бываю, мне удобно тут с друзьями встречаться, я ведь живу совсем рядом, и приятеля вашего постоянно вижу, знаю, что он в баре арт-директор. У него такая яркая внешность, что трудно его не заметить. Я видел, как он, когда драка началась, выскочил из служебной двери и побежал в «байкерскую» часть бара, но они ж не мобильные, у них куртки, у них каски, у них перчатки, и все это сложено или на полу рядом с ними, или на стульях, в общем, не могут они моментально подхватиться и выбежать, им их барахло дорогу перекрывает и не дает стул отодвинуть. Вот они и замешкались, а тем временем уже и менты подвалили.

Ну, слава богу! Конечно, ничего страшного не случилось бы с Максом, доведись ему оказаться в «обезьяннике» вместе со всеми, но лучше все-таки ночевать дома рядом со своей постоянной подружкой, с которой, как Сергею было известно, художник живет уже несколько лет и растит их общего ребенка. Почему они не регистрируют брак — Саблин не знал. Ему даже в голову не приходило об этом спрашивать. Ему было все равно.

* * *

Он всегда звонил в дверь, если знал, что мать дома, никогда в таких случаях ключами не пользовался. Татьяна Геннадьевна, сунув ноги в красивые тапочки, побежала в прихожую открывать дверь сыну.

— Мамуля! — радостно сообщил он, едва переступив порог. — Угадай, кого я сейчас встретил? И главное — где, при каких обстоятельствах?

О Кашириной как о следователе, заместителе прокурора или советнике мэра города по безопасности могли говорить все, что угодно, оценивая ее профессиональную деятельность, но никто никогда не смог бы назвать ее плохой матерью. Она знала по имени и в лицо не только всех друзей сына, но и его приятелей, девушек, даже случайных подружек, а также бывших одноклассников и нынешних коллег. Она сумела с самого детства выстроить отношения с Глебом так, что ему и в голову не приходило что-то скрыть от нее или чем-то не поделиться.

Они были настоящими друзьями, близкими и откровенными друг с другом.

Поэтому на вопрос Глеба Татьяна Геннадьевна начала со смехом перечислять всех, с кем был знаком ее выросший в Северогорске сын. Перечисление заняло много времени, на каждое ее предположение Глеб мотал головой или отвечал короткое «нет», и к тому времени, когда список закончился, он успел не только вымыть руки, но и съесть приготовленный матерью ужин.

— Все, — подняла руки Каширина, — сдаюсь. Больше никто в голову не приходит.

— С тебя фант, — улыбнулся Глеб. — Я встретил Сергея Михайловича Саблина.

Саблина? И что в этом такого? Начальник Бюро судебно-медицинской экспертизы живет в этом же городе, и город, хотя и не крохотный, но все-таки не Москва, так что нет ничего удивительного в случайной встрече. Каширина и сама постоянно сталкивается со знакомыми то в мэрии, то в салоне красоты, то в магазине, а то и просто на улице.

— Ну и что? — осторожно, даже с некоторой опаской спросила она.

— Мамуля, вся фишка в том, где и при каких обстоятельствах мы с ним столкнулись.

Он в подробностях рассказал ей об инциденте в спортбаре и о том, как смело и отчаянно ввязался Саблин в драку, о подъехавших милиционерах и об их совместном бегстве с места происшествия.

— Никогда бы не подумала, что Сергей Михайлович посещает такие заведения, — покачала головой Татьяна Геннадьевна. — Он мне всегда казался серьезным человеком.

Глеб, прищурившись, посмотрел на мать.

— Мамуля, а ведь он тебе нравится. А?

Она смешалась.

— С чего ты решил? Нет, он мне действительно очень нравится как начальник Бюро, тут и вопросов нет, но ты, как я понимаю, имеешь в виду несколько иной аспект?

— Ага, — Глеб широко улыбнулся. — Ты мне о нем рассказывала, когда он еще не был начальником Бюро. Помнишь? Я еще в областном ЭКЦ работал, а ты уже была здесь зампрокурора и так мне его нахваливала, уж так нахваливала, что я, признаться, уж подумал было... ну, короче, если что — я «за».

— Ты с ума сошел! — Татьяна Геннадьевна от души расхохоталась. — Ты о чем говоришь вообще, сынок? За что это ты, интересно, «за»?

— Да ладно тебе, он хороший мужик, я к нему специально присмотрелся после твоих рассказов. В общем, если ты надумаешь — я возражать не буду, пусть только он меня усыновит официально.

И расхохотался вслед за матерью.

Боже, как она любила такие вот уютные вечера и такие разговоры, которые не ведутся между матерью и сыном, а допустимы только между близкими друзьями! Как она любила смех Глеба, открытый, заразительный, при котором сверкали его белоснежные зубы и сияли зеленовато-серые глаза в обрамлении коротких, но очень густых и темных ресниц, создававших по краям век четкие, будто карандашом проведенные линии. Какой он у нее красивый! И какой добрый и покладистый!

Она решила продолжить разговор в том же тоне.

— Глебушка, а зачем тебе, чтобы тебя мой новый муж усыновлял? — шутливо спросила она. — У тебя же есть отец. Тебе разве одного недостаточно?

— О-о-ой, ну ты сказанула, — протянул он, подхватывая дурашливый стиль беседы, предложенный матерью. — Такой отец мне не нужен, от него одна головная боль. Недаром же ты с ним развелась, ты тоже не выдержала.

— Что значит — тоже? — подняла брови Каширина.

— Ну, я-то первым сбежал, в институт уехал поступать подальше от дома, только чтобы с ним не жить. Ну и ты после этого в браке надолго не задержалась, я еще первый курс окончить не успел, а ты его уже выгнала. Ох, как я обрадовался, когда ты мне позвонила и сказала, что разводишься с отцом! Прямо камень с души свалился.

— Глебушка, — она предостерегающе погрозила сыну пальцем, — так нельзя, мой хороший, это все-таки твой отец.

— Да ладно, брось, — его голос внезапно стал серьезным. — Биологический отец, как говорится, это не повод для знакомства. А реальным отцом он мне никогда не был, и ты прекрасно это знаешь. Ты для меня была и мамой, и папой, и даже бабушкой, когда бабуля умерла. Ты для меня была всем. А он — никем. Меня для него не существовало. И его для меня, кстати, тоже. Так, тень отца Гамлета, бесплотный дух. Но, правда, кушал этот дух вполне материально и очень даже немало. А я смотреть не мог, как ты часами проводила время на кухне у плиты, чтобы его накормить. Ты! Женщина, красивее и умнее которой нет на свете, надевала фартук и жарила-парила-тушила-варила-пекла-терла без конца и без края. Да я его убить готов был!

Разговор стал Кашириной неприятен, и она постаралась сменить тему. Если мальчик хочет поговорить о личной жизни матери, то пусть лучше говорит о Саблине, чем о ее бывшем муже.

— Сынок, но ты уже слишком взрослый для того, чтобы тебя можно было усыновить, — улыбнулась она. — Таких больших мальчиков не усыновляют.

— Да-а-а? — он изобразил огорчение. — Ой как жалко-то! А я уже размечтался, как стану сыном начальника Бюро судмедэкспертизы и буду ходить к нему на работу, смотреть на трупы, на вскрытия, а потом ребятам рассказывать и хвалиться, какой я смелый. Ну, может, хоть в приемные сыновья меня запишут? Очень хочется породниться с такой выдающейся личностью.

— А он, между прочим, дважды не свободен, — заметила Татьяна Геннадьевна. — Во-первых, в Северогорске он живет со своей любовницей, которая вслед за ним приехала из Москвы, а во-вторых, дома, в Москве, у него есть официальная жена и ребенок. И разводиться он, насколько мне известно, вовсе не собирается. Так что давай поищем тебе другого папу, если уж тебе так хочется иметь отца.

Глеб встал со своего места, обошел стол вокруг, склонился над сидящей в кресле матерью и нежно обнял ее.

— Мамуля, — тихо прошептал он, уткнувшись лицом в ее волосы, — мне никто не нужен, кроме тебя. Нам с тобой так хорошо вдвоем, правда же? Если ты соберешься привести сюда какого-нибудь нового мужа, я ни дня с ним в одной квартире жить не стану, сразу соберу вещи и уйду. Спасибо тебе — мне есть куда уйти.

Она высвободилась из его объятий, потянула за руку, вынудив встать к матери лицом.

— Сынок, я все понимаю, нам с тобой действительно очень хорошо вдвоем, но так не может продолжаться бесконечно. И ты это прекрасно знаешь.

— Ничего я не знаю! Почему это не может продолжаться?

— Потому что тебе нужно жениться, создавать семью и заводить детей. И для этого тебе лучше жить одному. Пока ты живешь со мной, твоя личная жизнь не сложится.

— Это почему же?

Каширина подавила улыбку. Она отлично знала, как работает этот механизм. Как только молодой мужчина начинает жить один, на него наваливаются бытовые проблемы, справляться с которыми он не умеет. Сначала он радуется открывшейся свободе, приводит к себе все новых и новых девушек и женщин, но наступает момент, когда возможность отделаться от ненавистных хозяйственно-бытовых проблем перевешивает стремление к свободе. И тогда обладатель собственного, отдельного от родителей жилья становится мужем первой же женщины, которая сварит ему вкусный суп и хорошо погладит джинсы. И до тех пор, пока Глеб живет с матерью и бытовыми проблемами не мучается, он не женится. А ей так хочется внуков!

— Ты не сможешь девушку к себе привести, — уклончиво ответила она. — Я буду тебя стеснять.

— Интересное кино! — воскликнул Глеб. — А я что, не привожу сюда девушек? Я каждую свою девицу приглашаю к нам, чтобы ты с ней познакомилась, потому что мне важно твое мнение. И ни капельки ты меня не стесняешь. Ты вспомни, сколько девиц я сюда перетаскал, сколько литров кофе мы втроем выпили, а ты говоришь...

— Да, но ночевать-то они здесь не остаются, — лукаво заметила Татьяна Геннадьевна.

— Ой, мамуля, ну что ж ты о моей интимной жизни-то так печешься! — он изобразил скромность и смущение. — Мне, право, даже как-то неловко... У меня есть квартира, и если мне нужно, я отлично там проведу время с девушкой, и совсем не обязательно ей оставаться здесь ночевать. Что у тебя за старомодные понятия: если близость, то непременно спать и непременно ночью. А не ночью что, нельзя? И что, при этом обязательно дрыхнуть без задних ног? Одним словом, мамуленька, я остаюсь с тобой.

Он поцеловал мать и снова сел за стол, на котором остывал недопитый кофе. Сделал глоток, поставил чашку и посмотрел на Каширину такими теплыми и любящими глазами, что у нее сердце начало таять.

— А если серьезно, мам, то мне нужна только такая девушка, как ты сама. Такая же умная, такая же самостоятельная, такая же красивая и добрая. И чтобы пироги так же, как ты, вкусные пекла. Ты для меня всегда была идеалом, я всех своих девиц сравнивал с тобой и понимал, что не смогу с ними жить, потому что они не такие, как ты. Мы с тобой скроены друг под друга. Ты можешь жить только с таким, как я, а я, соответственно, только с такой женщиной, как ты сама. Вот я потому тебе Саблина и сватаю, что он на меня похож. Неудивительно, что ты на него запала. Он такой же, как я, мы с ним одной крови. Наверное, я бы даже смог с ним ужиться в одной квартире. Во всяком случае, с ним было бы не скучно, не то что с моим отцом. А я обещаю тебе торжественно, что буду искать девушку, похожую на тебя. Никакой другой мне не нужно.

Остаток вечера Татьяна Геннадьевна провела за компьютером: сын накормлен, порядок на кухне наведен, костюм, в котором завтра она пойдет на службу в мэрию, отглажен и повешен на плечики, и можно заняться подготовкой документов для доклада на совещании. Настольная лампа уютно горит, освещая клавиатуру, верхний свет погашен, ей слышно, как в своей комнате тихонько напевает сын — у Глеба всегда был отменный слух, жаль, что мальчик не захотел обучаться в музыкальной школе. И так спокойно на душе у Татьяны Геннадьевны, так легко, так тепло... могло бы быть.

Ах, если бы все было так просто!

* * *

В ближайшую субботу Сергей с самого утра отправился в гараж за своим мотоциклом, предварительно заручившись обещанием Максима составить ему компанию при поездке к скалам.

— Пистолет возьми, — напомнил ему Саблин.

— Серега, может, не надо, — осторожно проговорил в трубку художник. — Ну что мы, сами не справимся?

В том, что они вдвоем справятся с хлипким алкашом, Сергей не сомневался ни минуты. Но это означало применение насилия, чего ему хотелось бы избежать. А демонстрации оружия может оказаться более чем достаточно, чтобы операция по освобождению собаки прошла тихо, быстро и бескровно. Вытащив из холодильника изрядный кусок колбасы, он достал с антресолей большой рюкзак, сунул в него нож и отправился в путь.

— Саблин, не забудь, в семь вечера мы должны быть в ресторане, — напомнила ему Ольга, когда он уже открывал дверь.

А ведь он и в самом деле забыл, увлеченный планированием поездки! Сегодня прокурор города отмечал юбилей и по этому радостному случаю пригласил в ресторан всех руководителей организаций и учреждений, так или иначе имеющих отношение к соблюдению законности и поддержанию правопорядка. Вся верхушка прокуратуры, органов внутренних дел, суда, нотариата, адвокатуры, сотрудники мэрии и прочие, и прочие. И, разумеется, начальник Бюро судебно-медицинской экспертизы. «С супругой» — как было указано в приглашении, доставленном Саблину прямо в кабинет.

Но до семи вечера он десять раз успеет вернуться, ведь еще только десять утра.

Максим ждал его, прислонившись к байку, возле гаража. До скал домчались быстро, Максим постоял, молча созерцая северный пейзаж, потом спустился и присел на холодную землю рядом с Саблиным.

— Серега, а если он испугался и послушался? Я имею в виду — этот алкаш, хозяин собаки. Вдруг он ее начал кормить и поить?

Сергей пожал плечами.

— Значит, мы ничего делать не будем. Мы подъедем, посмотрим, и если там все в порядке — спокойно поедем дальше. Покатаемся.

Но все оказалось далеко «не в порядке». Никаких признаков того, что собаке давали хоть какую-то еду, они не заметили. Более того, собака явно была нездорова, она лежала так, как лежат больные псы, на боку, вытянув лапы, и дрожала. Они не зря приехали. Сергей слез с байка и сделал знак Максу следовать за ним.

— «Пушку» достань, — сквозь зубы процедил он.

Хозяин дома спал на крыльце, закутавшись в рваную доху и издавая оглушительный храп. Рядом валялись пустые емкости из-под самогона и наполовину пустая банка с какими-то консервами. Собака настолько ослабела, что даже не прореагировала на приближение чужих, только глаза открыла. Саблин достал из рюкзака нож и одним точным движением перерезал веревку, обхватывавшую тощую собачью шею. Колбасу он взял для того, чтобы приманить собаку, но коль она в таком состоянии, то лучше ничего «неполезного» ей не давать. Как знать, она просто от голода страдает или чем-то по-настоящему больна?

Подняв несчастное животное на руки, Саблин с помощью Максима засунул псину в рюкзак, который водрузил себе на спину. Собака не сопротивлялась, видно, сил у нее не было совсем.

Они уже садились на мотоциклы, когда хозяин внезапно перестал храпеть и очнулся.

— Вы чего, вашу мать?! — заорал он хриплой дурниной. — Вы куда, суки, собаку тащите? А ну вертайте взад! Караул! Воры! Вот я вам сейчас...

Он тяжело поднялся и скрылся в хибаре. Пес за спиной у Сергея заворочался, и им пришлось замешкаться, пристраивая рюкзак поудобнее, чтобы он не сковывал движения и не мешал вести мотоцикл. Хозяин, несмотря на сильное опьянение, оказался проворным и спустя несколько мгновений вновь появился на крыльце. На сей раз в руках у него была двустволка, которую он неверными дрожащими руками пытался вскинуть.

— Серега, давай валить, — быстро прошептал Максим, — а то до беды недалеко.

Двигатели дружно взревели, байки рванули с места, им вслед донесся звук выстрела... Потом второй...

От гаража пришлось добираться, сидя на заднем сиденье мотоцикла Максима — не хотелось тащить рюкзак с собакой в автобусе. Когда Саблин вошел в квартиру, Ольга стояла у стола и гладила платье, в котором собиралась отправиться на вечернее мероприятие.

— Что это? — спокойно спросила она, глядя, как Сергей снимает рюкзак.

— Собака. Помнишь, я тебе рассказывал?

Она молча кивнула, не сводя глаз с облезлой морды, торчащей из рюкзака.

— Вот, я ее забрал. Не мог больше смотреть, как этот урод с ней обращается.

Она вздохнула.

— Почему ты мне не сказал, что собираешься забирать ее именно сегодня? Саблин, ну когда ты научишься сначала думать, а потом делать?

Он мгновенно разозлился.

— Я тебе говорил, что, если хозяин не начнет нормально ее содержать, я ее заберу! Я говорил тебе это несколько раз, и ты никогда не возражала, ты ни разу мне не сказала, что ты против. Или ты, как Ленка моя? Тоже «давала понять»? Я думал...

— Саблин, остановись, — примирительно проговорила она, подходя к рюкзаку и осторожно прикасаясь к собаке. — Я говорю совершенно о другом. Почему именно сегодня?

— А какая разница?

Он не мог понять, о чем она толкует, и от этого злость только разогревалась и готова была вскипеть.

— Разница в том, что сегодня мы должны уйти на несколько часов. Как ты предполагаешь оставить животное в полном одиночестве в новом месте? Собака уличная, и мы с тобой понятия не имеем, как ее воспитывали и к чему приучали. Ты готов к тому, что, когда мы вернемся с банкета, все твои книги и бумаги окажутся испорченными, твои ботинки — погрызенными, а пол покрыт нечистотами? Кроме того, собаку нужно немедленно помыть, вывести блох, показать ветеринару, нужно приготовить ей еду. Когда мы с тобой будем этим заниматься?

Сергей пожал плечами: он не видел в этом никакой проблемы.

— Ну, сейчас и займемся, — сказал он уже спокойнее. — У нас есть еще несколько часов, мы все успеем. И в зоомагазин сбегать, и помыть ее, и в ветеринарку отвести.

Ольга подумала и отрицательно покачала головой.

— Не получается.

— Почему?

— Потому что мне нужно уходить. У меня все рассчитано и расписано. Сейчас я глажу платье, потом твой костюм с сорочкой, потом кормлю тебя обедом, убираю на кухне и иду в парикмахерскую, у меня прическа и маникюр. Вернусь к шести. Все распланировано до минуты. И поход в зоомагазин за антиблошиным шампунем, а также визит в ветклинику никак сюда не вписываются.

— Но мне-то не нужно в парикмахерскую, — возразил Сергей. — Я сам...

— Что — ты сам? Я уйду, ты отправишься в магазин за всем, что необходимо иметь, когда в доме собака, а сама-то собака где будет в это время? С кем она останется здесь? Саблин, Саблин, ну когда же ты научишься смотреть хотя бы на полшага вперед?

Он удрученно молчал. Ольга была права. А мог ли он припомнить хотя бы один случай, когда эта женщина оказывалась не права?

— Почему ты не посоветовался со мной, когда решил забирать собаку именно сегодня? — с укором проговорила она. — Я бы тебе объяснила, что это нужно делать по крайней мере завтра, когда мы оба можем сидеть дома. А лучше всего — перед твоим или моим отпуском. Потому что животное на новом месте всегда требует пристального внимания и особой заботы, пока оно не притрется к хозяину, к обстановке, к режиму. Тебе никто этого не объяснял?

И в самом деле: почему он не сказал Ольге о своем намерении взять собаку именно сегодня? Он же всегда всем делился с ней, всегда все обсуждал. Или не все? Были, были у Сергея Саблина моменты, когда он считал, что прекрасно знает, как правильно поступить, и ни в чьих советах не нуждается. Даже в Ольгиных. Вот и сегодня... Может, зря он так понадеялся на себя самого и на свою способность принимать единственно верные решения?

— Оль, — расстроенно произнес он, — но я ее уже принес. Мне что, обратно ее отвезти, а завтра забрать? Или через два месяца, когда у тебя будет отпуск?

Она помолчала, что-то обдумывая, потом решительно взяла в руки телефон.

— Я позвоню Ванде. Если она сегодня не работает, то выручит.

Он с облегчением понял, что самое неприятное миновало: выход из положения найден.

— А если работает?

— Тогда пойду на поклон к Кармен и Дантесу.

— Я сам, — твердо сказал Сергей. — Мой косяк — мне и кланяться. Ты Ванде позвони, она все-таки твоя подружка, а уж если она не сможет, то к Ильиным я пойду.

Ольга улыбнулась.

— Как скажешь.

Ванда, к счастью, оказалась свободна и легко согласилась выручить их. Она действительно была доброй и отзывчивой. А поскольку своих мужчин-спонсоров выбирала по определенным критериям, то уже давно была обладательницей симпатичной маленькой иномарки, на которой и примчалась за считаные минуты. Ольга быстро и ловко все организовала, распределив, кто куда и когда идет и что покупает или делает, и к половине седьмого вечера, когда им нужно было выходить из дома, ситуация более или менее прояснилась.

Собака оказалась женского пола, весьма немолодой, по оценке ветеринара — лет десяти-двенадцати, и не сказать чтобы уж очень здоровой, к тому же истощенной и ослабленной. Продукты, необходимые для приготовления лечебного питания, предписанного ветеринаром помимо собачьего корма, куплены, Ванда проинструктирована. Псина, которой дали имя Шуша, была тщательно промыта специальным шампунем от блох, раны обработаны, колтуны вычесаны, а те, с которыми справиться не удалось, безжалостно вырезаны. Жидкая кашка сварена и съедена с большим удовольствием. Гнездо, обитое мягкой тканью с рисунком из паровозиков, приобретено, застелено старым одеялом. Лекарства и шприцы куплены, первые уколы сделаны, таблетки, измельченные и смешанные с кашей, благополучно исчезли в собачьей пасти.

Когда Саблин и Ольга уходили на банкет, Ванда на кухне варила мясо для Шуши, а сама Шуша, успокоенная и даже как будто похорошевшая, лежала в своем гнезде и смотрела на новых хозяев настороженно и недоверчиво, словно боялась, что весь этот рай в любой момент закончится и ее снова отдадут алкашу и привяжут веревкой к столбу.

— Веди себя хорошо, — строго сказал ей Саблин, уходя. — Захочешь писать или какать — дай знак, Ванда тебя выгуляет. Не вздумай гадить в квартире — накажу.

Ольга усмехнулась и тираду эту никак не прокомментировала.

Вопреки ожиданиям Саблина, банкет по случаю юбилея прокурора Северогорска прошел очень симпатично, организован был по столичным канонам — с ведущим, предоставляющим слово согласно заранее составленному и согласованному списку и выдерживающим между тостами «правильную», хорошо просчитанную паузу, дающую возможность гостям как следует закусывать каждую выпитую рюмку, а заодно и общаться друг с другом. В просторном зале лучшего ресторана Северогорска были накрыты круглые восьмиместные столы, в холле за стойкой стояли очаровательные девушки, сообщающие каждому гостю номер столика, за которым ему следует разместиться. Сергей с удовлетворением отметил, что хозяин праздника позаботился о приглашенных:

формирование «восьмерок» для каждого стола было продуманным, с тем чтобы люди оказались знакомыми друг с другом и им было о чем поговорить. Кроме Саблина и Ольги за их столиком оказались Петр Чумичев с женой и Татьяна Геннадьевна Каширина, а также начальник следственного управления с супругой и какой-то неизвестный Сергею мужчина, который занял место рядом с Кашириной и принялся оживленно обсуждать с ней рассадку остальных гостей: кто удостоился, как и они сами, чести занимать три ближайших к месту юбиляра столика, а кто оказался «на выселках». Похоже, Каширина и этот мужчина были давно и хорошо знакомы. Сергей специально не прислушивался к их разговору, но ухо то и дело вылавливало в потоке речи знакомые фамилии, и он каждый раз удивлялся: неужели это может быть интересным? Какая разница, кого куда усадили?

Выступления поздравляющих перемежались выступлениями певцов и артистов местного драмтеатра, играл джаз-банд, и обстановка была скорее непринужденной, нежели помпезно-торжественной. Саблин и Ольга по очереди то и дело выходили в холл и звонили Ванде, но дома все было в порядке, Шуша попыталась присесть посреди прихожей, но была остановлена бдительной надсмотрщицей, которая при помощи резкого окрика и немедленной демонстрации поводка сумела донести до бедолаги, что означенное действие должно происходить не здесь, а там, где будет применяться этот самый поводок. Ванда вывела Шушу, которая все-таки не дошла до улицы и решила свою задачу на лестничной площадке, однако главный результат был достигнут: собака поняла, что делать это можно где угодно, только не в квартире. Ванда ужасно гордилась своими достижениями в роли дрессировщицы.

— Вот не зря говорят, что дворовые беспородные собаки самые умные, породистые им в подметки не годятся, — возбужденно докладывала она Сергею. — Шуша с первого раза все поняла, такая умница, такая лапочка!

Во второй половине банкета гости уже не сидели за столами, а свободно перемещались, общаясь и что-то живо обсуждая, пересаживались, менялись местами. Сидевший рядом с Саблиным начальник следственного управления отправился к столику юбиляра, а его место тут же заняла Каширина. Поговорили о том, как хорошо выглядит именинник, как замечательно и продуманно все организовано, одним словом, вели ни к чему не обязывающий легкий разговор, в котором активно участвовала и Ольга.

— Не знаете, танцы регламентом предусмотрены? — спросила ее Татьяна Геннадьевна. — Жаль, если нет. Я бы с удовольствием потанцевала с вашим другом. Редко встретишь в наших краях такого мужчину.

— Такого? — иронично переспросила Ольга. — Это какого же?

Каширина внимательно посмотрела сначала на нее, потом на Саблина:

— Такого, с которым хочется танцевать. — Выдержала паузу, во время которой Сергей так и не понял, что ему делать — то ли смеяться, то ли смущаться, то ли отвечать какими-то остроумными словами, и добавила: — У нас тут в основном мужчины, с которыми хочется решать вопросы и вести деловые разговоры, в таких мужчинах в Северогорске недостатка нет. Есть даже такие, за которых хочется выйти замуж. Чуть реже, но тоже встречаются экземпляры, которых хочется сделать своим любовником. А вот мужчину, с которым хочется потанцевать, я встречаю впервые в жизни. Вам очень повезло, Ольга Борисовна.

Ольга рассмеялась.

— Я знаю. И еще я знаю, что повезло не только мне одной.

— Вы хотите сказать, что Сергею Михайловичу тоже повезло? С вами?

— Нет, я хочу сказать, что повезло не только мне, но и его жене.

Саблин молчал, пыхтел и смотрел в тарелку. Зачем Ольга вспомнила сейчас о Лене? Зачем сказала об этом Кашириной? Что за игру ведут между собой эти две женщины? Игр он не любил, не понимал и участвовать в них не хотел. Насколько близки и интересны были ему тонкости его профессии, настолько далеки и непонятны были тонкости человеческого поведения.

Они ушла с банкета, как только позволили приличия. Минут за двадцать до ухода Сергей позвонил водителю служебной машины Сене, и к моменту выхода из ресторана автомобиль уже ждал их.

— Чего-то вы рано с праздника ушли, — заметил обычно неразговорчивый Семен. — Скучно, что ли? Или еда плохая?

— Весело, — грубовато ответил Саблин. — И еда отличная. У меня собака дома одна.

— У вас собака есть? — удивился водитель. — Вот не знал. И давно?

— С сегодняшнего дня.

— Щеночка взяли? — почему-то обрадовался Семен. — Какой породы? Большой будет, когда вырастет?

Сергей молчал, вместо него ответила Ольга:

— Взяли беспородную старую собаку, очень больную и запущенную, которая вот-вот умрет.

Голос ее был холодным и ровным, словно она говорила не о Шуше, которую собственными руками мыла и стригла, а о чем-то далеком и чужом. Семен странно дернул головой и больше ничего не спрашивал.

Настроение у Сергея резко испортилось, и до самого дома он с Ольгой ни о чем не разговаривал. Приняв вахту у Ванды, они отпустили молодую женщину. Шуша спокойно лежала в своем гнезде, и взгляд у нее уже был не настороженным, а спокойным и даже немного нахальным, дескать, я тут провела несколько часов и вполне освоилась, а вы кто такие? Сергей присел около собаки на корточки, погладил облезлую морду, почесал между ушами и отправился на кухню готовить шприцы для инъекций. Ольга, не говоря ни слова, вытаскивала из упаковок и вскрывала ампулы.

В абсолютном молчании они сделали уколы и перевязки. Наконец Саблин не выдержал:

— Оля, зачем ты так?

Он не стал объяснять, что имел в виду: был уверен, что она отлично все понимает. Так и оказалось.

— Я всего лишь сказала правду, — ответила Ольга. . — Голую правду, чистую, неприкрытую. Саблин, мы с тобой не в том возрасте и не в той профессии, чтобы вытеснять неприятные мысли и делать вид, что ничего не происходит и все в полном порядке. Собака больна. Очень больна. Ты слышал, что сказал ветеринар. Долго она не протянет. Кроме того, она стара. Даже если бы она была здорова, возраст у нее уже солидный. Ты же врач, Саблин, ты знаешь, что чудес не бывает. Собака скоро умрет. Мы взяли ее не жить с нами долгие годы счастливо и безмятежно, а просто дожить свой век в человеческих условиях. Мы взяли ее на дожитие. И ты должен отдавать себе в этом отчет. Чтобы потом не было больно и тоскливо.

— Оль, это жестоко, — заметил он. — Так нельзя.

— А как можно? Делать вид, что у тебя на руках очаровательный здоровенький щеночек, который еще десять-двенадцать лет будет приносить тебе радость? И потом страшно недоумевать, когда он вдруг ни с того ни с сего начнет болеть и умирать? Недоумевать, горевать и отчаиваться? Ты считаешь, что ТАК будет правильно? Объясни мне свою позицию, Саблин.

Он помолчал, потом резко поднял голову.

— Я поставлю ее на ноги. Мы поставим. Ты мне поможешь. Мы ее выходим, и она еще поживет и порадуется. Вот увидишь.

Ольга молча поцеловала его, погладила по спине и отправилась принимать душ, а Сергей снова сел перед Шушей, заглядывая в ее тусклые серые глаза. Он говорил ей какие-то ласковые слова, уговаривал потерпеть неприятные и болезненные процедуры, обещал, что все в конце концов будет хорошо, трогал за лапы и уши, приучая собаку к своему голосу и запаху.

Вышедшая из ванной Ольга, завернувшись в длинный теплый халат, присела рядом, погладила Шушу по голове и пощупала нос.

— Холодный, — удовлетворенно констатировала она. — Лечение назначено правильно. Саблин, я никогда не подозревала, что ты — любимец дам.

— Ты о чем?

Он искренне не понимал, что она хочет сказать.

— Я? Я о Кашириной. Ты ей жуть как нравишься.

— Ты с ума сошла! С чего ты это взяла?

— Саблин, у меня есть глаза и уши, и я вижу, как она на тебя смотрит, и слышу, что и как она тебе говорит. Или не тебе, но в твоем присутствии. Она очень интересуется тобой, можешь не сомневаться.

Сергей выпрямился, разминая затекшие от сидения на корточках ноги. Заныла поясница, заломило колени. Елки-палки, ему всего сорок два исполнится через полтора месяца, а он уже превратился в развалину с этой работой, за которую никто и никогда не скажет ему спасибо. И как таким мужчиной может интересоваться Каширина? Красавица, умница, успешный юрист, советник мэра города. Да бред же полный!

— Оль, ты что-то не то говоришь, — с сомнением произнес он.

— Я, Саблин, говорю как раз то, — усмехнулась она. — Так что ты имей это обстоятельство в виду и веди себя аккуратно, если не хочешь осложнений.

— Слушай, перестань говорить ерунду!

Он и в самом деле рассердился.

— Это не ерунда, — негромко сказала Ольга. — Это совсем не ерунда. Я не собираюсь тебя ревновать, я только хочу тебя предостеречь: если ты поведешь себя неправильно и каким-то неосторожным действием дашь Кашириной повод почувствовать себя оскорбленной, головы тебе не сносить. Поэтому еще раз повторяю: будь очень аккуратным, когда общаешься с ней, следи за каждым своим словом. Впрочем, извини, — она улыбнулась, — я действительно сейчас сказала не то. Сергей Саблин, который следит за каждым своим словом, это уже не Сергей Саблин, а черт знает кто.

Сергей задумался, вспоминая все свои встречи и разговоры с Татьяной Геннадьевной на протяжении нескольких лет знакомства, начавшегося во время его войны с педиатрами. Да, она всегда была доброжелательна, помогала, решала вопросы, с которыми он приходил к ней как к заместителю прокурора города по общему надзору, да и сейчас, став советником мэра Северогорска, она всячески демонстрирует ему свою приязнь и доброе отношение. Но не более того... Во всяком случае, так ему казалось до сегодняшнего дня. Конечно, все эти разговоры про «потанцевать» можно расценить как легкий флирт, но что в этом такого? Почему красивая свободная женщина на банкете, да после изрядной порции выпитого, не может слегка пококетничать и пофлиртовать с мужчиной, который находится здесь со своей гражданской женой, то есть заведомо не свободен, и развития эта ситуация иметь не может? И вообще...

Он не слышал зова. Того самого зова Женщины, который умел чувствовать. Того зова, который исходил от Ольги и которого никогда не было в его отношениях с Леной.

И здесь его тоже не было. В этом Сергей Саблин мог бы поклясться.

ЧАСТЬ ШЕСТАЯ

ГЛАВА 1

К Новому году Саблин получил неожиданный подарок от областного Бюро судмедэкспертизы:

— Есть хороший парень, образование медицинское, работал у нас экспертом-биологом, прошел трехмесячную специализацию по общей экспертизе, хочет заниматься экспертизой живых лиц. То, что вам надо, — радостно гудел в трубке голос одного из руководителей областного Бюро. — У вас же на амбулаторном приеме полный провал, насколько я знаю?

Это было больным местом Сергея Саблина. На амбулаторном приеме работала только одна молоденькая эксперт, которая не справлялась с валом работы, поэтому спешила, освидетельствования проводила поверхностно, а заключения составляла наспех, кое-как. Амбулаторный прием — работа не менее кропотливая, чем исследование трупов, только вдобавок еще приходится изучать множество медицинских документов. Найти эксперта на живой прием и занять вторую ставку Саблину никак не удавалось, и это стало его постоянной головной болью.

— А тут человек сам рвется на живой прием, никакой работы не боится, трудяга, каких мало, и в документах копаться тоже любит. Вообще, Сергей Михайлович, я бы советовал вам присмотреться к нему, вы ведь уже два года в должности начальника, а до сих пор работаете без заместителя. Непорядок это, не годится так.

— Но я могу оставить Бюро только на Сумарокову, у нее достаточно опыта и квалификации, — возразил Сергей, — а она отказывается от должности зама, я ей сколько раз предлагал. Да и возраст у нее, она о пенсии подумывает.

— Вот-вот, — одобрительно крякнул областной чиновник, — и я о том же. Кадры нужно подбирать и расставлять. А Вихлянцев вполне может вам понравиться в качестве будущего заместителя, толковый, грамотный, трудолюбивый, организованный. И на Крайний Север хочет попасть, у вас все-таки зарплаты ого-го! Рядовой эксперт получает больше, чем начальник областного Бюро. Так что запомните: Юрий Альбертович Вихлянцев. Ну как, присылать?

— Конечно, — обрадовался Саблин.

Насчет должности заместителя начальника Бюро он еще подумает, а вот то, что представится возможность залатать дыру на «живом» приеме, — это очень даже здорово!

Юрий Альбертович Вихлянцев появился сразу после новогодних каникул. Был он строен, привлекателен и энергичен. О том, почему не захотел больше работать в отделении судебно-биологической экспертизы, рассказывал Саблину с насмешливой откровенностью:

— Понимаете, там одни женщины, самого разного возраста и степени привлекательности, и я — единственный мужик среди них. Разведен, возраст у меня самый подходящий практически для любой из них, от двадцати пяти до пятидесяти пяти, вот они и устроили на меня самую настоящую охоту. Можете себе представить, какая обстановка царит в коллективе, где два десятка женщин интригуют по поводу одного мужчины? Да застрелиться легче, чем это терпеть! Бесконечные склоки, подставы, сплетни... Я и подумал: ну что я тут сижу, сперматозоиды под микроскопом считаю и варюсь в этом котле взаимной ненависти и постоянных склок? И работа не такая уж привлекательная, и обстановка ужасная. Вот и решил, что лучше буду заниматься экспертизой живых лиц. Мне это гораздо интереснее, да и с медицинскими документами работать мне нравится.

Саблину было немного странно слушать, как человек сам о себе такое рассказывает: все бабы из-за него, дескать, передрались. Вроде как хвастается. Но присмотревшись к Юрию Альбертовичу, он понял, что тот не хвастался, а просто честно рассказывал о том, что было, не считая нужным привирать и выдумывать какие-то несуществующие причины.

— Вы же понимаете, мне нужно было в любом случае менять специальность, потому что если бы я остался биологом, то мне пришлось бы работать в женском коллективе всегда, даже если бы я каждый год переезжал в другой город и переходил в другое бюро, — говорил он. — Пока я был женат, у меня проблем не было, а как только развелся — так и началось, никакой жизни не стало.

Сергей смотрел на него и думал о том, что Вихлянцев, пожалуй, не преувеличивает: он действительно дьявольски красив. Немудрено, что женщины по нему с ума сходят. И насчет возраста он очень точно отметил: достаточно молод, чтобы быть привлекательным для женщин моложе себя, и достаточно зрел, чтобы быть интересным для женщин старше себя. Почему-то совсем некстати вспомнилась Каширина: когда Ольга говорила о том, что Татьяна Геннадьевна проявляет к Саблину женский интерес, он отбрасывал эти мысли на том единственном основании, что она, как ему казалось, значительно старше. А может быть, возраст не имеет такого уж большого значения? Глядя на Вихлянцева, как-то не сомневаешься в том, что им может заинтересоваться женщина за пятьдесят, а ведь он, Саблин, даже и постарше нового эксперта, на целых четыре года постарше...

— Ну и финансовый вопрос, конечно, не последнюю роль играет, — продолжал между тем Юрий Альбертович. — У меня двое детей, и я хочу помогать бывшей жене их растить. А у вас надбавки северные, да экологические выплаты, да доплаты из муниципального бюджета огромные. Не стану кривить душой и делать вид, что для меня это не важно. Важно.

В этот момент он по-настоящему понравился Сергею. На Север все ехали за деньгами, это ни для кого не было секретом, но почему-то большинство стеснялось в этом признаваться. А ради чего, если не ради большой зарплаты, имело смысл терпеть жизнь в условиях, в которых жизнь, собственно говоря, невозможна? Вернее, она возможна только для субэтноса, то есть для народности, прожившей в этой климатической зоне не одну сотню лет. А уж житель средней полосы России к пребыванию в Заполярье был ну никак не приспособлен. Говорить о деньгах и о желании их заработать как-то вообще не принято в том поколении, к которому принадлежали и Вихлянцев, и сам Саблин, и искренность нового сотрудника мгновенно расположила Сергея.

— А в морге работать сможете? — спросил он, надеясь на то, что в случае ухода Сумароковой на пенсию удастся сохранить уровень экспертной работы в танатологии.

Юрий Альбертович задумался, потом кивнул:

— В принципе можно, но мне интереснее заниматься освидетельствованием живых лиц.

Саблин вспомнил, что Вихлянцев в самом начале разговора упомянул о своей любви к анализу медицинской документации. Нет, решительно этот сотрудник ему нравится! Отделение судебно-медицинской экспертизы потерпевших, обвиняемых и других лиц получит, наконец, нормального заведующего.

Это отделение, которое в сокращенном варианте принято было называть отделением освидетельствования живых лиц, или, если еще короче, амбулаторным приемом, находилось далеко от основной базы Бюро, в центре Северогорска, в городской поликлинике. В принципе можно было бы организовать помещение для отделения и в здании Бюро, при условии наличия отдельного входа и полной изолированности от помещения морга, но об этом следовало думать в тот момент, когда строилось здание, а теперь уж заниматься перестройками было поздно. К тому же расположение амбулаторного приема в поликлинике позволяло решать множество насущных задач, поскольку в самой поликлинике можно было сразу же пройти необходимые обследования и консультации у врачей-специалистов для подтверждения наличия телесных повреждений и более точного определения степени их тяжести. Сергей помнил, как это было устроено в Москве, и не переставал изумляться идиотизму чиновников от здравоохранения: потерпевший, избитый и травмированный, приезжает на освидетельствование, ему эксперт дает направление в поликлинику по месту жительства на рентген или консультацию специалистов, человек со сломанными, к примеру, ребрами, рукой или ногой вынужден как-то добираться до этой поликлиники, зачастую причиняя себе еще больший вред нахождением в переполненном общественном транспорте, поскольку деньги на такси найдутся далеко не у каждого. И пройдя обследование, он в отделение экспертизы уже не возвращается, потому что мысль о еще одном этапе передвижения по городу приводит в ужас. В лучшем случае потерпевший приедет в отделение и привезет рентгенограмму или заключение специалиста, когда поправится или хотя бы будет лучше себя чувствовать, то есть спустя недели, а то и месяцы. В худшем случае — не приедет вообще, и экспертиза, для завершения которой эти документы необходимы, так и останется незаконченной. Незавершенные экспертизы и исследования скапливались в великом множестве в регистратуре амбулаторного приема и в самих кабинетах экспертов. Иногда документы терялись или приходили в негодность, и это становилось поводом для служебных расследований и организационных выводов. В Северогорске расположение отделения «живого» приема было весьма удачным, однако имело один недостаток: находилось далеко от руководства Бюро, что сильно затрудняло текущий контроль.

До прихода Вихлянцева на амбулаторном приеме работал один врач — молодая сотрудница, кроме того, были два медрегистратора и санитар. Понятно, что с работой был полный завал. Саблин неоднократно пытался перевести на «живой» прием кого-нибудь из танатологов, но желающих не находилось: слишком большой объем работы, напряженный график, необходимость постоянно задерживаться после официального окончания рабочего дня, а ведь именно сокращенный рабочий день и был столь привлекателен для женщин-экспертов, имеющих семьи: танатологи заканчивали работу в 15.00, врачи амбулаторного приема — в 15.45.

Юрий Альбертович полностью оправдал все авансы, выданные ему руководством областного Бюро: был работоспособным, организованным, никогда не жаловался на переработку, хотя задерживался в отделении каждый день как минимум часа на два-три, а то и больше. Сотрудницы амбулаторного приема смотрели ему в рот и выполняли все указания, будто заряженные его позитивной энергией. Одним словом, появление Вихлянцева в качестве завотделением резко повысило производительность и значительно уменьшило сроки производства экспертиз по медицинским документам.

Сергей, который до назначения Вихлянцева раз в неделю в обязательном порядке посещал отделение амбулаторного приема, смог наконец вздохнуть свободно и избавить себя от траты времени на выполнение этой обязанности: Юрий Альбертович сам регулярно приезжал в Бюро, докладывал о состоянии работы и обсуждал с Саблиным сложные случаи и механизмы образования той или иной конкретной травмы. Он не строил из себя всезнайку и никогда не стеснялся признаться в том, что чего-то не знает, и попросить проконсультировать.

Спустя несколько месяцев Вихлянцев настолько расположил к себе сотрудников Бюро, что сначала Изабелла Савельевна, а за ней и секретарь Светлана начали твердить Саблину: лучшей кандидатуры на роль заместителя начальника Бюро ему не найти.

И Сергей решил рискнуть. В мае он уехал в Санкт-Петербург, оставив Вихлянцева исполняющим обязанности начальника Северогорского Бюро судебно-медицинской экспертизы.

* * *

В Санкт-Петербурге именно в мае, когда у Саблина был отпуск, проходил цикл по той проблеме, которая очень интересовала Сергея. И он, не встретив
понимания в областном Бюро, решил сам оплатить
учебу и пройти трехнедельное повышение квалификации, потратив на это отпуск.

Разумеется, Лена в восторге не была.

— У тебя отпуск в такое замечательное время! —
кричала она в телефонную трубку, когда Сергей объявил, что летит не в Москву, а в Петербург. — Мы могли бы поехать куда-нибудь! Дашку можно оставить
с моей мамой, а мы с тобой могли бы съездить или
на море, или в Париж, например, я давно мечтала...

— Мне нужно пройти обучение, — сухо твердил
Сергей, стараясь не взорваться.

— Ну, хорошо, если тебе так приспичило учиться,
нашел бы какую-нибудь учебу в Москве, дома бы по-
был, с семьей. Дочь уже скоро забудет, как ты выгля-
дишь! У тебя есть жена, между прочим, и дом, о котором нужно заботиться. О ребенке я уже вообще мол-
чу, ты, по-моему, и не помнишь, что он у тебя есть.
Ну Сереженька, — она перешла на плаксивый про-
сительный тон, — ну пожалуйста, приезжай домой,
а? Поучишься здесь где-нибудь, а мы будем зато ходить вместе в рестораны, погуляем, в гости пойдем.
А то все знают, что у меня муж вроде как есть, а никто его никогда не видел. Все уже думают, что я вру
и никакого мужа у меня нет. Как раз в конце мая у нас
в школе Последний звонок, и традиционно все педа-
гоги собираются на сабантуйчик, и все, между прочим, с мужьями приходят, одна я как не знаю кто...
А так мы вместе придем, и все увидят, какой у меня
муж! И у подруги моей день рождения как раз в мае,
придем с тобой вместе, пусть все обзавидуются.

Он все-таки взорвался.

— Лена, в Санкт-Петербурге проводится учеба по той проблеме, которая важна для моей работы, — с холодной яростью проговорил он. — Если тебе нравится получать от меня каждый месяц деньги, тебе придется терпеть все, что происходит, чтобы я мог эти деньги зарабатывать.

Денег Лена хотела. А вот терпеть не хотела. Поэтому бросила трубку, на звонки не отвечала, сама не звонила и вообще дулась и всячески «давала понять», что смертельно обижена и даже оскорблена таким пренебрежением: какая-то там учеба, важная для какой-то там работы, для ее мужа интереснее, чем совместное появление перед ее подружками и знакомыми.

Осенью Даше должно было исполниться семнадцать лет. Еще год — и она станет совершеннолетней. К этому времени девочка закончит школу, поступит, бог даст, в институт, а не поступит — работать начнет. В любом случае у Саблина появится моральное право развестись. И тогда он сможет жениться на Ольге.

Осталось ждать, в сущности, совсем немного. Всего-то полтора года.

* * *

Три недели учебы пролетели быстро, и Саблин отправился в Северогорск, не заезжая в Москву: с Леной он так и не помирился. Надо заметить, не сильно-то и старался, несколько раз позвонил, наткнулся на ее холодный тон и с облегчением почувствовал себя вправе тоже обидеться. Обижаться, конечно, не стал, но и звонить больше не пытался.

Юлия Анисимовна, узнав, что сын в Москву не приедет, расстроилась. Но, видимо, быстро поняла, в чем дело: Лене она звонила постоянно и наверняка услышала в ее тоне или в ее ответах едва сдерживаемую обиду и на Сергея, и на всю семью.

— Я не могу не повидаться с тобой, — сказала она. — Если ты не планируешь заехать домой, то я приеду к тебе в Питер.

Сергей был рад, что можно и с матерью встретиться, и с Леной не общаться. Юлия Анисимовна приехала на один день, и Сергею показалось, что мать заметно постарела за то время, что они не виделись.

— Папа не очень хорош, — с грустью призналась она. — Что-то он совсем сдал. Жаль, что вы не повидаетесь в этот раз. Он скучает по тебе, сынок.

Первым порывом было все-таки съездить в Москву, побыть у родителей, но мысль о том, что нужно будет жить в одной квартире с Леной и ложиться с ней в одну постель, показалась чудовищной. А если не жить дома? Приехать, явиться к родителям, провести у них несколько дней и уехать. Ленка и не узнает ничего. Но это означает признаться матери, что брак не просто дал трещину — он разваливается на части, если уже не развалился полностью. И терпеть ее понимающие укоризненные взгляды: дескать, я тебя предупреждала, я тебе говорила, что она для тебя не подходит, вот видишь, я оказалась права, а ты был не прав, когда мне не верил. Нет, такого Сергей не хотел.

Лучше он проведет остаток отпуска с Ольгой, выспится, наваляется всласть на диване, начитается, насмотрится своих любимых вестернов и наездится на байке — сейчас самый сезон для этого. Можно будет даже Шушу засунуть в рюкзак и взять с собой на природу, пусть псина погуляет, на мир посмотрит, а то ведь, наверное, кроме столба с веревкой возле хибары и саблинской квартиры, и не видела ничего в этой жизни. Ну, еще окрестные улицы, по которым ее выгуливали Саблин и Ольга. Не бог весть какое разнообразие впечатлений.

Шушу они с Ольгой старательно пролечили, она заметно повеселела, обросла шерстью, поправилась и радовала их своим цепким умом, понятливостью и дружелюбным нравом. Хотя и Сергей, и Ольга отчетливо видели: собака стремительно стареет, и все случится уже совсем скоро.

Остаток отпуска Сергей провел именно так, как запланировал. Разумеется, он каждый день звонил в Бюро Светлане и выслушивал от нее полную сводку происшествий: кто взял больничный, кто опоздал или ушел с работы раньше времени, какие трупы поступили для проведения исследований или экспертизы, кто с кем вступил в конфликт и даже в каком месте здания Бюро перегорела лампочка. На Вихлянцева Светлана не жаловалась и каждый раз говорила:

— У нас все нормально, Сергей Михайлович, отдыхайте спокойно.

Его то и дело подмывало позвонить Юрию Альбертовичу, но Сергей каждый раз одергивал себя: если хочешь проверить, как человек работает, дай ему возможность работать. Пусть делает так, как считает нужным, а ты потом оценишь результат. Нечего вмешиваться. Доверил человеку исполнять твои обязанности — вот и пусть исполняет.

В назначенный день Сергей Саблин появился в Бюро и был приятно удивлен тем, что в его кабинете не оказалось ни малейшего следа присутствия Вихлянцева. Все выглядело в точности так, как было в его последний перед отпуском день.

— Света, а где Юрий Альбертович сидел? — спросил он озадаченно.

— Здесь, а где же еще?

— Но все выглядит так, словно его тут не было, — заметил Саблин. — На столе ни один предмет не передвинут.

— Так он за вашим столом и не сидел, — пояснила секретарь. — Он вот тут сидел, на стульчике для посетителей, я ему из приемной столик отдала, на котором у меня чайник с чашками для гостей стоит, вот он на нем бумаги разложит и сидит, как курица на жердочке. Я ему предлагала за ваш стол сесть, а он отказывался.

— Почему?

— Говорил, что это неприлично. Неудобно ему было, неловко. Ваш стол — это ваш стол, а я, говорит, никакой не начальник, а просто временно исполняю обязанности, и за столом настоящего начальника мне сидеть не полагается.

Саблин пожал плечами и начал доставать бумаги из сейфа. Но деликатность Вихлянцева мимо его внимания не прошла.

Юрий Альбертович появился спустя полчаса с подробным отчетом обо всем, что произошло за истекший период. Налаженная Саблиным работа Бюро судмедэкспертизы никаких сбоев пока не давала. Единственным упущением Вихлянцева оказалось то, что он не проверял акты исследований и экспертиз, которые сам Саблин, как и обещал когда-то своим сотрудникам, читал в обязательном порядке и очень внимательно и частенько заставлял по многу раз переделывать.

— Но вы мне этого не поручали, — виноватым голосом произнес Вихлянцев. — Я понимал, что это нужно делать, но поскольку вы ничего мне об этом не сказали, я не счел возможным вмешиваться в работу экспертов. Я подумал, что вы просто не уверены в моей квалификации, потому и не поручили мне проверять акты.

Ну что ж, Саблин, сам виноват. Забыл. Твое упущение. А в целом Юрий Альбертович показал себя вполне готовым к выполнению функций заместителя начальника Бюро. «Вот еще раз оставлю его исполнять обязанности во время моего следующего отпуска, посмотрю, как он будет проверять акты, и если меня все устроит — сообщу в областное Бюро, что можно назначать мне заместителя», — решил он.

* * *

— Теперь ждите.

Ветеринар выбросил в мусорную корзину пустую ампулу и сочувственно посмотрел на Сергея. Был он немолод и повидал на своем веку не один десяток хозяев, провожающих своих питомцев.

Сергей вышел из кабинета, держа на руках Шушу. Где бы присесть? Здесь, в коридоре, где сидят в очереди на прием люди с болеющими, но живыми кошками, собаками, хомячками и птичками? Нет, исключено. Кажется, с тыльной стороны здания он видел скамейку...

Скамейка был грязной, видно, те, кто ею пользовался, предпочитали отчего-то садиться на спинку и ставить ноги на сиденье, но Саблину было наплевать на чистоту джинсов. Он сел, устроил Шушу поудобнее, подложив руку ей под голову, и попытался заглянуть в собачьи глаза, уже полуприкрытые и мутнеющие. Хотел было поговорить с ней в последний раз, пошептать что-нибудь ласковое, успокаивающее, чтобы она не боялась, но в горле встал ком, мешающий издавать звуки.

Он впервые в жизни почувствовал движение смерти. Та смерть, которая стояла у него за спиной в секционной, была язвительной, насмешливой и неподвижной. Она просто стояла, наблюдая за тем, как врач разбирается с результатами ее деятельности. Ей было, в общем-то, все равно, она свою задачу выполнила и в момент вскрытия была абсолютно безвредной, тихой. Сторонний наблюдатель, не более того.

Сейчас она пришла и стала гладить обмякшее тело Шуши, примериваясь, с какой стороны начать забирать ее. Сергей кожей чувствовал ее присутствие, ее дыхание, которое, вопреки ожиданию, оказалось вовсе не смрадным. Оно было прохладным и пахло льдом. «Разве у льда есть запах?» — мелькнуло в голове.

Страха не было. Не было ничего, кроме боли от рвущихся ниточек, связывавших две души: его и собачью.

— Пусть ей не будет больно, — прошептал Сергей, обращаясь неизвестно к кому.

На самом деле он знал, с кем разговаривает, но не хотел себе в этом признаваться.

— Пусть она не поймет, что происходит. Пожалуйста, ты же можешь, ты умеешь сделать так, чтобы существо покинуло этот мир спокойным и счастливым. Ну пожалуйста, я прошу тебя...

Прохладное дыхание, которое он ощущал справа, там, где находились хвост и задние ноги собаки, переместилось влево, туда, где на руке Сергея лежала голова Шуши с уже почти закрывшимися глазами. Смерть решила пощадить ее, не наступать медленным постепенным параличом сначала нижних конечностей, потом верхних, изматывая осознанием невозможности ничего изменить. Она переместилась к мозгу. Сергей не отрывал взгляда от морды Шуши. Глаза закрылись, дыхание становилось все реже...

Она была такой теплой, и шерсть шевелилась под дуновением ветра, и невозможно было поверить, что больше никогда... Внезапно Сергей почувствовал, что смог продохнуть. Он больше не ощущал присутствия смерти. Она ушла. Сделала свое дело, сделала хорошо, на совесть, аккуратно, быстро, щадяще, и ушла.

Он наклонился к голове Шуши, поцеловал ее в морду, прошептал:

— Девочка моя, до свидания.

По лицу текли слезы, но Саблин их не чувствовал.

* * *

Две недели Саблин ходил с черным лицом и разговаривал сквозь зубы. На работе сотрудники старались не попадаться ему на глаза: никто, кроме Светланы, не знал о том, что Шушу пришлось усыпить, и все боялись, что плохое настроение начальника связано с их персональными промахами. Светлана же, предупрежденная Саблиным, молчала, как партизанка, и на вопросы о том, почему шеф не в духе, только молча пожимала плечами.

— Саблин, так нельзя, — говорила ему Ольга. — Ты позволяешь себе распускаться. Соберись, пожалуйста.

— Ну как ты можешь! — негодовал он. — Неужели тебе не жалко собаку? Не думал, что ты такая черствая.

— Я не черствая, Саблин, — вздыхала она, — я рациональная. Когда ты брал собаку с неизвестно какой наследственностью, ты должен был предполагать, что у нее может быть не все в порядке. Когда ты брал собаку, прожившую долгое время в плохих условиях, ты обязан был предполагать, что у нее может оказаться масса болезней. И наконец, когда ты брал собаку неизвестного тебе возраста, ты не имел права не подумать о том, что она может оказаться очень старой и долго не проживет. Ничего неожиданного не случилось. А ты почему-то оказался не готов к такому исходу. Все произошло совершенно закономерно. Это закон жанра.

И он не мог в глубине души не признать, что Ольга права. Сергей и сам от себя не ожидал, что будет так болезненно переживать смерть Шуши. Оказалось, что и у него есть слабое место.

Постепенно все вернулось в свою колею, он успокоился и перестал кидаться на окружающих. Шуши не стало в конце лета, а к середине осени Саблин переключил внимание на непонятный ему случай: гибель на производстве молодого рабочего Алексея Вдовина.

Трагедия произошла во время дежурства Виталия Николаевича Филимонова, который так и продолжал работать в отделении экспертизы трупов. Конфликт, возникший у него с Саблиным в самом начале работы Сергея в должности начальника, вроде бы сгладился, Виталий Николаевич работал хорошо, во всяком случае, проявлений недобросовестности с его стороны не отмечалось. Следуя правилу о том, что труп вскрывает тот эксперт, который осматривал его на месте обнаружения, случай Вдовина был расписан Филимонову, который сказал, что ничего сложного тут нет, парня задавило машиной на производстве.

Саблин занялся текущими делами, а через некоторое время спустился в секционную: он периодически устраивал такие «контрольные» набеги для проверки работы танатологов. Филимонов проводил исследование трупа молодого рабочего. Описание наружного осмотра было уже закончено, и санитар вскрывал полости тела. На грудной клетке погибшего спереди, справа от фишеровского разреза и примерно на уровне печени, виднелись темно-красные небольшие ссадины неправильной формы.

— Что-нибудь нашли, Виталий Николаевич?

— Немного ссадин спереди и сзади, — ответил эксперт, — ребра на ощупь сломаны справа и слева, полное брюхо крови.

— Печень? Или селезенка?

— Похоже, и то, и другое.

«Значит, тупая травма груди и живота, разрывы органов, обильное внутреннее кровотечение, кровопотеря как причина смерти, — прикинул мысленно Саблин. — Сдавление тела между какими-нибудь механизмами, либо, как вариант, переезд колесом через тело».

— А что случилось, Виталий Николаевич? Как это произошло?

— Да понятия не имею, — равнодушно бросил Филимонов.

— Как это? — удивился Сергей. — Вы же выезжали на место происшествия.

— К моменту нашего приезда труп уже вынесли во двор, я его там и осматривал, он на носилках лежал. Работяги правил не знают, они не в курсе, что труп на месте происшествия перемещать нельзя до приезда милиции, вот и вынесли.

— А внутри что? Не были?

— Зачем? Туда следователь ходил с криминалистом, мне там делать нечего.

В принципе судебно-медицинский эксперт не обязан осматривать все место происшествия, его задача — осмотр трупа. Эксперт, пожалуй, прав, ничего сложного или необычного в этом случае нет, и дополнительный контроль со стороны начальника Бюро — так называемый контроль третьего уровня — здесь не требуется.

В конце дня Светлана принесла Саблину на подпись свидетельство о смерти Алексея Вдовина, выписанное экспертом Филимоновым. В качестве причины смерти стояло «обильная кровопотеря, разрыв печени, селезенки, правого легкого, сочетанная травма груди и живота». В коде обстоятельств Виталий Николаевич указал «контакт с тупым предметом», категория и род смерти не установлены. И это тоже не вызвало вопросов у Саблина: категория смерти — насильственная или ненасильственная, и род смерти — убийство, самоубийство, несчастный случай, это понятия юридические, они к компетенции судебно-медицинского эксперта не относятся. Эксперт должен установить только причину смерти, а уж обстоятельства, которые эту причину вызвали, устанавливаются в ходе следствия совсем другими специалистами.

Прошло около двух недель, прежде чем заключение Филимонова по случаю Алексея Вдовина оказалось законченным и попало на проверку к Саблину. Сергей читал внимательно, стараясь вникнуть. В общем-то он Филимонова уже не особо контролировал, поскольку тот работал без явных проколов, но его заинтересовал сам случай: что же там такое случилось? В механизме травмы Виталий Николаевич указал, что «травма возникла от воздействия тупого твердого предмета (предметов)». Обычный шаблонный ответ, эксперты частенько к нему прибегают. Но ведь это смерть на производстве! И поскольку в таких случаях обязательно проводятся и служебные расследования, и проверки материалов правоохранительными органами, механизм следовало расписывать подробно и очень конкретно. Эту часть заключения следовало непременно переделать. Сергей сделал на полях заключения пометку красным фломастером и дочитал до конца. В последнем пункте экспертного заключения указывалось наличие в биожидкостях из трупа дезоморфина, кодеина и димедрола. Получается, погибший парень в момент смерти находился в состоянии наркотического опьянения. Дезоморфин и кодеин в сочетании — это явный признак того, что парень употреблял кустарный наркотик, изготовлявшийся в домашних условиях самими наркоманами и известный под названием «крокодил». Но он же видел тело, своими глазами смотрел, и никаких следов от инъекций на видимых участках не заметил. Хотя, впрочем, нынче наркоман пошел изобретательный, колются в такие места, которые постороннему глазу недоступны — под язык, в мошонку, между пальцами. Если такие следы и были, то Филимонов должен был при наружном осмотре их найти. Саблин вернулся к разделу «Наружные телесные повреждения» и снова просмотрел его. Нет, никаких упоминаний об обнаруженных следах инъекций. Впрочем, и это тоже ничего не доказывает, ведь известно, что наркоманы используют инсулиновые шприцы с тончайшими иглами, оставляющими совсем незаметные следы. Но все-таки эти следы должны быть выявлены экспертом, если он не халтурит. Неужели Филимонов пропустил? Нужно более тщательно контролировать его. Если в крови погибшего есть наркотические вещества, то должен быть и способ, которым эти вещества были в организм введены.

Смерть на производстве в состоянии наркотического опьянения Саблину видеть не доводилось, основная масса погибших на рабочих местах состояла из тех, кто злоупотреблял алкоголем.

Он вызвал Филимонова и спросил, почему механизм травмы не описан детально.

— Так там же все ясно, — спокойно ответил Виталий Николаевич, — парень был в состоянии наркотического опьянения, это отказной материал, уголовного дела нет, выплаты компенсации родственникам тоже нет. Кому нужны наши медицинские подробности?

Какая-то правда в его словах была. Если человек погибал на производстве в состоянии алкогольного или наркотического опьянения, то никакие денежные компенсации родственникам погибшего не выплачивались.

— Виталий Николаевич, — Сергей решил постараться быть сдержанным, — я не увидел в вашем заключении ответа на вопрос: что произошло? Это была транспортная травма? Или падение с высоты? Или пострадавшего били?

Филимонов изобразил мимическими мышцами нечто вроде размышления.

— Я думаю, там имела место транспортная травма.

— Какая именно?

— Ну, например, переезд колесом автомобиля или погрузчика какого-нибудь. Или, может, прижало машиной к стене.

— Например? — с угрозой переспросил Саблин. — Или может? Может, переезд, а может, и придавливание? Виталий Николаевич, вы судебно-медицинский эксперт или неграмотная бабка на завалинке? Вы врач первой категории, и вы обязаны при исследовании конкретно определить вид травматического воздействия, направление действия травмирующей силы, последовательность повреждений.

Эксперт молчал, всем своим видом демонстрируя терпеливую готовность переждать бурю и свести начальственный разнос к мирным переговорам. Ничто не могло поколебать его добродушия и спокойствия.

— Где в акте указано, на каком уровне тела, на какой высоте от подошв расположены повреждения? — продолжал Сергей. — А если это не переезд лежащего человека, а наезд? Человек находился в вертикальном положении и был придавлен к какому-нибудь предмету. Такое может быть?

— В принципе да, — согласился Филимонов.

— Если «в принципе да», то на какой высоте происходило придавливание? Где это зафиксировано? Откуда это видно? — Он потряс взятыми за уголки страницами заключения. — Ниоткуда это не видно, потому что в вашем заключении этого нет. По высоте расположения повреждения можно впоследствии четко привязаться к конкретному транспортному средству и доказать, что травма нанесена именно им. Вам этого никто никогда не объяснял?

— Сергей Михайлович, ну что вы так разволновались? Я же вам сказал: уголовное дело не возбуждали, значит, проверка закончилась отказным материалом. Ну будет в заключении указано, на какой высоте расположены повреждения, и что? Никто же все равно разбираться не станет и никакое транспортное средство искать и идентифицировать не будет. Да и тело уже захоронено, так что...

— Вот именно! — Саблин повысил голос. — Тело захоронено. И если откроются обстоятельства, которые дадут основания для возбуждения уголовного дела, то повторного исследования и измерения уже не проведешь. Вы хотя бы это понимаете? Вы понимаете, что крайними окажемся мы, а конкретно — я, начальник Бюро, потому что это я недосмотрел за экспертами, а теперь их халтура выходит всем боком и не дает возможности расследовать дело! Ну что, прикажете стоять у вас над душой на каждом вскрытии, чтобы вы делали все, как полагается? Мы с вами опять возвращаемся к тому, с чего начали три года назад? Возьмите свое заключение и переделайте механизм. Опишите его, как положено.

На лице Филимонова впервые за все время разговора мелькнула растерянность. Описать, как положено? Так положено-то с результатами измерений, а их нет...

— А как писать? — неуверенно спросил он.

Сергей вздохнул и потер переносицу.

— Напишите, что травма возникла в результате сдавления тела пострадавшего между тупыми твердыми массивными предметами на уровне нижней части грудной клетки и верхнего этажа брюшной полости, что привело к возникновению множественных переломов ребер, размозжению печени, селезенки, к разрыву нижней доли правого легкого... и так далее.

Филимонов забрал акт и ушел. На следующий день утром Саблин подписал второй экземпляр переделанного документа, что означало: исследование завершено и начальником Бюро проверено. Акт был отправлен в регистратуру.

Прошло еще какое-то время, недели полторы-две, и заглянувшая в кабинет секретарь Светлана сказала, что к Саблину на прием просится какая-то женщина по фамилии Вдовина. Сергей сразу понял: мать погибшего на руднике парня. Или родственница.

Вера Владимировна Вдовина была невысокой крепко сбитой женщиной с удивительно ясным лицом и огромными заплаканными глазами. Говорила она тихим голосом, без надрыва, словно за месяц, прошедший после гибели сына, выплакала все силы. В следственном комитете отказали в возбуждении уголовного дела по факту гибели Алексея Вдовина и объяснили матери, что парень сам виноват, поскольку находился в состоянии наркотического опьянения. То же самое Вере Владимировне повторили и на комбинате, когда отказали в выплате денежной компенсации за погибшего сына.

— Алеша был на стажировке на комбинате, — говорила Вдовина, — он учился в колледже, хорошо учился, шел на «красный» диплом. И наркотиков никогда не употреблял, я в этом уверена. Я не понимаю, как так могло получиться...

Такие разговоры Сергей слышал за годы своей работы множество раз. Стоило родственникам пострадавшего прочитать в заключении, что обнаружены наркотические или сильнодействующие вещества, они приходили с требованиями все перепроверить, потому что этого просто не может быть, и их мальчик (или девочка) никогда в жизни не употреблял ничего сильнее анальгина при зубной боли, и был хорошим, честным и порядочным. В подавляющем большинстве случаев эти люди не кривили душой, они действительно не знали, что их ребенок наркоман, ведь если порой можно себе позволить выпить в присутствии родителей, то уж уколоться или иным каким способом «заширнуться» на глазах у мамы с папой не позволяет себе никто. Пристрастие к наркотикам перед семьей обычно все-таки не афишируют.

И тем не менее Саблину было ужасно жаль эту тихую милую женщину.

— Вы могли не знать, — участливо объяснял он. — Очень многие родители не знают о том, что их дети употребляют наркотики.

Вдовина смотрела на него прямо и как-то простодушно.

— А знаете, мне сказали, что вы, может быть, деньги взяли за то, чтобы так написать в заключении, — сказала она вдруг. — Чтобы комбинату не пришлось выплачивать мне компенсацию. У них компенсации очень большие, им просто жалко отдавать такие большие деньги. Сергей Михайлович, это правда? Вам заплатили? Вы скажите только «да» или «нет», мне это важно. Мне не нужны деньги, я хорошо зарабатываю, мне не нужна их компенсация, но я хочу спокойно смотреть людям в глаза. Мне все вокруг говорят: что же это вы, Вера Владимировна, наркомана вырастили! Все ведь уже знают, ни от кого ничего не скроешь. Бывший муж звонил с материка, кричал, что я сына погубила своим воспитанием, все сюсюкала с ним, книжки умные читала вслух, хорошему учила, а надо было пороть и наказывать.

Она помолчала, продолжая глядеть прямо в лицо Саблину.

— Я не хочу, чтобы память о моем сыне была опорочена. Я не верю, что он был наркоманом. Алеша был хорошим добрым мальчиком, умным и порядочным, его очень любили друзья, его любила замечательная девушка, они собирались пожениться в будущем году. Я не могу смириться с тем, что о нем будут думать и говорить плохо.

Было видно, что она с трудом сдерживается, чтобы не расплакаться.

— Хорошо, — решительно произнес Сергей, — я попробую все еще раз проверить.

Он не был уверен, но что-то подсказывало ему, что Вера Владимировна не ошибается: ее сын Алеша не был наркоманом. А комбинат, на котором развернул бурную деятельность друг детства Петя Чумичев, играет в свои финансовые игры. Но для любого вывода нужны доказательства.

Вдовина ушла, а он попросил принести ему из регистратуры акт исследования трупа ее сына и еще раз внимательно перечитал результаты дополнительного исследования. Штатный эксперт-химик Бюро в тот период находился в отпуске, и исследование проводила совместитель — заведующая химико-токсикологической лабораторией наркологического диспансера, врач высшей категории, имеющая стаж работы больше двадцати лет. Ошибиться она никак не могла, ну ни при каких условиях! «Может, аппаратура засбоила?» — подумал Сергей. Других объяснений он придумать не смог, поскольку в судебно-химических исследованиях почти совсем не разбирался.

Выход был только один: потихоньку, не привлекая внимания, отправить материал от трупа Алексея Вдовина в судебно-химическое отделение областного Бюро. Но с момента завершения исследования прошло больше месяца, пусть и ненамного, но всетаки больше тех самых тридцати суток, в течение которых полагается хранить остатки биологического материала. По истечении месяца биоматериал можно было утилизировать. И если с материалом от трупа Вдовина произошло именно это, то теперь уже невозможно будет ни перепроверить что бы то ни было, ни исправить.

Но ему повезло: материал — кровь, моча и желчь от трупа Алексея Вдовина — до сих пор оставался в холодильнике судебно-химической лаборатории. Дабы не рисковать (а вдруг уже завтра кому-нибудь взбредет в голову проверить холодильник и почистить его, освободив от подлежащих утилизации материалов?!), он попросил главную медсестру Бюро изъять материал из холодильника судебных химиков и положить в другой холодильник, в котором хранились различные биологические реактивы и сыворотки, выдаваемые лаборантам-биологам.

— Но там же стерильный материал! — возражала главная медсестра. — Я не могу поместить туда биоматериал, это противоречит инструкции!

— Упакуйте стерильно и положите куда-нибудь в уголок, — велел он и, понизив голос, добавил: — Пожалуйста. Для меня.

Он понимал, что нарушает все мыслимые предписания и инструкции. Кровь — инфекционно-опасная субстанция. И не только потому, что умерший мог быть инфицирован чем-либо, но еще и потому, что кровь, особенно если она подгнившая, является великолепной питательной средой для развития микробов. Поэтому по санитарно-эпидемиологическим нормам полагается весь окровавленный материал сжигать, а флакончики, в которых хранилась кровь, обжигать и только после этого выбрасывать в мусорный контейнер. И уж ни в коем случае не ставить в один холодильник со стерильными препаратами.

Вообще утилизация материалов, остающихся после проведения исследований, была одной из самых неприглядных сторон работы судебно-медицинской экспертизы. Для исследований при вскрытии нарезаются кусочки от печени, почек, желудка, кишечника, легких и мозга, из них изготовляются препараты для гистологов, сами препараты после завершения исследования сдаются в архив, а то, что осталось, хранится положенный месяц, а затем передается в морг. В морге остатки складывают в пакет, который кладется в гроб с каким-нибудь «безродным» невостребованным трупом и захоранивается или кремируется вместе с ним. И хотя Сергей Саблин знал об этом с первого же дня работы в судмедэкспертизе, думать об этом ему до сих пор было неприятно.

* * *

Он позвонил в областное Бюро заведующей судебно-химическим отделением.

— Хочу перепроверить работу моего химика, — солгал он на голубом глазу. — Что-то сомнения у меня появились.

— Хорошо, — легко согласилась завотделением, — выписывайте направление на исследование и присылайте с оказией биоматериал.

— Только вы сами сделайте, ладно? — попросил Сергей. — Я вашей квалификации доверяю, все-таки вы кандидат наук. А то мало ли что... Не хотелось бы человека понапрасну обижать. Уж если вы придете к тем же выводам, что и он, я буду спокоен за его квалификацию, а если нет, то с чистой совестью уволю.

— Ох, крутой вы мужик, Сергей Михайлович, — засмеялась завотделением из областного Бюро. — Чуть что — сразу увольняете. Добрее надо быть, кадрами не разбрасываться, а то совсем один в своем Бюро останетесь. Хорошо, уговорили, проведу исследование сама, а для контроля еще своего лучшего эксперта попрошу, пусть тоже сделает, чтоб уж вы могли быть абсолютно уверены.

Ее слова о кадрах и о том, что он может остаться в своем Бюро один, Саблин мимо внимания не пропустил и выводы сделал. Стало быть, его методы руководства не всем по душе пришлись, и в областное Бюро поступают жалобы на начальника. Пока что этим жалобам хода не дают и Саблина не дергают, но ведь рано или поздно придет час, и... Впрочем, незачем сейчас об этом думать. Думать надо об Алеше Вдовине и о том, был он наркоманом или все-таки нет.

Он выписал направление на судебно-химическое исследование биологических материалов от трупа Алексея Вдовина и стал ждать подходящего случая, чтобы переправить пакет в областной центр. Для этого годился не каждый человек, который в принципе мог бы стать курьером: нельзя допустить, чтобы в Бюро или на комбинате узнали о том, что он затеял.

Ждать оказию пришлось около недели. Пакет с направлением и материалами был отправлен в областное Бюро, а дней через десять заведующая судебно-химическим отделением позвонила Саблину и сказала, что заключение готово.

— Как вам передать его? Я бы по электронной почте прислала, но у нас сканер сломался, а без печати это не документ, — пояснила она. — Может, по факсу?

— Давайте по факсу, — согласился он. — А само заключение я придумаю, как у вас забрать. Только почтой не высылайте, хорошо?

Если заключение придет почтой, оно попадет в регистратуру, и вся саблинская комбинация выйдет наружу. А время для этого пока еще не настало. Судя по всему, завотделением прекрасно все поняла.

— Ох, Сергей Михайлович, Сергей Михайлович, — проговорила она, — все-то у вас с закавыками, все-то у вас с вывертами. Не думала я, что вы такой интриган.

Получив заключение на факсу, Сергей впился глазами в строчки резюмирующей части судебно-химического исследования: в представленном биологическом материале от трупа Вдовина А.Н. не обнаружены следующие вещества и их метаболиты... Далее перечислялось несколько десятков лекарственных, наркотических, сильнодействующих, психотропных и иных токсических веществ. Стало быть, никакого дезоморфина, кодеина и димедрола в биоматериале от трупа Вдовина обнаружено не было.

Это было официальное экспертное заключение, на которое можно было открыто ссылаться, поскольку начальник городского Бюро судмедэкспертизы имеет полное право осуществлять контроль и в рамках этого контроля проводить повторные исследования и перепроверять заключения своих экспертов в вышестоящих организациях. Теперь можно было разговаривать с Вдовиной.

Вера Владимировна пришла сразу же. Она смотрела на Саблина вопросительно и настороженно.

— Что вы мне скажете, Сергей Михайлович? Вы обещали перепроверить выводы эксперта. Вы перепроверили?

Услышав о том, какие получены результаты в областном Бюро, она расплакалась.

— Спасибо вам, спасибо... Но что же делать-то? Как мне поступить, чтобы все было законно и официально?

Сергей уже все продумал. Вдовиной нужно пойти в прокуратуру и написать жалобу на действия сотрудников следственного комитета, необоснованно отказавших ей в возбуждении уголовного дела по факту гибели ее сына.

— Напишите, что отказ в возбуждении дела был основан на том, что ваш сын в момент гибели находился в состоянии наркотического опьянения. Однако у вас появились основания сомневаться в этом, потому что в Северогорском Бюро судмедэкспертизы в рамках контроля было проведено повторное исследование, которое выводов предыдущего исследования не подтвердило. Имеются два заключения с совершенно противоположными выводами. И вы просите все-таки разобраться.

— И что будет потом? — непонимающе спросила Вдовина.

— А потом прокуратура должна будет отменить постановление об отказе в возбуждении уголовного дела и назначить новую проверку по факту гибели вашего сына по вновь открывшимся обстоятельствам. И в рамках этой новой проверки возможно будет назначить новое судебно-медицинское исследование. Не исключено, что даже придется эксгумировать труп Алексея.

В ее глазах мелькнул ужас, появились слезы.

— Как эксгумировать? Зачем? Алешу из могилы вытаскивать? Из гроба вынимать? Я не могу... Я не хочу так... Сергей Михайлович, не надо всего этого, пожалуйста. Вы мне просто дайте справку, что в крови Алеши не обнаружено наркотиков, этого будет достаточно. Я смогу ее всем показывать, кто хоть слово дурное о моем мальчике скажет.

— Вера Владимировна, — терпеливо объяснял Саблин, — эта справка — просто ничего не значащая бумажка, не имеющая ровно никакой юридической силы. Ваш сын официально был признан наркоманом. Понимаете? Официально! И спорить с этим официальным признанием может только официальный же документ, а не какая-то непонятная справка. И вам нужно добиваться официальной отмены предыдущего заключения. Возможно, придется обращаться в суд. Одним словом, Вера Владимировна, будет трудно.

— Это займет много времени? — тихо спросила Вдовина.

— Много, — кивнул Саблин. — Может быть, месяцы, может быть, годы. Но другого пути у вас нет. Восстановление разрушенной репутации — это всегда очень долго, поверьте мне. Наберитесь терпения и сил, они вам понадобятся.

— Спасибо, — повторила Вдовина, уходя.

Саблин долго смотрел на закрывшуюся за женщиной дверь. Трогать Филимонова и проводившую исследование «химичку» из наркологического диспансера он пока не хотел: правды все равно не скажут. Пусть ими занимается прокуратура.

* * *

Тело старика Рыкова доставили в морг около полудня, а часа в два в кабинет заглянул один из экспертов-танатологов.

— Сергей Михайлович, Рыкова пока вскрывать не будем, там его дочка пришла, говорит, будет забирать тело без вскрытия. Ей в регистратуре объяснили, что нужно сделать.

— Ладно, — пожал плечами Саблин.

По общему правилу, случаи смерти на дому подлежали вскрытию в морге судебно-медицинской экспертизы, но законом из этого правила было сделано исключение для лиц преклонного возраста, если у них наличествовал установленный диагноз хронического больного или подтвержденные гистологически онкологические заболевания. Если родственники таких умерших хотели забрать тело для похорон без вскрытия, им следовало получить разрешение главного врача лечебного учреждения, где больной лечился или состоял на учете. Именно поэтому вскрытие пожилых людей не проводится немедленно: нужно выждать некоторое время, в течение которого родные могут заявить о своем желании избежать вскрытия. Родственникам надлежало написать заявление о том, что диагноз ясен и претензий к лечащим врачам они не имеют, главный врач визирует это заявление, после чего заявление с визой вклеивается в историю болезни или в амбулаторную карту, а лечащий врач умершего оформляет эпикриз, и только потом главный врач или его заместитель по лечебной работе рассматривают вопрос и выносят решение: возможно ли выдать тело без вскрытия. В том случае, если возражений нет, выносится резолюция, которая, собственно, и является так называемым «правовым толчком» для того, чтобы в морге тело, не вскрывая, выдали для захоронения. Медицинское свидетельство о смерти выписывается в лечебном учреждении, на его основании в ЗАГСе оформляется гербовое свидетельство, и вот с этим гербовым свидетельством родственники приходят в морг, где им и выдают тело усопшего. Подробное описание технологии процесса получения документов выглядит поистине устрашающе, но на самом деле в бесспорных случаях все проходит довольно быстро и без проблем. Во всяком случае, тех трех дней, которые отведены законом на регистрацию смерти, обычно бывает более чем достаточно.

Никаких осложнений с телом старика Рыкова Сергей Саблин не предвидел и моментально забыл о нем, поскольку позвонила мать.

— Сереженька, папа очень плох. Ты не мог бы приехать?

Разумеется, он бросил все дела, принялся звонить в областное Бюро, согласовывая оформление отпуска в обход установленного графика, помчался за билетом на самолет и уже на следующее утро летел в Москву. Исполнять обязанности начальника Бюро он снова оставил Юрия Альбертовича Вихлянцева, наказав ему внимательно проверять все акты.

Отца он застал и успел провести рядом с ним четыре последних дня. Ссора с Леной была забыта, жена вела себя безупречно, была внимательной, сочувствовала Сергею, вместе с ним приходила в клинику, где лежал Михаил Евгеньевич, и даже, как показалось Саблину, говорила глупости реже обычного.

Похоронами занимался сам Сергей, а поминками — Юлия Анисимовна и Лена. Сергея удивило, что семнадцатилетняя Даша искренне горевала по деду: он и не предполагал, что его отец был так близок с внучкой.

— Ты бы еще реже дома появлялся, — сухо заметила Лена. — Может быть, еще чему-нибудь удивился бы.

Он вспыхнул, но сдержался. Не время сейчас. В конце концов, Лена не сказала ничего такого, что не соответствовало бы действительности. Он не живет дома уже десять лет. Дочь выросла без него, он ведь и в бытность в Москве не очень-то много времени ей уделял. Чего ж удивляться, что он многого не знает о своем ребенке.

Юлия Анисимовна держалась хорошо, но выглядела не только постаревшей, но и не очень здоровой. И снова Саблин подумал о том, что на десять лет выбросил свою семью из собственной жизни. Дочь выросла. Мать постарела. Отец заболел и вообще ушел из жизни. Хорошо, что он успел с ним повидаться и проститься, а если бы нет? А потом и мама точно так же уйдет, и он может не успеть повидаться с ней перед уходом. А потом что-нибудь случится с Дашкой... И все это прошло, проходит и будет проходить мимо него, потому что он работает далеко, на Крайнем Севере, занимается своим любимым делом, строит карьеру и живет со своей любимой женщиной. И он не мог понять, правильно это или нет.

Но одно он знал точно: Москва, которую он оставил десять лет назад, стала другой. В ней нет маленькой шестилетней девочки Дашеньки, а есть почти совсем взрослая, очень красивая и абсолютно чужая, незнакомая девушка Дарья Саблина. И в ней нет больше выдающегося ангиохирурга Михаила Евгеньевича Саблина.

Накануне девятого дня неожиданно позвонил Вихлянцев. Выразил соболезнования, сказал все полагающиеся слова, а потом спросил, что делать с телом старика Рыкова. Погруженный в собственные переживания и в многочисленные скорбные хлопоты, Сергей даже не сразу вспомнил, о ком идет речь.

Оказалось, что тело Рыкова до сих пор не выдано для похорон. На следующий день после отъезда Саблина в Москву дочь умершего принесла амбулаторную карту из поликлиники и стала требовать, чтобы ей выдали тело без вскрытия.

— Там все написано! — истерично выкрикивала пятидесятилетняя женщина неопрятного вида с повадками психически неуравновешенного человека. — У папы был рак! Вы обязаны выдать тело без вскрытия! И вы обязаны выписать мне свидетельство о смерти!

Она орала на всю регистратуру, и в результате ее препроводили в кабинет исполняющего обязанности начальника Бюро. Юрий Альбертович просмотрел карту и не увидел в ней ни заявления с визой, ни эпикриза, ни резолюции главного врача.

— Позвольте, а где документы из поликлиники? — удивился он. — У вас должно быть разрешение главного врача на захоронение без вскрытия...

Далее он снова подробно объяснил дочери Рыкова весь порядок оформления документов. Она сперва кивала, набычившись и глядя на Вихлянцева исподлобья, потом внезапно подскочила к столу, за которым он сидел, вырвала у него карту и выскочила из кабинета, осыпая проклятиями и Юрия Альбертовича, и всех сотрудников Бюро, и весь белый свет.

— А что, там действительно онкология? — спросил Саблин.

— Вроде бы, но я не очень уверен. Я пролистал карту только на предмет наличия вклеенного разрешения, а сами записи прочесть не успел, она так кричала, что невозможно было сосредоточиться. Но время-то идет, Сергей Михайлович, а труп лежит. И дочь к нам больше не приходит и свидетельство о смерти не приносит. Я, честно говоря, растерялся. Не знаю, что в таких случаях нужно делать.

Саблин понимал, что, по большому счету, упрекнуть ему Вихлянцева не в чем: он занимался «живым» приемом, до этого был экспертом-биологом, и откуда ему знать такие тонкости, в которые, как правило, вникают только сами танатологи да руководители Бюро. Но здравый смысл уступил место депрессивным настроениям. Сергей заговорил раздраженно и даже грубо, хотя Юрий Альбертович этого явно не заслуживал.

— Вы законы читаете? — резко спросил он. — Вот почитайте внимательно сорок восьмую статью Основ законодательства о защите здоровья граждан и тогда увидите, что там написано.

И нажал на телефоне кнопку «отбой». Он не заметил стоящую рядом мать, которая неодобрительно покачала головой.

— Сынок, я никогда не думала, что ты такой хам, — заметила она. — Это с кем же ты позволяешь себе так разговаривать?

— С тем, кого оставил исполнять обязанности вместо себя, — сердито буркнул он.

— И из-за чего сыр-бор?

Он в первое мгновение удивился интересу Юлии Анисимовны к предмету, весьма далекому от педиатрии, но потом сообразил, что ей все равно, о чем говорить с ним. Ей важно разговаривать с сыном. Потому что, кроме него, у матери никого больше не осталось. Даша, при всей своей любви к бабушке, уже отрезанный ломоть: в этом возрасте ей никто не нужен, кроме подружек и кавалеров. Лена и вовсе не в счет, Юлия Анисимовна так и не сблизилась с невесткой.

Рассказ о ситуации со стариком Рыковым занял всего несколько минут.

— А что написано в том законе, на который ты ссылался? — поинтересовалась мать.

— А там написано, что вскрытие может не проводиться по желанию родственников.

— Ну? И что дальше?

— А в том-то и фокус, мам, что дальше никто не дочитывает, все видят слова «вскрытие может не проводиться по желанию родственников» и считают, что этим все сказано. На самом же деле там написано «кроме трупов лиц, подлежащих судебно-медицинскому вскрытию». У нас есть письменное поручение милиции провести судебно-медицинское исследование для установления причины смерти. Это является официальным юридическим поручением провести вскрытие. И мы на самом деле не обязаны ждать, пока кто-то нам что-то принесет. Мы имеем право вскрывать. После этого мы устанавливаем причину смерти, выписываем свидетельство, в котором стоит диагноз, и если родственники тело не забирают, можем ставить вопрос о захоронении за государственный счет.

— Так почему ты не объяснил этого своему сотруднику? Почему ты ведешь себя как барин-самодур, который казнит и милует по собственному усмотрению?

Он не знал, что ответить. Ему казалось, он делает все необходимое для того, чтобы сотрудники его Бюро могли работать самостоятельно, выполнять свои обязанности квалифицированно и решения принимать без постоянных подсказок со стороны руководства. Именно в этом видел он свою задачу как начальника. Зачем нужен подчиненный, который не знает, как ему работать? Кадры нужно воспитывать. А воспитывать Сергей Михайлович Саблин умел только так.

Слова матери смутили его, и Сергею пришлось полчаса курить на лестнице, прежде чем он позвонил в Бюро, своему секретарю: Светлана работает так давно, что разбирается и в организационных тонкостях, и во взаимоотношениях в коллективе получше иного руководителя. В Северогорске было на четыре часа больше, чем в Москве, и Саблин понимал, что Светы уже давно нет на работе, но счел возможным все-таки позвонить. Ничего, оторвет на пару минут от общения с любимым мужем. Хотя в последнем Сергей несколько сомневался: если судить по тому, как охотно и даже по собственной инициативе Светлана задерживается в Бюро после окончания рабочего дня, домой ее не особенно тянет.

— Света, что там с трупом Рыкова? — спросил он, едва услышав в трубке голос секретаря. — Мне звонил Вихлянцев. Не понимаю, неужели в Бюро не нашлось ни одного человека, кто смог бы объяснить ему, как следует поступить? Где Сумарокова? Почему она не принимает никаких мер?

— Изабелла Савельевна больна, — сухо ответила Светлана, которая и по прошествии многих лет никому не позволяла сомневаться в компетентности и добросовестности бессменной заведующей отделением экспертизы трупов.

— Ну хорошо, а Филимонов? Он что, тоже болен?

— Нет, Виталий Николаевич на работе. Юрий Альбертович спрашивал у него, что делать с Рыковым, но Виталий Николаевич сказал, что не знает.

Голос Светланы стал ледяным, и Саблин в первый момент даже не понял, в чем дело. Только потом сообразил: он никак не отреагировал на известие о болезни Сумароковой. Не спросил, что с ней, насколько серьезно заболела завтанатологией. Конечно, Свету это задело. «Ну и черт с ними, — сердито подумал Сергей. — Не хватало еще мне вникать в их личные переживания. У меня тоже все не слава богу, и ничего, как-то продолжаю руководить Бюро, хоть и на огромном расстоянии.» А вот тот факт, что Филимонов отказался помочь исполняющему обязанности начальника Бюро, следовало обдумать и дать ему должную оценку. Вот ведь жук! Столько лет в экспертизе, столько трупов вскрыл в танатологии — и смеет утверждать, что чего-то не знает? Да нет, просто обиделся на Саблина. И мелко и подленько мстит.

— Света, — продолжал он ровным голосом, словно не слыша обиды в ее интонациях, — а почему вообще возникла такая ситуация? От Юрия Альбертовича я ничего внятного не услышал, но это вполне объяснимо: он в нашем городе человек относительно новый, многого может не знать. А уж вы-то наверняка знаете.

Он даже не обратил внимания на то, что назвал Северогорск «нашим городом». Светлана мгновенно перестала дуться — понимала, что рабочие вопросы важнее личных, — и поведала Сергею историю поистине невероятную. Оказалось, что старик Рыков был в числе тех, кто в самом начале пятидесятых приехал на Крайний Север строить город Северогорск. Приехал совсем молодым, здесь же и женился на девушке-комсомолке из Казахстана. Дочь родилась в 1956 году и стала представителем первого поколения коренных северогорцев. При советской власти когорту «первых строителей», «первопроходцев», «пионеров Крайнего Севера» оберегали, привечали, почитали и уважали. Им в первую очередь выделяли жилье, льготные и бесплатные путевки в санатории и дома отдыха, им выплачивали премии по итогам квартала или года даже тогда, когда трудовые показатели не давали для этого оснований, сажали в президиумы и представляли к наградам. Никого это не раздражало: все, кто жил здесь в уже более или менее отстроенном городе, отлично понимали, каково приходилось тем, кто начинал свой северный путь в бараках без электричества и элементарных удобств. Эти люди, безусловно, заслуживали и уважения, и почета, и преклонения перед их мужеством и выносливостью.

Но советская власть закончилась почти двадцать лет назад. И о ветеранах стали забывать. Забывали те, кто приходил к власти и руководству, но очень хорошо помнили члены семей этих ветеранов и не могли смириться с тем, что трудовой подвиг их отца, деда, мужа или брата не имеет больше никакой ценности.

Это, так сказать, объективная составляющая проблемы. Субъективная же заключалась в том, что дочь семидесятишестилетнего старика Рыкова была не вполне здорова психически. Об этом знали все, кто был с ней знаком, а также все те, кто хотя бы раз сталкивался с этой шумной, истеричной и эксцентричной дамой. Дочь Рыкова вбила себе в голову, что ее отец должен непременно быть похоронен в Москве у Кремлевской стены, ну, в самом крайнем случае на Новодевичьем кладбище. Он это заслужил всей своей трудовой биографией и потерянным в условиях Крайнего Севера здоровьем. Жена Рыкова давно скончалась, и дочь осталась его единственным близким человеком. Когда отцу диагностировали онкологическое заболевание, она всеми правдами и неправдами добилась того, чтобы его поместили в Московский онкоцентр имени Блохина. Это она сама так считала, — прокомментировала с усмешкой Светлана.

— Не понял, — нахмурился Саблин. — Поясните, будьте добры.

— Ну, понимаете, Сергей Михайлович, Рыкова отправили на лечение в Москву потому, что так положено. Будь он не заслуженный ветеран, а простой работяга с рудника, его все равно отправили бы, а если бы горздрав не дал путевку, то комбинат оплатил бы лечение. Вы же знаете, у них там социальные программы на уровне, они все оплатят, если действительно нужно. Но горздрав путевку на госпитализацию дал, поскольку Рыков — ветеран, и ветеран заслуженный. Так что никаких особых усилий дочке прилагать и не пришлось. Но она так орала в кабинетах, так вела себя, что от нее все хотели поскорее отделаться. А у нее возникло ощущение, что бесплатное лечение отца в Москве — исключительно ее собственная заслуга. И раз уж ей удалось добиться госпитализации в передовой научный центр онкологии, то теми же методами можно добиться вообще всего, в том числе любых благ и привилегий для отца, пусть и умершего. И вот она начала свои выкрутасы. Вскрывать не дам, хоронить в Северогорске не дам, пусть везут в столицу и хоронят чуть ли не с воинскими почестями.

— Ну, хорошо, — нетерпеливо сказал Саблин, — а почему она до сих пор не оформила разрешение на захоронение без вскрытия? Принесла бы бумагу — и не было бы проблем.

— Вот-вот, — подхватила Светлана, — Юрий Альбертович ей то же самое сказал, я слышала.

— А она что? Как объяснила, почему разрешения из поликлиники нет?

— А никак, — снова хмыкнула Светлана. — Разоралась, что ее отец ветеран и его обязаны выдать для захоронения вообще без всяких бумаг. А если нам, то есть Бюро, так нужны бумаги, то пусть мы их сами и выпишем. Юрий Альбертович пытался ей объяснить, почему мы не имеем права выписывать свидетельство о смерти, но она же ничего слушать не хочет. Кричала всякие мерзости и ушла, хлопнув дверью. Да так хлопнула, что штукатурка посыпалась, потом подметать пришлось.

— Понятно, — задумчиво пробормотал Сергей. Значит, придется звонить главному врачу поликлиники, выяснять, почему нет разрешения на выдачу тела без вскрытия. Либо дочь Рыкова совсем «плохая на голову» и даже не обращалась в поликлинику с заявлением, либо у главврача есть основания такое разрешение не давать. И тогда тем более необходимо проводить вскрытие.

— Света, — решительно произнес он, — если завтра до полудня Юрий Альбертович не даст распоряжения вскрывать труп Рыкова, позвоните мне, не сочтите за труд.

Он встал из-за стола, за которым обедал вместе с матерью и приехавшим из Минска двоюродным братом Владимиром, сыном тети Нюты, прошелся по всем комнатам просторной родительской квартиры, разминая ноги, плюхнулся в глубокое кресло в кабинете Михаила Евгеньевича и снова достал из кармана телефон. Главный врач поликлиники сразу поняла, о ком идет речь: видно, дочь старика Рыкова была притчей во языцех не только в горздраве и Бюро судебно-медицинской экспертизы. Она пояснила, что Рыкову в Москве сделали операцию по удалению опухоли толстого кишечника, и необходимо прояснить вопрос: насколько радикально была проведена операция, были ли у Рыкова метастазы или имел место рецидив опухоли, и что же все-таки послужило причиной смерти?

— Но Рыкова обращалась к вам за разрешением на выдачу тела без вскрытия?

— Ну, если это можно назвать обращением, — главврач помедлила, — то да, обращалась. Она стояла у меня в кабинете и орала дурным голосом, что мы обязаны выдать ей все необходимые бумаги прямо сейчас, в течение десяти минут. Я пыталась обрисовать ей порядок, говорила про заявление, которое она должна написать, и про то, что лечащий врач будет писать эпикриз, а потом должно быть рассмотрение всех медицинских документов и вынесение решения. Только после этого мы имеем право выписать медицинское свидетельство о смерти. Но она же ничего слушать не хотела! Кричала, брызгала слюной, утверждала, что когда ее отца здесь морили голодом и холодом без всяких нормативов охраны здоровья — это было нормально, значит, и похоронить в обход правил — это тоже должно быть нормальным. В общем, не дослушала меня, убежала, ворвалась в регистратуру и, воспользовавшись растерянностью нашего медрегистратора, просто вырвала у нее из рук амбулаторную карту отца и убежала. Медрегистратор у нас старенькая, пенсионерка, она испугалась, в угол забилась, пока эта фурия по регистратуре металась. Но даже если бы она написала заявление, я бы разрешения на выдачу без вскрытия все равно не дала бы. Надеюсь, вы меня понимаете.

Саблин все понимал. И примерно представлял себе, что будет дальше. Дальше — труп Рыкова вскроют, установят причину смерти, поставят диагноз, выпишут медицинское свидетельство о смерти и выдадут его дочери умершего. После этого она может забирать тело отца и заниматься организацией похорон. Хочет — в Северогорске, хочет — в Москве, на престижном мемориале. Это уже не будет проблемой Бюро судмедэкспертизы.

На следующий день с утра поехали на кладбище, даже теща Вера Никитична приехала из Ярославля, куда недавно вернулась, чтобы ухаживать за сестрой, Софьей Никитичной. Сергея ее появление немало удивило: если Юлия Анисимовна регулярно навещала внучку и соответственно встречалась с матерью невестки, то Михаил Евгеньевич в квартире, где проживали Лена с ребенком и Вера Никитична, не появился ни разу. Он полностью принял мнение жены о том, что «Лена — не пара нашему сыну и рано или поздно этот брак развалится», общаться со сватьей не рвался и вообще дистанцировался и от супруги Сергея, и от его тещи. Дашу он любил нежно, горячо и трогательно, а вот к остальным членам семьи Сергея был более чем равнодушен.

На девять дней никого специально не приглашали, этот день поминовения принято проводить в тесном кругу самых близких, поэтому после кладбища ограничились обедом в квартире Саблиных-старших: народу оказалось немного, всего человек двенадцать-тринадцать — родня и самые преданные друзья Михаила Евгеньевича, и за большим столом все поместились. День был будний, рабочий, рассиживаться особо некогда, и уже к трем часам квартира опустела. Лена умчалась в школу, брат Володя — в аэропорт, его бизнес процветал и требовал внимания, Даша тоже ушла, и Саблин остался вдвоем с матерью.

Он ни на минуту не забывал, что просил Свету позвонить, если до полудня Вихлянцев не распорядится вскрывать труп Рыкова. Полдень в Северогорске — это восемь утра в Москве. Света не позвонила. И это было хорошо. Во-первых, это означало, что Вихлянцев распоряжение дал. Во-вторых, это означало, что он выполнил указание Саблина, внимательно прочел текст Основ законодательства о здравоохранении и сделал правильные выводы. Неглупый мужик, неглупый... А то, что не сориентировался сразу, так это ничего, со временем научится. Только так и можно руководить людьми: тыкать носом в дерьмо, как паршивых щенков. Вот рыкнул на Вихлянцева, голос повысил, зло поговорил — и результат налицо. А если бы начал объяснять, что да как, по полочкам раскладывать, он бы половины не услышал, а другую половину через час забыл. Теперь не забудет, как нужно поступать в таких случаях.

И он снова позвонил Светлане с вопросом: кому расписано вскрытие Рыкова и когда будут вскрывать?

— Так сделали уже, — спокойно ответила секретарь. — Юрий Альбертович прямо с утра Филимонову расписал.

Следующий звонок — Филимонову.

— Виталий Николаевич, что по трупу Рыкова? — спросил он, когда эксперт ответил на звонок.

Вдали слышались приглушенные звуки музыки, голос танатолога был рассеянным, он явно занимался чем-то очень интересным и абсолютно не связанным с судебно-медицинской экспертизой. Но Саблина не волновало то обстоятельство, что он дергает человека по служебному вопросу в нерабочее время. Такие глупости его никогда не занимали. «Танцует, небось, — с неприязнью подумал Сергей. — Классы он, видите ли, ведет. Ничего, пусть о работе подумает, лишним не будет».

Филимонову разговаривать не хотелось, поэтому он постарался свернуть разговор побыстрее.

— Там пневмония, — коротко проинформировал он.

— И все? — осведомился Саблин.

— Ну, во всяком случае, я пока больше ничего не увидел. Но причина смерти у меня сомнений не вызывает.

— И где сейчас труп?

— Как положено. Зашили, поместили в холодильник. А что?

— Значит, так, Виталий Николаевич: завтра прямо с утра вы возьмете труп Рыкова в секционную, разрежете швы, которыми вы так ловко и поспешно его ушили, и будете проводить исследование трупа до тех пор, пока не выявите другую причину смерти. Вы меня поняли?

И нажал кнопку «отбой».

Он не заметил Юлию Анисимовну, которая давно уже стояла в дверях и слушала его разговор со странным выражением лица.

— Сынок, это все продолжение той истории, о которой ты мне вчера рассказывал?

Он молча кивнул.

— И что произошло сегодня? Расскажи, мне ведь интересно.

Сергей постарался быть кратким, но помимо воли увлекся деталями и эмоциями.

— И вот пусть он завтра стоит в секционной над вскрытым трупом и мучается! — заявил он под конец. — Пусть не танцульками своими занимается, а стоит и ломает голову над вопросом: отчего старик умер? Я его научу свободу любить. Пневмония! У онкологического больного! Нет, я допускаю, что непосредственной причиной смерти могла быть и пневмония, но онкологию-то он куда дел? Почему он ее не видит? Почему не говорит о ней ни слова? Если уж судебно-медицинский эксперт ухитряется не заметить рецидивирующую опухоль или метастазы, то гнать его надо из Бюро старыми рваными тряпками.

— Но, может быть, он действительно не видит? — осторожно предположила мать.

— Кто не видит? — Сергея аж передернуло. — Виталик Филимонов не видит? Да он талантливый эксперт, опытный, умница, руки золотые! Ты бы видела, что он секционным ножом творит! Залюбуешься!

— Тогда в чем дело? Я чего-то не понимаю?

— Он халтурит, мам. Если Филимонов не увидел онкологию там, где она совершенно точно есть, значит, он просто не смотрел. Он вскрыл по Фишеру, сразу увидел пневмонию и к кишечнику даже не прикоснулся. Уверен, что он и череп не вскрывал, за ним такое водится, я его уже как-то поймал на этом. И я не дам разрешения на оформление медицинского свидетельства о смерти до тех пор, пока Филимонов не найдет мне онкологию.

Юлия Анисимовна о чем-то задумалась, потом кивнула.

— Сынок, ты, когда приехал, показывал мне фотографию, помнишь? Покажи мне ее еще раз.

Разумеется, он помнил: этот снимок сделали в его кабинете в День медика. Весь коллектив, включая санитаров, стоял, улыбаясь в объектив. И что матери в этой фотографии? Он и показал-то ее только для того, чтобы подтвердить то, о чем говорил раньше: в его бывшем отделении — судебно-гистологическом — все лаборанты как на подбор красавицы.

Сергей прошел в комнату, в которой когда-то прожил много лет, начиная с пятого класса, когда вместе с родителями переехал в эту квартиру, и до женитьбы на Лене. Открыл сумку, достал фотографию и принес матери. Та кинула быстрый взгляд и снова кивнула, даже рассматривать ничего не стала, чем привела его в полное недоумение: зачем тогда просила показать? Он-то думал, мать хочет посмотреть на Филимонова, или, к примеру, на Светлану, или даже на Вихлянцева, о которых он ей только что говорил. А она...

— Сынок, тебе не нужно быть начальником.

Сергей оторопел. Почему? С какой стати? И главное — откуда это следует? Из мимолетного взгляда на фотографию, где он стоит в центре, среди своих подчиненных?

Он ждал продолжения, чувствуя, как закипает в нем желание возразить, ответить резко и, возможно, даже грубо.

— Почему ты не сказал своему Филимонову про онкологию? Почему ты не сказал об этом тому, кого оставил вместо себя? Ты же мне вчера говорил, что у них не было возможности посмотреть амбулаторную карту больного. А ты все выяснил у главного врача поликлиники. То есть ты знал то, чего не знали они и знать не могли. Так почему ты не сказал?

— Потому что если бы у Вихлянцева было побольше сообразительности, то он сам позвонил бы в поликлинику и все узнал, — ответил Сергей. — А он этого не сделал. Будет ему урок на будущее.

— Ну, хорошо, он не сделал, но эксперт-танатолог при чем? Почему ты ему-то не сказал? Он ведь не обязан был звонить в поликлинику. А ты его, получается, наказал. За что?

— За халтуру, — сердито сказал он.

Он уже чувствовал, к чему все идет. Он терпеть не мог эту манеру Юлии Анисимовны задавать вопросы, отвечая на которые собеседник сам постепенно приходил к нужным ей выводам. Именно так она читала лекции и вела занятия в своем мединституте, полагая, впрочем, вполне справедливо, что именно таким образом лучше усваивается материал. Человек никогда не забудет ту истину, которую открыл сам, и она терпеливо, шаг за шагом, вела своих студентов к открытию маленьких, но таких важных истин. И сейчас она собиралась точно таким же способом заставить сына понять то, чего он понимать не хотел. Он просто был с этим не согласен.

— То есть ты уже заранее знал, что твой эксперт окажется недобросовестным? Сережа, ты меня удивляешь. Или ты увольняешь недобросовестного сотрудника, или ты пытаешься его воспитать, третьего не дано. А ты, судя по всему, выбрал именно это несуществующее третье. Как могло получиться, что у тебя работает специалист, в недобросовестности которого ты не сомневаешься? Я этого не понимаю!

Юлия Анисимовна начала сердиться, сглаженный годами и отличным воспитанием темперамент деда Анисима брал бразды правления в свои руки.

— Я его воспитываю, — буркнул Сергей. — Без конца провожу с ним беседы, тыкаю носом в промахи. Но толку никакого.

— Вот именно! Тыкаешь носом в промахи. Сережа, ты вообще сам себя слышишь? Ты сказал чудовищную вещь и даже не заметил.

— Что я такого сказал? — немедленно окрысился он.

— Ты сказал: «Пусть он найдет мне онкологию». ТЕБЕ найдет! Это что такое? Это что за постановка вопроса? Ты кто? Царь и бог? Воинский начальник? Ты забываешь о том, что находишься на государственной службе и выполняешь задачи, необходимые обществу. Ты не в частной лавочке, мой дорогой, и не у себя на кухне. Ты должен болеть за интересы дела, и твои подчиненные должны быть этой болезнью заражены. Если бы для тебя и твоего Бюро было важным как можно лучше проводить экспертные исследования, то никогда не получилось бы так, как получилось. Твой Филимонов никогда не отказал бы в совете тому, кто пришел недавно и еще не все знает. Потому что на первом месте были бы интересы дела. А у тебя в Бюро на первом месте у людей они сами, а вовсе не дело. И знаешь, почему?

— Ну и почему? — с вызовом спросил он.

— Потому, что ты подаешь им пример. Потому, что у тебя самого на первом месте не дело, не служение государству и обществу, а ты сам, твои собственные амбиции и твое желание доказать всем, какой ты умный и грамотный. Почему ты никого ничему не учишь?

— Но мам, — уже спокойнее возразил Сергей, — я начальник, следовательно, я обязан разбираться в судебной медицине лучше всех в Бюро. Это нормально. И поскольку я разбираюсь лучше, мне и промахи видны, и ошибки. Не понимаю, чего ты на меня взъелась?

— Нет, — Юлия Анисимовна повысила голос, — это ненормально! Ты кичишься тем, что разбираешься лучше, знаешь больше. Это неприлично, сынок! Это недостойно человека, который считает себя интеллигентом. Если ты знаешь больше — делись знаниями с другими. Если ты умеешь лучше — учи других. Только так поступают хорошие начальники. А как поступаешь ты? Ты ловишь людей на промахах и радостно потираешь потные ладошки. Мне стыдно за тебя. Ты видел, сколько папиных учеников пришло на его похороны? Несколько десятков! Папа оставил после себя школу, а что оставишь ты? Банку с пауками? Память о склоках и интригах? Почему ты так панически боишься, что кто-то рядом с тобой окажется не менее, а может быть, и более грамотным и профессиональным? Ты что, до такой степени не уверен в себе? Ты — закомплексованный прыщавый юнец, который до обморока боится, что его девушка встретит кого-нибудь без прыщей и поймет, что ты — хуже?

— Мам, ты что такое говоришь?

Он возмущался совершенно искренне, считая слова матери несправедливыми. Сейчас он ей объяснит, как все обстоит на самом деле. Она просто не знает ни про Георгия Степановича, вечно нетрезвого и уклонявшегося от решения каких бы то ни было проблем, ни про залежи стекол в гистологии, ни про трупы в третьей холодильной камере... Сейчас он все это ей расскажет подробно, в красках, и мать поймет, насколько она не права и как обидела сына.

— Я принял Бюро, когда оно было на грани развала...

— А сейчас оно где? — уже спокойнее спросила Юлия Анисимовна. — На грани процветания? Я этого не заметила. Сережа, у тебя в Бюро все очень плохо. И мне странно, что ты этого не понимаешь.

— Почему ты решила, что у меня все плохо?

Слова матери настолько ошеломили Сергея, что он не заметил, как сбавил тон. Что это значит: «у него в Бюро все плохо»? Да он столько сил положил на то, чтобы отладить работу, один пахал без заместителя, только чтобы не взять случайного человека и дождаться того, кого можно будет в перспективе представить на должность зама. Он сидел до глубокой ночи над экспертизами, он брал работу домой, он старался не оформлять больничный и приходил в Бюро, если ноги носили, он ездил на учебу за свой счет, тратя на это законный отпуск, и все для чего? Для того, чтобы вся работа Бюро была выполнена в срок и на должном профессиональном уровне.

— Потому что если твой сотрудник позволяет себе то, что позволил Филимонов, это означает, что тебя в грош не ставят. У тебя процветают интриги и склоки, а не уважение к профессионализму и научной добросовестности.

— Да все Бюро держится только на моей воле!

— Вот именно! — повторила Юлия Анисимовна. — Ты что же, думаешь, что это хорошо? Это правильно? Вот ты уехал — и сразу начались проблемы. То есть без тебя, без твоего надзора, без твоего присутствия ничего не работает. И это ты называешь хорошим руководством? Смешно слушать! Я руковожу кафедрой два десятка лет и могу тебя заверить: каждый раз, когда я уезжаю в отпуск, мне даже в голову не приходит позвонить на работу и узнать, как там дела. Потому что я ни одной минуточки не сомневаюсь: у меня все отлажено и ничего никогда не засбоит. И мне никто не звонит, когда я в отпуске, потому что у меня такой заместитель, что я могу вообще умереть — никто даже не заметит. Вот в этом и есть настоящая ценность руководителя: он может умереть, а его подразделение будет работать точно так же, как и при нем. Только такой руководитель имеет право говорить, что он наладил работу. А ты, сынок, не руководитель. Ты — волк-одиночка, который может отвечать только за самого себя и собственную работу. Больше ты ни на что не годишься. Помнишь, что сказал Суворов?

— Нет, — угрюмо ответил Сергей.

Только о Суворове ему сейчас думать! А мать наверняка уже выцепила из своей необъятной «бирюковской» памяти какую-нибудь подходящую цитату. Господи, как ему все надоело! Еще пару дней побудет рядом с мамой — и назад, в Северогорск.

— Так вот, Суворов говорил: «Мудрый и кроткий владыка не в крепостных оградах, но в сердцах своих подданных заключает свою безопасность».

— И чего? — он по-детски наивно уставился на мать, искренне не понимая, о чем идет речь.

— И чего, — передразнила его Юлия Анисимовна. — А того, Сережа, что нет в сердцах твоих подчиненных твоей безопасности.

— Почему?

— Да потому, что они тебя ненавидят. Они тебя терпеть не могут, ты их раздражаешь, они спят и видят, как бы тебя свалить и убрать навсегда с глаз долой. Вот чего ты добился своими методами руководства. Нельзя унижать людей, сынок, они этого не прощают.

— С чего ты взяла, что я кого-то унижаю? Ты не была у меня в Бюро, ты ничего не видела, ты незнакома ни с одним моим сотрудником...

— А мне и не нужно, — спокойно ответила мать. — Мне достаточно было посмотреть на фотографию.

Он не смог сдержать язвительности.

— Ты так хорошо читаешь по лицам? Тоже считаешь себя наследницей бирюковских экстрасенсорных способностей?

— Отнюдь, — она пожала плечами. — Я просто наблюдательна, как любой хороший врач. Я увидела на стене плакат. А поскольку английским владею более чем прилично, то перевести его не составило для меня ни малейшего труда. Сколько человек в твоем Бюро знает хорошо хотя бы один иностранный язык?

Он молчал, все еще не понимая, к чему ведет Юлия Анисимовна, но уже чувствуя, что ничего хорошего он не услышит.

— Ну, допустим, никто языков не знает. В школе и в институте учили кое-как, но уже все позабывали. И что с того?

— Тогда для кого ты повесил плакат на языке, которого никто в Бюро не знает, кроме тебя? Не удивлюсь, если окажется, что ты продолжаешь цитировать Шекспира и упиваешься тем, что тебя никто не понимает, пока ты не соизволишь огласить перевод. Нельзя так вести себя с людьми, сынок. Это добром не кончится. Мой тебе совет: напиши заявление, попроси освободить тебя от должности, уходи простым экспертом, даже завотделением — это не для тебя. Ты не можешь руководить людьми. Таким, как ты, противопоказано занимать позицию хотя бы на миллиметр выше других.

«Нет, — думал Саблин, лихорадочно натягивая на себя куртку и застегивая «молнию», — никаких двух-трех дней рядом с мамой. Немедленно в кассу, брать билет на ближайший рейс».

Он не поверил ни одному ее слову. Чушь какая! Как это — ему противопоказано быть начальником? Что она понимает в его работе и в жизни его Бюро?

Просто она убита горем, пытается держаться и от этого говорит глупости, о которых сама же пожалеет потом. Он не сердился на мать и не обижался, он был уверен, что все ее жестокие и обидные слова — не более чем проявление эмоций, результат стресса и попытки хотя бы на что-то отвлечься. Но ему нужно срочно вернуться на работу, потому что...

Он не стал формулировать для себя продолжение фразы, ибо чувствовал подсознательно: не нужно. Не нужно додумывать до конца мысль, которая может оказаться разрушительной. Просто он — хороший начальник и не хочет надолго оставлять своих подчиненных без отеческой опеки.

* * *

Вернувшись в Северогорск, Саблин вышел на работу и первым же делом поинтересовался результатами исследования трупа Рыкова.

— Сергей Михайлович, я не очень сведущ в экспертизе трупов, — признался Вихлянцев, — так что не могу объективно оценить качество работы Филимонова. Виталий Николаевич сказал, что исследовал кишечник вдоль и поперек и ничего не нашел.

— «Негоден тот солдат, что отвечает «Не могу знать», — пробормотал зло Саблин. — Это сказал Суворов. Вы не имеете права говорить о том, что несведущи в экспертизе трупов. У вас на руках сертификат врача — судебно-медицинского эксперта, вы обязаны в равной мере разбираться в экспертизе живых лиц и мертвых. Если вы забыли, я вам напомню: ровно в той же мере вы обязаны разбираться в гистологии и анализе медицинской документации. Так что ваших оправданий я не принимаю. Вы читали акт Филимонова по Рыкову?

— Но акт еще не готов.

Отправив Вихлянцева вести амбулаторный прием, Сергей потребовал у Филимонова акт исследования трупа, пусть и в незавершенном виде. Прочитал несколько раз очень внимательно. Да, пневмония действительно есть, в этом никаких сомнений быть не может, тут Филимонов не ошибся. Попросил Светлану узнать, кто из санитаров и медрегистраторов работал вместе с Филимоновым при повторном исследовании, вызвал их, задал несколько вопросов и убедился: действительно, первичное исследование было проведено поверхностно, поскольку признаки пневмонии видны были при макроскопическом исследовании, и эксперт решил, что этого вполне достаточно для постановки диагноза и утверждения о причине смерти; а вот просвет тонкого и толстого кишечника не вскрывался, органы исследованы «на месте», то есть они не отделялись от органокомплекса. Но зато при повторном исследовании, которое длилось несколько часов, Виталий Николаевич сделал все как полагается, тщательно и внимательно. И ничего не нашел.

Саблин какое-то время пребывал в растерянности, не понимая, как это может быть. Главный врач поликлиники утверждает, что опухоль была, весь город знает о том, что дочь Рыкова добивалась госпитализации отца в институт онкологии в Москве, а никаких следов этой самой онкологии в трупе не обнаружено. Колдовство какое-то! Если бы знать точно, в каком месте была опухоль и какая именно... Но оригинал выписки из онкоцентра находился в амбулаторной карте, а карта — у дочери Рыкова. Тупик.

И он обратился в онкологическое отделение городской больницы. А вдруг старику Рыкову назначали курс полихимиотерапии? Тогда он проходил ее именно здесь. Так и оказалось. Рыков трижды госпитализировался в городскую больницу для прохождения курса, и в каждой из трех историй болезни нашлась копия выписки из московского онкоцентра с указанием характера и локализации опухоли, удаленной при операции. Там же было и патогистологическое заключение о структуре опухоли. Опухоль — аденокарцинома — находилась в нисходящей ободочной кишке и имела экзофитный рост на ножке, поэтому была удалена эндоскопически путем отсечения ножки, без резекции части кишечника. Теперь понятно, почему Филимонов ничего не увидел! Там просто нечего было видеть, кишечник не тронут.

И все-таки... Опухоли действительно не было. Но надо было поискать возможные метастазы, тем более теперь Сергей точно знал место локализации опухоли. Он размышлял недолго. Нужно провести еще одно исследование. Он приказал доставить труп Рыкова в секционную и вызвал Филимонова. Тот не мог понять, для чего его позвал начальник, но терпеливо стоял рядом со столом и наблюдал за действиями Саблина, который послойно исследовал мягкие ткани забрюшинного пространства и таза. В конце концов, в паховой области слева был обнаружен пакет спаянных между собой, увеличенных в размерах и уплотненных лимфоузлов. Это были явные метастазы опухоли, но в момент проведения операции в Москве они были еще малозаметны и ускользнули от внимания онкологов. Несмотря на проведенные курсы полихимиотерапии, злокачественная опухоль продолжала жить и развиваться, только уже в другом месте, никем не замеченная.

— Вы все поняли, Виталий Николаевич? — сухо спросил Саблин, когда санитар ушивал — уже в третий раз! — секционный разрез.

— В принципе, да, — кивнул эксперт-танатолог. — Но вообще-то никому и в голову не могло бы прийти искать там, где вы искали. Ну и интуиция у вас, Сергей Михайлович.

Саблин ничего не ответил и молча вышел из секционной.

Вечером, рассказывая Ольге об очередном исследовании трупа Рыкова, не удержался:

— Оль, ну похвали меня! Мама утверждает, что хороший начальник должен учить своих подчиненных. Вот я сегодня учил Филимонова, преподал ему наглядный урок, как нужно искать метастазы у онкологических больных. Может, мама действительно права? Я много умею, много знаю, почему бы не устраивать периодически мастер-классы, как сегодня?

Ольга бросила на него странный взгляд.

— Саблин, тебе что, в самом деле не стыдно?

— Ты о чем? — оторопел Сергей, уже благодушно расслабившийся после напряженного рабочего дня. — Почему мне должно быть стыдно?

— Потому что ты тайком узнал о месте расположения опухоли, ты никому не сказал о том, что нашел выписку из московского онкоцентра, ты позвал Филимонова в секционную и стал корчить из себя великого танатолога, мага и волшебника. Ты кроликов из шляпы там не вынимал, случайно? Если бы Филимонов знал о локализации и характере опухоли, он бы отлично сам додумался, где и как искать метастазы. А ты не сказал ему, Саблин. Ты нарыл тайком информацию и спрятал в загашник, чтобы потом все тобой восхищались и говорили о твоей невероятной интуиции. Это мерзко. К сожалению, я питаю к тебе слабость, поэтому продолжаю жить с тобой. Хотя по уму — надо бы мне с тобой расстаться.

Она ни на полтона не повысила голос, она даже улыбалась, мягко и тепло, как всегда улыбалась ему. И голос ее звучал так же мягко и так же тепло. Только слова были жестокими и обидными. Он не понимал: за что? Почему?

Ольга отвернулась и продолжила мыть посуду. Закончив, тщательно вытерла руки, смазала их кремом и села за стол напротив Саблина, который так и не проронил ни слова, оглушенный обидой и такой явной несправедливостью. И еще ему стало очень страшно: впервые за восемнадцать лет эта женщина, которую он любил больше жизни, произнесла слово «расстаться». И не просто произнесла, а четко обозначила намерение подумать об этом. Если она его оставит — он не выживет.

— Я люблю тебя, Саблин, — сказала она просто и негромко. — Кроме того, я уважаю твою профессиональную честность, твою добросовестность, твою неподкупность и бескомпромиссность. Мне нравится твоя неуступчивость и то, что ты не подвержен ни чужому влиянию, ни чужому мнению. Да, мне все это очень нравится в тебе. Да, я люблю все эти твои качества. Но Юлия Анисимовна сказала тебе правду: у тебя жуткий, просто катастрофический комплекс, только не неполноценности, а недооцененности. Ты считаешь, что твой ум никем не замечен, ты злишься из-за того, что никто не считает тебя гениальным или хотя бы просто талантливым. Ты хочешь хоть в чем-то быть лучшим в этой жизни, причем так, чтобы это все вокруг знали и признавали. Я не знаю, откуда, из каких детских событий в тебе появился и пустил мощные корни этот комплекс, но он, несомненно, есть. И если когда-то меня это в тебе умиляло и вызывало сочувствие, то теперь проявления этого комплекса просто ужасающи. С годами ты превратился в чудовище. В монстра. В человека, который стоит на грани совершения бесчестных поступков. Сегодня ты еще хитришь и лукавишь, а что будет завтра?

Остановись, Саблин. Мне трудно будет уважать себя за любовь к чудовищу. Ты хотя бы меня-то пожалей.

Уж лучше бы она кричала. Или плакала. Или била посуду. Но этого тихого ровного мягкого голоса, произносящего такие страшные слова, он вынести не мог.

* * *

Прошло еще несколько дней, и дочь Рыкова объявилась снова с вопросом: когда ей разрешат забрать тело отца. Разумеется, невскрытое. Узнав о том, что вскрытие произведено, свидетельство о смерти выписано и она может его получить, Рыкова разразилась грязной бранью. Но все как-то уже привыкли: история тянулась достаточно долго, и выходки не вполне здоровой женщины уже никого не удивляли и не шокировали. За свидетельством она так и не явилась.

Однако вскоре последовало продолжение, причем такое, какого никто не ожидал. Сначала Рыкова стала ходить в прокуратуру и в суд с требованиями возбудить уголовное дело против Саблина, который незаконно дал указание вскрыть труп ее отца. Вслед за этим была написана жалоба о том, что Бюро не выдает ей тело отца, потому что на самом деле во время вскрытия у трупа были вырезаны половые органы и глаза, которые сотрудники Бюро продали за большие деньги для трансплантации.

Саблину позвонила Каширина и веселым голосом предложила «заглянуть в мэрию на пару минут, чтобы решить один смешной вопрос». Сергею даже в голову не пришло, что это может быть связано со стариком Рыковым и его обезумевшей дочерью. Весь день до самого вечера он маялся в догадках, пытаясь смоделировать ситуацию, но так ничего и не придумал. Какой такой «смешной» вопрос может быть у Кашириной к начальнику Бюро судебно-медицинской экспертизы?

— Сергей Михайлович, расслабьтесь, — сразу же сказала Татьяна Геннадьевна, едва он переступил порог ее просторного кабинета. — Но сухарики все-таки сушить начинайте. Вас хотят привлечь к уголовной ответственности за глумление над трупом.

— За что?!

— За глумление, — все так же весело продолжила Каширина. — Ну а если серьезно: на вас пишут многочисленные жалобы в прокуратуру. Мои бывшие коллеги уже просто не знают, куда деваться от этой Рыковой. Вот и попросили меня поговорить с вами конфиденциально, им самим, как вы понимаете, это делать не с руки. Они обязаны провести проверку, а проверять-то не хочется, это ж курам на смех!

— Да что случилось, Татьяна Геннадьевна?

— Рыкова написала, что у трупа ее отца отрезали голову, а потом снова пришили.

— Зачем? — не понял Саблин.

Советник мэра по безопасности расхохоталась.

— Ну а мне-то откуда знать, зачем вы отрезали несчастному старику голову, а потом снова пришили? Вы меня простите, Сергей Михайлович, человек умер, и в этом нет ничего смешного. Я понимаю всю бестактность моего смеха, но ничего не могу поделать. Это действительно смешно. Просто прокурорские ребята знают, что мы с вами хорошо знакомы и поддерживаем добрые отношения, поэтому они и попросили меня поговорить с вами. Ну сделайте же что-нибудь, чтобы Рыкова унялась наконец! Она никому жизни не дает, и в прокуратуре всех замучила, и в суде, и в милиции, и в горздраве. Вот-вот до нас доберется. Так голова — это еще полдела. Имейте в виду: вы еще сняли с трупа кожу и взамен пришили чужую.

— Ага, — задумчиво кивнул Саблин. — Понял. Снял — пришил. Отрезал — пришил. Вопрос: для чего? Для чего это нужно? У нее есть хоть какие-нибудь версии?

Дальше разговор потек в спокойном русле, они мирно обсудили ситуацию и пришли к заключению, что, поскольку Рыкова за свидетельством о смерти не является и тело отца не забирает, его можно похоронить за государственный счет как безродного. Саблину нужно всего лишь передать свидетельство о смерти Рыкова вместе с паспортом в похоронную службу, а они уж сами знают, как и что нужно делать и оформлять.

— Только не забудьте послать дочери Рыкова письмо с уведомлением, — напомнила напоследок Каширина. — Ситуация противная, скандальная, у вас не должно быть ни одного юридически слабого места.

— Вы чего-то боитесь? — насторожился Сергей.

Ситуация действительно была противной, но отнюдь не скандальной. Бюро нигде и ни в чем не нарушило ни закона, ни этических и моральных норм. Саблина и его подчиненных упрекнуть было не в чем. А Каширина явно чего-то опасается...

Оказалось, что Рыкова нашла сочувствие и понимание у одной правозащитной организации, славящейся тем, что она по любому поводу устраивала пикеты и митинги. А Татьяна Геннадьевна как советник мэра по безопасности как раз и отвечала за то, чтобы мэр не пересекался с массовыми скоплениями людей, разумеется, кроме тех случаев, когда он должен был перед ними выступать, и чтобы сами эти массовые скопления никак не нарушали нормальную жизнь северогорцев. Собственно, именно ей мэр и задает вопросы, когда выясняется, что в городе есть проблема, проблема не решается, это будоражит население, которое собирается на митинги и пикеты, нарушая размеренное функционирование города и его повседневную жизнь.

— Я же была прокурором по общему надзору, — объяснила она, — то есть считаюсь специалистом по нарушению законодательства в социальной сфере. Поэтому как только возникает какая-то острая проблема в социалке, ведущая к дестабилизации общественного порядка, меня сразу к ответу. А те правозащитники, которые поддерживают Рыкову, чрезвычайно активны. Поэтому давайте мы с вами постараемся закрыть вопрос как можно быстрее и как можно более безболезненно, хорошо?

Сергей поступил так, как они договорились, передал все документы в похоронную службу, направил Рыковой письмо с уведомлением о том, где и в каком порядке будет захоронено невостребованное тело ее отца, и постарался выбросить проблему из головы: насущных дел и вопросов, требующих решения, у него и без того немало.

Однако прошли еще три недели, и Саблина вызвали в суд. Рыкова-то похоронили, а вот дочка его так и не унялась. И теперь Сергея Михайловича Саблина, начальника Северогорского Бюро судебно-медицинской экспертизы, суд хотел заслушать в качестве ответчика по иску о том, что гражданина Рыкова похоронили тайно и без согласования с его дочерью, потому что хотели скрыть следы преступной деятельности судебных медиков. Кроме того, дочь требовала призвать к ответу начальника Бюро и директора похоронной службы за то, что ее отца похоронили на краю кладбища в Северогорске, хотя она была против, а должны были похоронить в Москве на Новодевичьем кладбище или даже у Кремлевской стены. Саблин сидел в первом ряду, поглядывая то и дело на директора похоронной службы — относительно молодого человека, энергичного и делового, сидящего тоже в первом ряду, но через проход. Иногда они обменивались понимающими взглядам, дескать, жаль, что законы у нас теперь такие гуманные и сумасшедшего нельзя направить на принудительное лечение до тех пор, пока он не совершит что-нибудь противозаконное. А ничего противозаконного Рыкова, к великому сожалению, не совершала.

Судье было откровенно скучно, она давно знала Саблина, еще с тех пор, как он работал в гистологии, вскрывал трупы, участвовал в комиссионных экспертизах по «медицинским» делам и давал показания в гражданском процессе в качестве эксперта. Сергей понимал, что она ему сочувствует, но сделать ничего не может: процесс нужно вести по всем правилам, слушание дела нельзя сокращать, так что всем придется помучиться. В итоге было вынесено решение: в удовлетворении исковых требований гражданки Рыковой к Северогорскому Бюро судебно-медицинской экспертизы и Северогорскому предприятию «Ритуал» отказать.

Жаль было потраченного на судебное заседание времени. И Саблин, решив, что день все равно пропал, неожиданно для себя пригласил директора похоронной службы посидеть где-нибудь «за рюмкой чаю». Тот сразу же согласился, сверкнув улыбкой. Они были знакомы ровно столько, сколько Виктор Павлович Лаврик возглавлял похоронную службу Северогорска, то есть три последних года. Контора Лаврика находилась рядом с территорией кладбища, но он частенько заглядывал в Бюро, когда нужно было решать вопросы с транспортировкой усопших или с какими-нибудь особыми услугами, оказать которые могли только работники морга, но о которой просили почему-то именно похоронную службу. Вероятно, родственники умерших, желая, чтобы их близкий выглядел на своем последнем пути максимально достойно, считали внешний вид покойного такой же заботой «Ритуала», как и гроб, и венки, и прочие аксессуары. Идти в морг они боялись, и Лаврику то и дело приходилось выступать в роли посредника. Хотя Саблин подозревал, что роль эта весьма неплохо оплачивалась, но считал, что это не его дело. Главное, чтобы в морге был порядок и чтобы санитары и врачи, подрабатывающие в свободное время в «Ритуале», не забывали о своих прямых обязанностях и проводили бальзамацию, гримирование, а в некоторых случаях — и полную реставрацию лица по фотографии, не в свое рабочее время.

Одним словом, знакомство Сергея Саблина с Виктором Лавриком было скорее шапочным, кроме мимолетных встреч в здании Бюро судмедэкспертизы они сталкивались разве что на общегородских мероприятиях или на совещаниях в администрации, однако сегодня, после окончания двухдневного муторного судебного заседания, Саблин, сам не зная зачем, решил пообщаться с директором похоронной службы. Они зашли в какой-то бар неподалеку от суда и взяли по три кружки пива, заказав в качестве закуски ломтики вяленой оленины. Виктор оказался собеседником легким и, главное, любознательным, он забросал Сергея вопросами, касающимися экспертизы, дав ему возможность расправить крылья и щедро делиться знаниями и опытом. До того, как стать директором «Ритуала», Лаврик несколько лет был заместителем прежнего директора, то есть покойников повидал немало, в том числе и тех, которые подвергались экспертизе. Вот они-то и интересовали его в первую очередь.

— А вот если человека убили каким-то предметом сложной конфигурации, вы можете определить, что это был за предмет? А как вы это определяете? А насколько точно вы можете утверждать? А какова вероятность ошибки? А как следствие относится к вашим заключениям? А как относится к ним суд?

И Сергей с удовольствием, попивая неплохое бочковое пиво, рассказывал о том, как по морфологическим особенностям повреждений устанавливаются конструктивные особенности повреждающего предмета, каков механизм возникновения на коже целого комплекса разнообразных повреждений, как проводятся эксперименты на биоманекенах... При этом слове брови Лаврика взлетели почти к самой линии роста волос.

— Биоманекены? Это что, специальные приспособления? Из чего? Из резины? Из пластика?

Он обладал удивительной способностью сыпать вопросами, не дожидаясь ответа, но при этом ни одного своего вопроса он не забывал и не успокаивался, пока не получал подробнейшего ответа на каждый из них. Вообще-то про биоманекены Сергей распространяться не хотел — уж больно сомнительная тема с точки зрения этики, но коль уж зашел такой разговор... Да и настроение хреновое... Да и пиво хорошее...

— Биоманекены — это трупы, — пояснил он, — невостребованные трупы. Умершие, у которых никого нет и которые никому оказались не нужны. Так называемые безродные. Мы их в вашу службу и отдаем для захоронения за государственный счет.

— Ну да, — кивнул с готовностью Лаврик, — я ваших безродных хороню, но мне и в голову не приходило, что вы их как-то используете. Я же их не рассматриваю, их санитары обмывают и одевают, а я только организовываю процесс.

— А вот если бы вы их обмывали и одевали, то сразу увидели бы следы нашей работы. Грех, конечно, но выхода у нас нет. Есть труп с ножевыми ранениями. И есть пять разных ножей, изъятых у одного или нескольких подозреваемых. И перед экспертами ставится вопрос: могли ли повреждения на теле потерпевшего быть причинены одним из представленных ножей? Ну и как мы должны отвечать? Естественно, нам нужно человеческое тело, чтобы провести эксперименты со всеми этими ножами и исследовать оставленные ими следы. А где ж взять такое тело? Вот и пользуемся невостребованными трупами. Разумеется, у федерального законодательства есть свое мнение на этот счет, но нам приходится законы как-то обходить, пока наука не придумает, как нам экспертизу проводить. Нарушаем понемногу. А что поделать?

Лаврик, казалось, остался полностью удовлетворен полученными разъяснениями, и разговор плавно переключился на способы умерщвления людей. Здесь Сергею тоже было что порассказать. Особенно Виктор интересовался проблемой отравлений: чем можно отравиться, как рассчитать дозу, какие вещества убивают наверняка, а применение каких смерти не гарантирует.

— Да чем только не травятся! Стараются, как правило, в первую очередь пользоваться антидепрессантами, нейролептиками и транквилизаторами. В быту чаще случаются отравления гипотензивными препаратами...

— Какими? — нетерпеливо перебил его Лаврик. — Если можно, для меня — попроще, как для тупого, я же все-таки не медик.

И рассмеялся чуть виновато, но задорно. Саблин не удержался и тоже улыбнулся в ответ. Ладно, он постарается не использовать медицинские термины, хотя для него это и непросто. Весь круг общения состоит из медиков, которым ничего растолковывать не нужно. Исключение составляют только Макс да Петька Чума, но с ними Сергей и не ведет разговоров на профессиональные темы. Ну, еще Ванда Мерцальская, странноватая подружка Ольги, но с ней контактирует в основном сама Ольга.

— Препаратами для снижения артериального давления, — пояснил он Лаврику. — Жаропонижающими травятся — амидопирином, аспирином, парацетамолом. Спазмолитиками тоже не брезгуют, но-шпой частенько балуются.

— Но-шпой? — искренне удивился Виктор. — Я думал, но-шпу надо принимать, когда живот болит. А ты говоришь... Как там? Спазмолитики?

— Ну да, препараты, снимающие спазм гладкой мускулатуры.

— И что, прямо насмерть? Но-шпой? — Лаврик все еще не верил.

— Прямо насмерть, — подтвердил Саблин. — Сердечные гликозиды тоже пользуются популярностью, они ведь почти в каждой семье есть, если там пожилые люди. Но курьезы тоже случаются, особенно когда человек хочет не из жизни уйти, а близких попугать. Демонстративные суицидальные попытки. Одна милая барышня такую попытку устроила при помощи поливитаминов. Представляешь? Съела их немыслимое количество, отравилась, конечно, но не смертельно. А одна дамочка очень страдала от сексуальной активности мужа на стороне и решила напоить его бромом, чтобы утихомирился. Наслушалась, дурочка, всяких бредней о том, что бром якобы снижает потенцию, и сыпанула благоверному в супхарчо, от души так, щедрой рукой сыпанула. Непонятно, чего хотела: то ли на тот свет отправить, то ли импотентом сделать, но ни то, ни другое у нее не получилось. И ноотропы, и антигипоксанты... Прости, — спохватился Сергей, — препараты для улучшения мозгового кровообращения и повышающие устойчивость мозга к кислородному голоданию тоже в ход идут, и тоже без летального исхода.

— Нет, без летального исхода — это не мое, — покачал головой директор похоронной службы, — ты мне расскажи про отравления со смертельным исходом. Я же все-таки похоронщик, а не врач «Скорой помощи».

— Со смертельным... Ох, Витя, да чего только не применяют! Даже препараты, которые при бронхите прописывают, отхаркивающие. Вот это уже смертельно. А уж кроме таблеток — набор самый широкий. Ты не поверишь: марганцовкой травятся! Антисептиками тоже. А уж химией, используемой в быту и на производстве, травятся — вообще караул! И средствами для борьбы с крысами и мышами, и средствами от комаров и летучей пакости, и средствами от глистов, и средствами для дезинфекции. Но это еще ладно! А вот как тебе «Бисмарк коричневый?»

Лаврик вытаращил глаза и странно дернул головой, как будто испугался, что глаза могут выпасть наружу, и попытался резким движением вернуть их на место.

— Бисмарк? Отто? Железный канцлер?

— Нет, Витя, Отто Бисмарк, конечно, вряд ли был приятным на вкус, хотя никто, кажется, и не пробовал, но речь в данном случае не о нем. «Бисмарк коричневый» — это такой краситель типа морилки. Одно название чего стоит! Таким и отравиться не стыдно, не то что поливитаминками или бромом.

Лаврик расхохотался.

— Надо же, какой у тебя взгляд на это... Профессиональный, наверное. Мне бы в голову не пришло оценивать, от чего стыдно умирать, а от чего не стыдно. Смерть — она и есть смерть. А еще от чего стыдно, по-твоему?

— Ну, для мужика, например, стыдно травиться пергидролью. Ею бабы волосы вытравляют, в блондинок красятся. Вот это стыдно. Или, к примеру, кремнефтористым натрием.

— А это-то почему стыдно? — не понял Виктор. — Что в нем такого, в этом натрии?

— Им у свиней глистов гонят, — с серьезной миной ответил Саблин. — Сам понимаешь, как-то не комильфо.

Разговор об отравлениях перешел в историческую плоскость. Оказалось, что Виктор Павлович Лаврик — большой специалист по этому вопросу, много читал всякой литературы по истории отравлений и ядов, и здесь уже Сергей превратился в слушателя. Пришлось взять еще по пиву, а когда обдумывали закуску, то оба поняли, что проголодались, и взяли по две порции сосисок с невнятного вкуса винегретом. Но ничего более приемлемого в баре не было. Вот так всегда: или пиво хорошее, или кухня, а вместе почему-то не складывается...

Из бара вышли поздно вечером. Сергей по телефону вызвал водителя Семена и предложил Лаврику подвезти его.

— Да я же на колесах, — ответил тот. — Сам доеду.

— После пяти кружек пива? — усомнился Саблин. — Рисковый ты парень.

В ответ Лаврик только презрительно ухмыльнулся и скользнул на переднее сиденье своей машины.

ГЛАВА 2

Труп мастера-взрывника, работавшего на одном из рудников Северогорска, доставили для проведения судебно-медицинского исследования в связи с тем, что он скончался в приемном отделении больницы, и диагноз ему выставить не успели. Формально в этих случаях правоохранительные органы имеют право назначить исследование, потому что непонятно, то ли человек чем-то болел, то ли ему кто-то помог так быстро и внезапно умереть. Вообще-то так называемые «больничные» случаи подлежат вскрытию в патологоанатомических отделениях, а вовсе не в судмедэкспертизе, если человек умирает от заболевания. Если же он умирает пусть и в больнице, но от травм или отравления, то вскрывают его именно судебные медики. Травм на поступившем мужчине не было, а вот вопрос о том, болезнь это или отравление, оставался открытым. Вероятно, именно так и рассуждали те, кто направил спецсообщение в отдел милиции о том, что в приемном отделении Больницы скорой медицинской помощи умер при поступлении больной, и причина смерти неизвестна. Прежде чем принимать решение о том, кому поручать вскрытие «больничного» трупа, Саблин решил собрать хотя бы какую-то информацию. Выяснилось, что мужчина по фамилии Кудияров был доставлен в Больницу скорой медицинской помощи с клиникой «острого живота» и жаловался на боли в верхнем отделе живота, задержку стула, слабость, тошноту, многократную рвоту, сухость во рту, а в последнее время присоединилось чувство нехватки воздуха. Больной сказал, что плохо себя чувствует уже двое суток, но с чего все началось и почему — сказать не может. Дежурные хирурги осмотрели Кудиярова и провели диагностическую лапароскопию, поскольку заподозрили острую кишечную непроходимость, но никакой острой хирургической патологии не выявили. Вместе с тем ряд изменений, выявленных эндоскопистом, а также желтоватая кожа, мелкие подкожные кровоизлияния по типу геморрагического диатеза, результаты анализа крови навели хирургов на мысль о гепатите или о какой-то кишечной инфекции с осложнениями со стороны печени. Приглашенный терапевт это мнение разделял.

И больного направили в инфекционную больницу с предварительным диагнозом «острый инфекционный гепатит». Но к моменту прибытия в приемное отделение больницы состояние Кудиярова ухудшилось настолько, что пришлось немедленно помещать его в реанимацию, где начали проводить интенсивную детоксикационную и поддерживающую терапию. И одновременно же начали искать возможные причины инфекционного заболевания.

Искали — и неожиданно для себя обнаружили, что никакой инфекции нет. Серологические реакции не выявили ни антител к гепатитам, ни антител к наиболее распространенным кишечным инфекциям. Иными словами, появились все основания говорить о том, что у больного никакая не инфекция, а, скорее всего, отравление. Заведующий отделением реанимации тут же созвонился с коллегой из Больницы скорой помощи, договориться и решить вопрос сразу им не удалось — завотделением реанимации «скоропомощной» больницы не горел желанием принимать обратно тяжелого больного, которого они с таким облегчением отправили в «инфекцию». Пришлось подключать дежурных от администрации обеих больниц — дело происходило поздним вечером, и главных врачей на месте уже давно не было. Но в итоге приняли решение везти Кудиярова назад в Больницу скорой помощи и госпитализировать в токсикологический блок отделения реанимации. А состояние мастера-взрывника все ухудшалось... Одышка началась еще в инфекционной больнице, но дежурный реаниматолог так ликовал от того, что у него вот-вот заберут больного с непонятными симптомами, что не обратил на нее никакого внимания, пребывая в радостном ожидании бригады «Скорой помощи», которая увезет Кудиярова. Бригада, в нарушение положений о транспортировке тяжелых больных из лечебно-профилактических учреждений, приехала обычная, не реанимационная и даже не эвакуационно-транспортная, и увезла несчастного больного вместе с подключенной капельницей и новым диагнозом: «острый токсический гепатит, панкреатит. Гиповолемический шок. ДВС-синдром. Алкогольная интоксикация?». Через пять минут после отъезда из «инфекции» Кудияров потерял сознание, посинел, одышка усилилась, появились судороги лицевой мускулатуры. Дыхательного аппарата в машине не было, и вместо того, чтобы немедленно вызвать на себя реанимационную бригаду, врач и фельдшер велели водителю ехать быстрее, а сами в качающейся из стороны в сторону машине пытались вручную «раздышать» больного мешком Амбу. В приемном отделении Больницы скорой помощи продолжали реанимационные мероприятия, но спасти больного так и не удалось.

Поговорив со всеми и обдумав полученную информацию, Саблин пришел к выводу, что расклад получается тяжелым. Ситуация действительно скандальная и грозящая не просто оргвыводами, а уголовной ответственностью. Он еще раз глянул в свои записи, которые делал по ходу разговоров со всеми участниками происшествия: да, между первой госпитализацией в Больницу скорой помощи и последующей госпитализацией в «инфекцию» времени прошло непозволительно много. Чего они так долго телились? Почему потребовалось столько времени, чтобы утрясти вопрос? И ровно то же самое произошло при повторной госпитализации в «скоропомощную» больницу: администраторы договаривались, пытаясь спихнуть друг на друга тяжелого больного, а время шло, и состояние Кудиярова стремительно ухудшалось. Вместо оказания квалифицированной медицинской помощи несчастного мастера-взрывника возили из больницы в больницу, да еще и на машине без специального оборудования, предназначенного для оказания реанимационного пособия. Да еще и дежурный реаниматолог, пропустивший одышку... В общем, будут искать виноватых.

Ох, не любил Сергей Михайлович Саблин эти клинические случаи, когда ставится вопрос о врачебной ошибке или недобросовестности, именуемой в Уголовном кодексе преступной халатностью. И ни один судебно-медицинский эксперт эти случаи не любил. Правда, выход из положения обычно находился в том, что брался эпикриз из истории болезни и тупо переносился в акт исследования. Делать это было несложно, поскольку даже при огромной нелюбви судебных медиков к чтению написанных от руки медицинских документов переписать напечатанный на машинке, а в последние годы — на компьютере, эпикриз большого труда не составляло. Да и ссориться с коллегами никто не рвался, все понимали, что если при судебно-медицинском исследовании будет выставлен другой диагноз, отличный от диагноза, поставленного в лечебном учреждении, то начнутся разборки, взаимные упреки, выговоры, проблемы с горздравом, а напоследок, так сказать, «на сладкое», еще и клинико-анатомическая конференция. И придется судебному медику идти туда и отстаивать свой диагноз, и нападут на него, маленького и несчастного, одинокого и беззащитного, десятки квалифицированных клиницистов, которые постараются впиться зубами в эксперта и все-таки доказать, что он не прав, а они — правы. Ибо расхождение диагнозов — вещь серьезная. Тут и до уголовного дела рукой подать.

Понятно, вскрытие по такому случаю нельзя поручать эксперту, в квалификации которого есть хотя бы малейшие сомнения. Стало быть, решил Сергей, вскрывать будет Сумарокова, уж в ней-то он уверен на двести процентов.

— Сергей Михайлович, я вас умоляю, — ответила Изабелла Савельевна, которую Саблин пригласил к себе, чтобы дать поручение и объяснить ситуацию, — вы же врач, вы посмотрите на меня.

Он глянул внимательнее. Выглядела заведующая танатологией из рук вон плохо. Сумарокова была явно нездорова.

— Что с вами, Изабелла Савельевна? — участливо спросил он. — Почему вы не на больничном?

— Вот собиралась к врачу после работы, думала, еще сегодня отстою вахту. — Она грустно улыбнулась и развела руками. — То есть вахту завотделением я отстою, не развалюсь, а вот провести вскрытие по такому сложному случаю... Да проведу, конечно, но в результате ни вы, ни я уверены быть уже не сможем. Просмотрю что-нибудь, не замечу, не так проинтерпретирую, а то и просто забуду сделать по рассеянности. Худо мне совсем, Сергей Михайлович, голубчик, вы уж простите старуху, не в моих правилах отказываться от работы, но и рисковать совершить непростительную ошибку я не могу. Да и потом, даже если я сумею сделать все как следует, не факт, что я завтра или уже сегодня к вечеру не свалюсь, причем надолго. А ведь по «больничным» смертям в случае расхождения диагнозов обязательно назначают клинико-анатомическую конференцию, на которую я прийти уже не смогу. Значит, придется идти вам как моему начальнику, а если я совершу ошибку? Вам придется на конференции перед всеми краснеть и оправдываться за мои промахи. И этого я тоже допустить не могу. Пусть кто-нибудь другой вскрывает.

— Но Изабелла Савельевна, дорогая моя, кому же еще я могу поручить такой неоднозначный случай? Филимонову? Смешно! Вашим более молодым экспертам? Еще смешнее. Я могу доверить это только специалисту вашего уровня.

— Но... — начала было Сумарокова, но Сергей перебил ее.

— Я все понял, вы действительно не можете провести это исследование. А кроме вас, в танатологии больше некому это сделать. Значит, придется мне. В конце концов, и мне полезно, навыки поддерживать надо в рабочем состоянии, а то погонят меня из начальников — придется снова к столу становиться. Шучу, шучу, — добавил он, видя, как изменилось лицо Изабеллы Савельевны. — Пока вопрос так не стоит. Но вы же понимаете, что жизнь непредсказуема. И решения вышестоящего руководства — тоже.

Вскрытие он назначил все-таки на следующий день, решив потратить время на детальное ознакомление с медицинскими документами из двух больниц, в которых побывал умерший Кудияров. В итоге он пришел к выводу, что, учитывая диспепсические расстройства и картину шока, причину смерти следует, скорее всего, искать в системе пищеварения. Хотя все может быть и совсем не так, ведь сколько случаев известно, когда инфаркт миокарда симулирует «острый живот».

Он обзвонил всех заинтересованных медиков, и в результате на следующий день в секционной собралась целая толпа: и заместитель главного врача объединения «Скорой помощи», и врач линейной бригады, перевозивший больного из «инфекции» в Больницу скорой помощи, замглавврача инфекционной больницы и реаниматолог, не обративший внимания на начавшуюся одышку и теперь ожидавший заслуженной расплаты. Из самой же Больницы скорой помощи никто почему-то не приехал, хотя Саблин им звонил.

Памятуя о том, что случай касается коллег-врачей, он, начиная вскрытие, предложил всем задавать по ходу исследования любые вопросы и пообещал комментировать все экспертные находки.

В первую очередь он обратил внимание на слабо-желтушный цвет кожи с точечными кровоизлияниями на животе, внутренней поверхности плеч и бедер, на шее и на склерах глаз, которые тоже имели желтушную окраску.

— Надо же, — сказал он задумчиво, — прямо как при асфиксии.

При исследовании внутренних органов Саблин заметил, что кровь, стекавшая по поверхности секционного стола в сторону стока, была жидкой, водянистой, с наличием микроскопических свертков, видимых даже невооруженным глазом: освещение в секционной было превосходным. Кроме того, он обнаружил еще целый ряд мелкопятнистых темно-красных кровоизлияний, которые расценил как признак геморрагического синдрома. В сочетании с видом и консистенцией крови это наводило на мысль о синдроме диссеминированного внутрисосудистого свертывания крови, так называемом ДВС-синдроме, который развивается при третьей стадии токсикоинфекционного шока. Ну что ж, клиницисты его и выставили, здесь мнения врачей и эксперта полностью совпали. Сергей помнил, что в представленных документах были результаты анализа крови, которые тоже это подтверждали.

В нижней трети пищевода и желудке он увидел небольшое количество буро-желтых слизистых масс с неприятным каловым запахом.

— Взгляните, коллеги, — обратился он к присутствующим, — у нас есть признак непроходимости кишечника.

Почки у трупа оказались увеличенными, Сергей исследовал капсулу, кору, почечные пирамидки, сделал разрез, внимательно рассмотрел. Мочевой пузырь пуст, а в документах отмечалась анурия, то есть отсутствие мочи, несмотря на интенсивную инфузионную терапию и попытки «размочить» больного. В легких, кроме уже замеченных ранее мелкопятнистых кровоизлияний под плеврой, — полнокровие. Сердце с признаками отека и ослизнения эпикарда. Печень значительно увеличена, ткань печени на разрезах полнокровная, цвет...

— Странно, — произнес он вслух, — все признаки застоя крови в печеночных ацинусах. А хронической сердечной недостаточности мы с вами не видим. Неувязочка получается.

— Может быть, это кровоизлияния в ацинусы? — предположила заместитель главного врача инфекционной больницы.

— Может быть, — кивнул Саблин и продолжил исследование.

Желчный пузырь был отечным, отмечалось ослизнение стенки.

— А это у нас похоже на отравление алкоголем, — прокомментировал он. — Не знаете, как у Кудиярова с этим делом обстояло?

Врач «Скорой помощи» откашлялся и ответил:

— С нами вместе его жена поехала, она рассказывала, что Кудияров вообще не пил ничего, крепче пива, но и пиво редко и понемногу. Он же взрывник, у них с этим строго, из бригады выгоняют даже за намек на запах. Тем более он был не просто рабочим, а мастером, то есть отвечал за подчиненных. Нет, алкашом он не был, это точно.

— Да я и сам вижу, что не был, — хмыкнул Саблин. — А что еще рассказывала жена? Как он провел последние дни? Что ел, что пил, на что жаловался?

— Она говорила, что неделю назад они всей семьей ходили на наш День города, гуляли, детей на аттракционы водили, смотрели шоу на площади. Все время были вместе, только один раз она повела детей в туалет, а там была большая очередь, пришлось долго стоять, и потом она никак не могла мужа найти, звонила ему на мобильный — он на звонок не отвечал, но это и понятно, там ведь такой шум стоял, народ гуляет, музыка гремит, он просто не слышал звонка. А когда встретились, он сказал, что поел и выпил кружку пива под праздничное настроение. Но пьяным не был, она клянется.

— А что ел — не уточнял? И где именно? — спросил Сергей, насторожившись.

Ох, не слышит этого разговора Роспотребнадзор! А то уже летели бы в разные стороны триста тысяч курьеров с поисками информации о том, какие фирмы получали разрешение на торговлю продуктами питания во время праздника. И потом с такой же скоростью летели бы головы тех, кто допустил торговлю некачественными продуктами.

— Жена говорила, он ел чебуреки и еще порцию шаурмы. В каком-то киоске купил и на ходу сжевал. Но это он так сказал.

— Понятно, — кивнул Саблин, одновременно исследуя кишечник. — И через какое время после этого праздника Кудияров почувствовал себя плохо?

— На третий день. Начались боли в животе, жидкий стул, подташнивало. Он решил, что это обострение гастрита, и к врачу не обращался, пил таблетки и ходил на работу еще четыре дня. А уж когда совсем плохо стало, вызвал «Скорую».

— И что он ел в течение первых трех дней после праздника, пока не появились боли в животе? И вообще, где он питался? В уличных киосках?

Врач снова откашлялся, прочищая горло.

— Жена утверждает, что он питался только либо дома, либо на работе, но у них там очень хорошая столовая, никогда никто не травился.

— А продукты жена где покупает? В одном и том же месте или в разных, где придется?

Врач помолчал, потом растерянно сказал:

— Не знаю... Мне в голову не пришло спросить. Про то, где больной ел, я спросил, потому что это обязательно при «остром животе», а про то, где она покупает продукты...

— Ладно, сам спрошу, она ко мне после вскрытия придет, уже звонила с утра. Итак, коллеги, обращая ваше внимание на то, что в кишечнике мы видим ту же картину: мелкопятнистые кровоизлияния, что характерно для ДВС-синдрома. Полнокровие сосудов сальника, а также мелких сосудов под серозной оболочкой тонкого и толстого кишечника. Обращаю ваше внимание на наличие красноватой жидкости и слизи в просвете двенадцатиперстной и в начальной части тощей кишки, и вот здесь тоже аналогичная жидкость... А вот здесь, прошу заметить, отечность...

Врачи по очереди склонялись над трупом и смотрели туда, куда показывал Саблин.

— Итак, коллеги, — резюмировал он, — мое предположение об острой кишечной непроходимости не подтвердилось, вы сами видите: никаких признаков спаечного процесса, никакого перекрута петель кишечника, никакой закупорки просвета чем бы то ни было. Ни-че-го! Переходим к селезенке.

Увидев крупные бляшковидные плоские кровоизлияния под капсулой по типу гематом, он озадаченно поднял голову:

— Похоже на геморрагические инфаркты. Но они характерны для легких, а не для селезенки. Или я не прав?

— Правы, — подал голос заместитель главного врача объединения «Скорой помощи» и почему-то вздохнул. — Но если это не инфаркты, то тогда что?

— А мы сейчас проверим, — весело сказал Саблин. — Посмотрим на разрезах и сразу узнаем, инфаркты это или какое-то другое явление.

На разрезах эти кровоизлияния не имели типичной «клиновидной» формы. Стало быть, не инфаркты. Но тогда что же?

Оставалась поджелудочная железа. Ничего особенного. Начинающиеся процессы аутолиза. Полнокровие паренхимы. Больше ничего.

И никаких телесных повреждений, кроме следов от медицинских инъекций и симметричных конструкционных переломов ребер справа и слева от грудины. Переломы были без кровоизлияний в окружающие ткани, поскольку были получены либо в агональном периоде, либо уже посмертно.

— Это наши, — пробормотал врач «Скорой помощи», — интенсивный непрямой массаж сердца, мы еще в машине начали, когда он стал ухудшаться. Потом в приемном отделении продолжили.

Повисла пауза. Все понимали, что сейчас произойдет самое главное: судебно-медицинский эксперт вынесет свое суждение. Самой смелой оказалась заместитель главврача инфекционной больницы.

— Ну что, Сергей Михайлович? Это отравление?

Он помолчал, собираясь с мыслями.

— Нет, не похоже, — наконец произнес он. — Меня смущают ДВС-синдром и геморрагический диатез. При отравлениях этого не бывает. Я склонен считать, что больной умер от какой-то тяжелой инфекции, которая осложнилась эндогенно-токсическим шоком. Так что это, скорее всего, именно ваш больной.

— Но ведь серологические реакции были отрицательными, — с недоумением в голосе вступил реаниматолог, проглядевший одышку. — Какая же может быть инфекция, если она не подтверждается серологией?

Саблин совсем забыл о том, что после разговора с матерью дал себе слово следить за речью и интонациями. Все-таки Ольга считает, что мать права, так, может быть, в ее словах есть доля правды? Может, он действительно слишком заносчив и высокомерен и этим обижает людей? Нет, с подчиненными своими он будет по-прежнему держаться так, как привык и как считает нужным, а вот в разговорах с коллегами-клиницистами надо бы, наверное, быть посдержаннее. Дав себе обещание держаться ровно и быть «белым и пушистым» хотя бы во время вскрытия, он тщательно выбирал слова и пытался не менторствовать, но тут то ли усталость сказалась, то ли мальчишка-реаниматолог не казался ему достойным име-

新оваться гордым словом «коллега»... Короче, Саблина понесло. Он совершенно забыл о том, где находится и с кем разговаривает, и начал поучать.

— Серологические реакции, да будет вам известно, основаны на обнаружении конкретных антител к конкретным инфекционным агентам. В нашем случае течение заболевания было молниеносным, и мы имеем право предположить, что антитела просто не успели выработаться в достаточном количестве, чтобы дать положительную реакцию. Кроме того, мы не имеем права исключать возможность какой-либо редкой инфекции, а исследование на антитела к ней вы наверняка не проводили. Вы же не исследовали кровь на все инфекции, которые существуют в природе?

— Конечно, нет, — ответила замглавврача инфекционной больницы. — И что вы теперь предлагаете делать?

Он пожал плечами.

— Я могу предложить только одно: давайте проведем все возможные исследования. Гистологию и судебную химию по расширенной программе проведем здесь, у меня в Бюро, а вот бактериологическое исследование нужно проводить в лаборатории Роспотребнадзора. Меня там не особенно жалуют. Так что...

— Я договорюсь, — быстро ответила представитель инфекционной больницы.

— Спасибо, — кивнул Саблин. — Если серология отрицательная, то, возможно, будет рост бактерий на средах. Или даже не бактерий, а грибов. Вдруг мы имеем дело с каким-то генерализованным микозом? В предварительном свидетельстве о смерти напишем: «Причина смерти временно не установлена». А там посмотрим, что получится.

Оглядел присутствующих, усмехнулся и произнес свое любимое:

— Всем спасибо, все свободны.

Пусть уходят. Нарезкой кусочков для исследований он займется без них. Нечего над душой стоять и в затылок дышать. Да и толку-то от их присутствия?

В приемной перед кабинетом его ждала жена Кудиярова, красивая яркая худощавая женщина, настроенная весьма агрессивно. Она без приглашения последовала за Сергеем прямо в кабинет и с порога начала говорить о том, что это она написала жалобу в прокуратуру, потому что вместо оказания неотложной и квалифицированной медицинской помощи ее мужа возили из больницы в больницу и тем самым просто угробили.

Он страшно устал. Он только что провел сложнейшее исследование, причем постоянно говорил вслух, одновременно диктуя протокол медрегистратору и общаясь с клиницистами, у него сел голос и ужасно разболелась голова. И слушать резкий неприятный голос вдовы Кудиярова не осталось никаких сил.

Но выхода у него не было. И Саблин начал успокаивать перенесшую такое горе женщину, объяснять ей, что врачи ни в чем не виноваты, они все сделали правильно, а вот отчего умер ее муж — еще предстоит выяснить, потому что случай сложный, и без длительных и тщательных дополнительных исследований ничего точно сказать нельзя.

— Вы получите свидетельство о смерти, в котором написано, что причина смерти временно не установлена. Это свидетельство даст вам возможность получить гербовое свидетельство в ЗАГСе и похоронить мужа. Но это не значит, что мы перестанем искать ответ на вопрос: почему он умер? Что с ним случилось? Не думайте, что я собираюсь отделаться от вас этой бумажкой и забыть обо всем. Мы будем искать истину, я вам обещаю.

Женщина постепенно успокаивалась, и уже можно было задать ей несколько вопросов, в частности о том, где она покупала продукты, из которых готовила дома еду.

— В магазине, в супермаркете, — удивленно ответила Кудиярова. — У нас супермаркет прямо рядом с домом, я всегда там покупаю, потому что... Ну, в общем, там.

— Почему? — заинтересовался Сергей. — Почему не в другом месте?

— У меня руки болят, — еле слышно призналась она. — Я тяжести совсем не могу носить, у меня сумки из рук просто выпадают, кулак не удерживает. Поэтому продукты я ношу из самого близкого к дому магазина. Двадцать метров всего от подъезда. Столько я еще могу пронести, у меня же и муж, и двое детей, и родители, всех кормить нужно, продуктов много покупаю, сумки тяжелые. А почему вы спросили?

— Хочу понять, не могли ли попасть на вашу кухню испорченные продукты.

— А... — протянула она равнодушно. — Нет, нет. Я там уже десять лет продукты покупаю, там все хорошее, ни разу не было, чтобы лежалое или испорченное... И потом, мы все едим одно и то же, но никто ведь не заболел и не...

Она заплакала тихо и горько, но все-таки сквозь слезы сумела выдавить:

— И не умер... Как Рустам...

Значит, не было никаких случайных покупок в непроверенных местах у неизвестных продавцов. Уже легче. Или, наоборот, сложнее?

Ответа Саблин не знал.

* * *

Аутопсийный материал от трупа Рустама Кудиярова был передан для исследований в судебно-химическое отделение Бюро и в бактериологическую лабораторию эпидемиологического отдела Роспотребнадзора. Гистологию Сергей решил проводить после того, как получит результаты. Нужно было запастись терпением и ждать: посевы — дело не быстрое, ответ от бактериологов придет недели через три, а то и через месяц.

Мысли его были до такой степени заняты странным случаем, что, когда раздался звонок телефона и женский голос начал возмущенно что-то кричать, он даже не сразу сообразил, о чем идет речь.

— Какое право вы имели перепроверять мое заключение! — надрывалась невидимая собеседница. — Я вам что — девочка с улицы? Я — врач высшей категории! Я специалист с двадцатилетним стажем! У меня за эти двадцать лет не было ни одного нарекания! Мои заключения никогда в жизни никто не перепроверял и не опровергал! Вы что себе позволяете!

Только услышав про двадцатилетний стаж и высшую категорию, Саблин вспомнил: Людмила Григорьевна Окулова, совместитель, основное место работы которого — наркологический диспансер. Именно ее попросили провести исследование по случаю погибшего на производстве Алексея Вдовина на предмет наличия наркотических и сильнодействующих веществ. И именно ее заключение он перепроверял тайком в областном Бюро судебно-медицинской экспертизы.

Вот, значит, как! Узнала, что ее заключение подверглось сомнению. Значит, прокуратура зашевелилась и начала проверочные мероприятия, дав поручение следственному комитету, а тот, в свою очередь, вызывал «химичку» и требовал у нее дачи объяснений. Вероятно, там ей и сказали, что проверка эта была затеяна не без участия начальника Северогорского Бюро судмедэкспертизы. Ну что ж, уже хорошо. Неприятно кольнула только мысль о том, что он совсем забыл о случае Вдовина и о его матери, Вере Владимировне, которой сам же и давал советы о том, как нужно действовать. Но смерть отца, морока с трупом Рыкова, последующий суд, а теперь и случай Кудиярова совершенно вытеснили из его памяти юношу, которого оболгали и выставили наркоманом.

Он выслушал все, что имела сказать сотрудница наркодиспансера, терпеливо дожидаясь, пока она иссякнет, потом сказал, стараясь не повышать голос:

— Уважаемая Людмила Григорьевна, если вы не забыли, я — начальник Бюро, и я имею полное право проверять и перепроверять работу своих подчиненных столько, сколько мне вздумается, и там, где я сочту нужным. А поскольку вы являетесь совместителем, работаете в моем Бюро на полставки и получаете зарплату в моей бухгалтерии, то и ваша профессиональная деятельность подлежит точно такому же контролю, как и деятельность любого моего подчиненного. Если вас это оскорбляет — ничем не могу помочь. Вы не кустарь-одиночка и не гений, работающий над своими проектами в башне из слоновой кости, вы — государственный служащий, работающий в бюджетной сфере, и вас никоим образом не должно удивлять, шокировать или оскорблять то обстоятельство, что у вас есть начальники и эти начальники время от времени вас контролируют. Если же вы полностью уверены в результатах своих исследований и готовы ответить за каждое слово в своем заключении, то я не вижу причин для такой вашей нервозности. Что вы так разволновались-то? Вы пришли к одним выводам, в областном Бюро пришли к другим выводам, вот и пусть те, кому положено, разбираются, кто прав, а кто не прав и почему.

Она что-то еще гневно говорила в трубку, но он уже не слушал, листая свободной рукой ежедневник в поисках телефона Веры Владимировны Вдовиной, которой он собирался немедленно позвонить, чтобы узнать, как идут дела.

Вдовиной он дозвонился сразу, с первой же попытки, и узнал, что за истекшее время мать Алексея прошла все круги бюрократического ада, ежедневно являясь в прокуратуру и в следственный комитет с требованиями провести проверку и возбудить уголовное дело по факту гибели ее сына. Она ходила на прием к руководителям всех уровней, они писала жалобы, она уговаривала журналистов написать и опубликовать материал о своем оклеветанном мальчике, выслушивала вежливые и не очень вежливые отказы, объяснения, почему дело возбудить невозможно, а также советы бросить все и забыть, потому что парня все равно не вернешь, а здоровье свое она окончательно угробит. Но Вера Вдовина была не из тех, кто останавливается на полпути. И после того, как она написала очередную жалобу в прокуратуру области, оттуда пришел приказ провести новую проверку. Проверка началась, и звонок Окуловой был одним из первых ее результатов.

— Значит, они все-таки что-то делают! — обрадовалась Вдовина. — Раз она вам позвонила, значит, ее вызывали. Спасибо вам, Сергей Михайлович, за хорошие новости. И вообще, за все спасибо, я сделала, как вы мне посоветовали, и, в конце концов, все получилось.

— Ну, на вашем месте я бы не торопился радоваться, — остудил ее пыл Сергей. — Вы же трезвый человек, Вера Владимировна, вы понимаете, что если наша городская прокуратура не чухнулась до тех пор, пока ее областной петух в одно место не клюнул, то для этого была очень веская причина. И дело не только во вполне объяснимом желании избежать лишней работы, но еще и в нежелании ссориться с комбинатом. Вы, кажется, говорили, что вам за смерть сына полагается выплата в размере двух с половиной миллионов рублей?

— Да, — подтвердила Вдовина. — Но ведь комбинат такой богатый, что для них эти два с половиной миллиона? Это для нас с вами немыслимые деньги, а для них — ерунда, о которой даже говорить не стоит.

— Ой, Вера Владимировна, Вера Владимировна, — вздохнул Саблин, поражаясь тому, как эта женщина, прожившая почти пятьдесят лет, сохранила такую чистоту и наивность. — Да комбинату-то денег не жалко. А вот конкретным лицам, которые имеют возможность провести по документам эти деньги как выплаченные вам, а на самом деле положить их в свой карман и тихо распилить, этих двух с половиной миллионов еще как жалко! Кстати, как с вами разговаривали на комбинате? Денег не предлагали?

— Предлагали, — ответила она чуть удивленно. — А вы откуда знаете?

— Так это же отработанная схема. Если хотят распилить некую сумму, то обязательно отщипывают маленький кусочек, чтобы провести его по официальным бухгалтерским документам. Мне один оперативник из отдела борьбы с экономическими преступлениями рассказывал, что маленькая выплата — прямое указание на хищение и последующий распил. Сколько вам предложили?

— Компенсацию расходов на погребение. Я же Алешу за свой счет хоронила. А по их социальным программам полагаются выплаты на погребение. Мне так объяснили.

— И вы взяли?

— Нет.

— Почему?

— Не знаю. Как-то мне это показалось неправильным... Мне не нужны их деньги. Мне и два с половиной миллиона не нужны, они мне сына не заменят. Я бьюсь не за деньги, а за его честное имя, за память о нем.

— Тогда зачем вы ходили на комбинат?

— Они сами меня пригласили. Я бы не пошла. О чем мне с ними разговаривать? Но они позвонили, предложили прийти поговорить, и я подумала, что, может быть, они смогут как-то посодействовать в моих попытках добиться от прокуратуры проведения проверки... А оказалось, что они хотели только о выплате поговорить.

— И все? Больше ни о чем не говорили?

— Ну, советовали перестать надеяться, советовали пожалеть себя, свое здоровье, потому что раз есть заключение эксперта о том, что у Алеши обнаружили наркотики, то ничего все равно изменить уже нельзя. Говорили, что я должна смириться, потому что тысячи и тысячи матерей и отцов оказываются в точно такой же ситуации, неожиданно для себя узнавая, что их дети — наркоманы. Никто не может смириться, никто не хочет в это поверить, но приходится.

Понятно. Комбинат изо всех сил вцепился в свои деньги и давит на все рычаги: и с прокуратурой пытается договориться, и на Вдовину воздействовать. Экие, право, хитрецы! Заключение эксперта! Какое, на хрен, заключение эксперта, если не было возбуждено уголовное дело? Пока дела нет, следователь не имеет права выносить постановление о проведении какой бы то ни было экспертизы. Все, что может происходить до момента возбуждения дела, это всего лишь работа специалиста. И судебно-медицинский эксперт, осматривающий труп на месте происшествия, это только специалист, а никак не эксперт. И Окулова, которой было поручено проведение исследования, а вовсе не экспертизы, тоже являлась всего лишь специалистом. Разница принципиальная: эксперт — это человек, которого предупредили об уголовной ответственности за дачу заведомо ложного заключения. Специалист ни о чем не предупреждается и никакой ответственности за ложное заключение не несет. Но человека несведущего легко можно ввести в заблуждение употреблением страшного слова «эксперт»: раз эксперт сказал — значит, так и есть, и опровергнуто быть не может. А о том, что это никакой не эксперт, а всего лишь специалист, можно и не упоминать, да и о том, что любое заключение любого эксперта можно поставить под сомнение, проверить и опровергнуть, тоже лучше в таких случаях не рассказывать.

Однако же коль следственный комитет предпринимает какие-то шаги, то в конце концов дело может дойти и до эксгумации, а Саблин очень хорошо помнил, какой ужас вызвала мысль об этом у Веры Владимировны. Не спасует ли она в последний момент? Не отступит ли? Этого никак нельзя допустить, потому что эксгумация необходима для проведения экспертизы, без которой восстановить репутацию Алеши Вдовина невозможно.

— Вера Владимировна, — осторожно начал он, — помните, я вам говорил о необходимости эксгумации трупа вашего сына?

— Вы все-таки думаете, что... Но это ужасно, — пробормотала Вдовина. — Я не представляю, как это вообще можно пережить.

Сергей понял, что ей даже думать об этом тяжело. А ведь нужно, чтобы она добивалась проведения эксгумации. Конечно, все может повернуться иначе, и следственный комитет сам проявит инициативу. Но может и не повезти, если следователь поддастся давлению со стороны комбината, особенно если это давление будет иметь весомую материальную форму.

— Это нужно, — мягко сказал он. — Поверьте мне. Только так мы сможем установить истину. Я просто хочу вас предупредить, что это будет довольно непросто.

— Почему? — удивилась Вдовина.

— Понимаете, эксгумация в условиях Крайнего Севера — процедура очень дорогая, это стоит около сорока тысяч рублей.

— Сколько?! — в ужасе переспросила она. — Но у меня нет таких денег.

— А вы и не должны платить, платить будет инициатор эксгумации, то есть следственный комитет. Но тоже ведь не из личного кармана следователя, а из государственной казны. А у них финплан, баланс, отчет, дебет-кредит... Ну, сами понимаете. Свободных денег у комитета может не оказаться. И придется ждать, пока решится финансовый вопрос. Вам нужно будет набраться терпения.

— Но разве все, что нужно для уголовного дела, не является бесплатным?

— В том-то и дело, что у нас есть законодательство о погребении и похоронном деле, и там четко прописано, что и в каких случаях производится за счет государства. Эксгумация в перечень бесплатных услуг не входит, даже если это нужно для расследования самого страшного и самого громкого уголовного дела. Все равно заплатить должен следственный комитет или другая заинтересованная сторона. Просто физическое лицо может заплатить из своего кармана, а юридическое лицо, то есть организация, должна платить из своего бюджета.

— Но это действительно нужно? — еще раз переспросила Вдовина.

— Это необходимо, — твердо ответил Сергей. — Без этого у вас ничего не получится. И окажется, что все ваши усилия, которые вы прилагали столько времени, пропадут зря.

— Хорошо, — в голосе Веры Владимировны зазвучала отчаянная решимость, — я буду добиваться и буду ждать, раз вы говорите, что это нужно.

И Сергей еще раз подивился мужеству и стойкости этой женщины, которая готова прилагать усилия, чтобы добиться того, что ее страшит и доводит до смертного ужаса. Хорошо изо всех сил добиваться того, чего очень хочется! А вот как заставить себя бороться за то, чего хочешь избежать и против чего протестует твоя душа и твое сознание?

Разговор с Вдовиной его успокоил, дело о гибели ее сына Алексея катится по своей колее, теперь уже пора, не боясь никого спугнуть, готовить докладную записку с требованием провести служебное расследование с целью установить обстоятельства, при которых Людмилой Григорьевной Окуловой было дано заключение о наличии в аутопсийном материале от трупа Алексея Вдовина наркотических веществ. А после этого можно снова переключиться мыслями на непонятный случай смерти Рустама Кудиярова.

* * *

Докладную записку он написал одним махом, не перечитывая, как обычно, каждую фразу, только изредка поглядывая в собственные записи и уточняя даты и исходящие номера документов. Все остальное он помнил отлично.

Поставив точку, попросил Светлану принести чаю, выпил его не спеша, то и дело протягивая руку к открытой коробке шоколадных конфет: если перед работой для того, чтобы сосредоточиться, в ход шли сушки, то после работы в качестве подарка Саблин позволял себе сладкое, которое страшно любил.

Прикончив конфеты, он вернулся в начало документа и начал внимательно читать.

«...выявленные упущения были устранены... Однако фототаблицы и иллюстрации судебно-медицинский эксперт Филимонов В.Н. не выполнил...»

«...получены результаты судебно-химического исследования крови, желчи и мочи из трупа Вдовина А.Н. №... от ... выполненные зав. химико-токсикологическим отделением клинической лаборатории Северогорского ПНД № 3 Окуловой Л.Г., согласно которым в крови и желчи из трупа Вдовина А.Н. были обнаружены: морфин, метилдезоморфин, кодеин. На основании данного исследования СМЭ Филимонов В.Н. сделал вывод о наркотическом опьянении у Вдовина А.Н. к моменту наступления смерти...»

«...Наличие наркотического опьянения у гр-на Вдовина А.Н. послужило основанием для отказа в выплате денежной компенсации родственникам погибшего... Это явилось основанием для обращения матери погибшего с жалобой в прокуратуру г. Северогорска, а также в Северогорское Бюро судебно-медицинской экспертизы с требованием выдать биологические объекты для проведения независимой экспертизы...»

«...В этих обстоятельствах мною было принято решение о необходимости проведения повторного судебно-химического исследования на базе...»

«...мной получен результат повторного судебно-химического исследования биожидкостей из трупа гр-на Вдовина А.Н. №... выполненного кандидатом химических наук... и судмедэкспертом... согласно которому в крови, желчи, моче Вдовина А.Н. не обнаружены: морфин, кодеин, дезоморфин...»

«Учитывая вышеизложенное, прошу провести по данному случаю служебное расследование».

Ну что ж, кажется, ничего не упущено, все изложено последовательно, точно и логично. Пусть теперь в областном Бюро принимают меры и разбираются, почему Филимонов схалтурил при вскрытии и зачем Окулова написала в своем заключении то, чего не было.

А он, Сергей Михайлович Саблин, с чистой совестью отправится домой. Все, что было запланировано на сегодня, он сделал, и кое-что — даже сверх того. Теперь он имеет полное право на отдых в своей квартире рядом с любимой женщиной.

* * *

Однако отдых получился весьма своеобразным: дома Саблин застал не только Ольгу, но и Ванду Мерцальскую, которая после истории с БАДами буквально влюбилась в Сергея и считала его чуть ли не оракулом и гуру всей медицины вкупе с фармакологией. Он тогда действительно попросил специалистов глянуть одним глазком, что за таблетки купила эта дурочка за бешеные деньги, и ответ при первой же возможности донес до нее: в необыкновенном препарате, от приема которого должны были удлиниться ноги и увеличиться бюст, оказались банальные ромашка, девясил и солодка — самые дешевые травы, которые можно купить в любой аптеке, плюс глюконат кальция. Ванда в первый момент ужасно расстроилась, даже заплакала. Ей не жалко было заплаченных денег, поскольку это все равно были деньги ее тогдашнего спонсора. Молодой женщине жаль было расставаться с надеждами обрести поистине неповторимую по красоте и недостижимую по совершенству внешность. Однако легкий характер и веселый нрав не позволили ей отчаиваться и убиваться слишком уж долго: минут через двадцать она уже заливисто хохотала, посмеиваясь над собой и своей легкомысленной доверчивостью.

Сегодня Ванда явилась с новой идеей и горящими глазами. Суть идеи она Ольге, как выяснилось, пока не озвучила: ей для чего-то непременно нужно было дождаться Сергея. Пока он ужинал, Ванда маленькими глотками пила сок из пакета и нетерпеливо поглядывала на медленно пустеющую тарелку. Ей хотелось как можно скорее поделиться своими соображениями, она ерзала на стуле, поминутно смотрела на дисплей мобильного телефона, словно ожидала, что на нем появятся какие-то необыкновенные слова, задавала Ольге массу дурацких вопросов, а Сергей все тянул время, тщательно пережевывал мясо с картошкой, лениво подцепляя вилкой то дольку помидора из блюда с салатом, то кусочек огурца, то вылавливая оттуда маслинку. Его откровенно забавляла нервозность Ванды и ее горячее желание поговорить о том, что ее интересовало в эту минуту больше всего.

Наконец ему надоело издеваться над девушкой, он быстро закончил ужинать и потянулся за сигаретами.

— Ну, выкладывай, какие у тебя новые идеи, — благодушно разрешил он.

И тут же его благодушие как рукой сняло: Ванда заговорила о том, что хорошо бы создать сайт морга. При этом она, как и подавляющее большинство людей, не понимала разницы между моргом судмедэкспертизы и тем моргом, рядом с которым существует ритуальная служба.

— И вообще, Сережа, сайт — это источник информации об услугах, а какие там у вас услуги? Это же курам на смех! — убежденно тараторила она. — Все примитивно и убого. А люди, может, хотят красиво не только жить, но и в последний путь отправиться. И никто не имеет права лишать человека возможности уйти красиво, а если уж на то пошло — то и роскошно. А что? Если деньги позволяют, то почему нет.

— Ну ладно, — деловито кивнул Саблин. Он не стал разубеждать Ванду и объяснять ей, что судмедэкспертиза ритуальных услуг не оказывает. Ему было любопытно, до какой степени идиотизма может дойти эта потрясающей красоты натуральная блондинка. — Допустим, ты права, красиво уйти — это правильно. Только я не совсем понимаю, что ты подразумеваешь под красотой в данном контексте.

— Ну как же, Сережа! — воскликнула она, всплеснув руками. — Ну вот грим, например. Вы же как гримируете? Как-нибудь, как бог на душу положит, лишь бы было прилично. А я предлагаю на сайте морга дать описание и фотографии разных вариантов посмертного грима: дневной, вечерний, умеренный, концертный...

— Концертный? — переспросила Ольга.

Она гораздо лучше Сергея владела собой, и сохранять серьезность во время Вандиных креативных эскапад ей было намного проще.

— Ну да, такой, знаете, когда много блесток, перламутра, ресницы накладные, тон на щеках толщиной в сантиметр, и всякое такое.

— Думаешь, кто-нибудь захочет своего близкого человека в таком виде в последний путь отправлять? — усомнился Сергей.

— Вот! — Ванда торжествующе улыбнулась. — Наконец-то ты ухватил самую суть! Это не родственники должны захотеть, это сам человек должен захотеть, чтобы его после смерти загримировали определенным образом. Понимаешь? Он сам выберет и сам выразит свою волю. И сам все предварительно оплатит. А уж когда он умрет, то родственникам ничего не останется, кроме как выполнить волю покойного. Для этого и нужен сайт! Человек зайдет, посмотрит, прикинет, подумает не торопясь и примет решение. Позвонит по указанному телефону, к нему на дом выезжает агент и все оформляет договором, получает деньги, выдает клиенту приходный кассовый ордер, все по закону, как положено. Я еще подумала, что грим же может быть стилизованный, например под господина или даму семнадцатого века, или под мушкетера, под Миледи, под Ришелье...

— Под Анну Австрийскую, — подсказал Саблин. — Ты кроме «Трех мушкетеров» хоть одну книжку прочитала в жизни?

— А как же, — задорно улыбнулась Ванда, — еще «Мадам Бовари», кстати, под нее тоже можно. Но у меня есть совершенно гениальная задумка: можно же гримировать не под стиль эпохи, а под конкретного человека. Вот я, например, умираю по «Унесенным ветром» с Вивьен Ли, она такая была красивая! А Грейс Келли! А Мэрилин Монро! Элизабет Тейлор! Я вам точно говорю, ребята, все тетки захотят лежать в гробу похожими на какую-нибудь кинозвезду. А фанаты творчества будут иметь возможность хорониться «под Мирей Матье», «под Аллу Пугачеву» или «под Майкла Джексона». Еще Элтон Джон хорошо пойдет для возрастных и Элвис Пресли тоже.

Саблин не выдержал и прыснул в кулак, но разгоряченная видениями загримированных покойников Ванда Мерцальская ничего не заметила и продолжала, блестя глазами:

— В общем, с гримом вы поняли. А еще же прически! Тоже можно разработать и представить на сайте огромный выбор! Это же настоящий Клондайк! А потом одежда. Специальная, из плохих недорогих тканей, чтобы не накладно было, все равно же ее не носить, в ней только лежать, но зато уж каждый может лежать в том, в чем всю жизнь мечтал ходить, но так и не довелось. Опять же это может быть модель от Сони Рикель, или от Армани, или от Версаче, от Дольче и Габбана, да от кого угодно! Модели все есть в журналах и в Интернете, сиди да копируй, прямо с последних показов можно брать — и на сайт. Качество пошива же никого не волнует, лекала, конечно, будут не те, и сидеть вещь будет плохо, но это же неважно, правда? Главное — те, кто придет на прощание, будут знать, что человек в гробу лежит в фирменной вещи с «первой линии» последнего сезона. Это же важно, как вы не понимаете! И они к нему с уважением, и ему приятно.

— Кому — ему, Ванда? — сквозь смех спросила Ольга.

— Ну как кому? Покойнику же! Вот ты смеешься, а зря, между прочим. Мы ведь не знаем, как там... ну, в общем, ТАМ. Может, там жизнь кипит, может, там все люди встречаются, кто раньше на Земле жил. А человек туда попадает и выглядит как бомж. Стыдно же! А вдруг женщина какая-нибудь там свою первую любовь встретит? А у нее ни лица, ни головы, платье дурацкое какое-то, да еще на спине разрезанное, туфли уродские. Да, кстати, об обуви тоже нужно подумать, пусть человек лежит в гробу в нормальных ботинках или туфлях. Тоже можно организовать спецпошив по последним моделям, но из дешевого материала. И вот еще что, — деловито добавила она, — большое значение имеют аксессуары. Очки, часы, украшения, булавки для галстука у мужчин, сумочки у женщин. Все это тоже нужно. И все это должно быть красивым и модным. Ну что вы на меня так смотрите?

— Ванда, — осторожно произнесла Ольга, — по-моему, тебя заносит куда-то не туда.

— Ну почему не туда-то? — обиделась девушка. — Вот вы косные какие! Все должно быть красиво у человека и в жизни, и в смерти. Ну почему вы все только про жизнь думаете, как будто жизнь прошла — и все, и не надо больше ничего. Жизнь — она же короткая, всего-то лет семьдесят-восемьдесят, и то если повезет, а смерть — она же навсегда. И что, целую вечность без красоты жить потом, да? Ой, Сережа, а я еще слышала, что после вскрытия мозги не кладут обратно в голову, а зашивают в живот. Это правда?

— Правда, — подтвердил Саблин.

— А я, может, не хочу, чтобы у меня мозги были в животе.

— Ну, если ты предварительно попросишь, лично тебе я могу в ногу зашить. Хочешь? — предложил он.

— Да ну тебя! Я, может, хочу, чтобы было эстетично и стильно. Я куплю специальную шкатулочку, пусть мои мозги туда положат и похоронят вместе со мной, в моем гробу. Чтобы все было культурно. Сережа, ты как посоветуешь: из какого материала нужно покупать шкатулку?

Он изо всех сил пытался сохранить видимость серьезности и задумчиво ответил:

— Я думаю, из слоновой кости или из хрусталя.

— А какого размера? — не унималась Ванда.

Тут Сергей уже не выдержал. Большим и указательным пальцами он обозначил совсем крохотный размер, примерно сантиметра два на полтора на два.

— Для тебя вот такого будет достаточно.

Ванда не прореагировала на явную издевку и продолжила:

— А можно на сайте еще представить коллекцию шкатулок. Думаешь, я одна такая, кому не хочется, чтобы мозги в животе гнили? Нас миллионы!

Она еще часа полтора несла всякую ахинею о сайте морга и о широких возможностях, открывающихся перед теми, кто хочет уйти из жизни красиво, а также перед теми, кто готов будет предоставить соответствующие услуги. Наконец за ней закрылась дверь, и Саблин с облегчением перевел дух.

— Оль, ты была права: эта девчонка как луч света в темном царстве. Дура дурой, а ведь так, как с ней, я никогда нигде и ни с кем не смеюсь. Действительно, отдохновение души, особенно после морга, трупов и вскрытий.

Ольга молча убирала со стола посуду, оставшуюся после чаепития с пирожными, без которых Ванда Мерцальская к ним в гости не являлась. Сергей раскрыл было книгу, которую собирался сегодня вечером дочитать — осталось всего страниц восемьдесят, но Ольга вдруг подошла к нему и обняла за плечи.

— Саблин, что же мы за люди такие, а? Два с лишним часа ржали, как ненормальные, обсуждая смерть и похороны. Рассказать кому-нибудь стыдно. Смерть и похороны — это горе, это трагедия, это слезы, а мы хохотали. Может, мы действительно уроды какие-то?

Он закрыл книгу и прижался затылком к ее груди. Сразу стало тепло, уютно и спокойно.

— Оля, но ты ведь сама говорила, что люди нашей с тобой профессии не похожи на других. Вот мы и не похожи. Просто мы с виду кажемся бессердечными циниками, а на самом деле мы защищаемся. Знаешь, я на своем веку много раз выезжал на трупы, иногда их было два, иногда три, один раз — семь. Порубленные топором, забитые тяжелыми предметами в кровавое месиво, да всякие... Кровищи кругом, мозговое вещество по стенам разбрызгано, мертвые глаза открыты. И мы все — следователь, опер, криминалист, я — работаем на месте происшествия, потому что не имеем права повернуться и уйти. Это наша профессия. Каждый из нас делает то, что должен, и при этом мы рассказываем сальные скабрезные анекдоты. Думаешь, это оттого, что мы не уважаем чужую смерть? Думаешь, нам наплевать на этих убитых? Да мы защищаемся изо всех сил, чтобы не сойти с ума. Чтобы то, что мы видим, нам потом не снилось годами, чтобы оно перед глазами не стояло каждую минуту, чтобы душа не плакала кровавыми слезами. Иначе мы просто не выживем.

— Ну да, — задумчиво проговорила она, — я понимаю. Но знаешь, в словах Ванды есть какая-то правда. Почему в нашей традиции похороны — это так некрасиво, так мрачно, так страшно? Люди в черном, черная земля, провал ямы... Есть же культуры, в которых уход человека в другой мир — это ритуал любви и красоты, а не слез и ужаса, как у нас. Помнишь, ты мне рассказывал, как Макс в первый раз пришел к тебе в Бюро? Он тогда предложил тебе расписать стены морга чем-нибудь веселеньким. А сегодня Ванда выступила с аналогичным по своей сути предложением.

Саблин расслабился и начал задремывать, слова Ольги доносились до него как будто издалека.

— Ты хочешь сказать, что они оба — креативные люди, поэтому у них другое отношение к смерти? — пробормотал он едва слышно.

— Конечно. Ты вспомни: один из самых серьезных грехов по христианскому канону — это страх смерти. Церковь делает все для того, чтобы человек не боялся умирать. А светский канон делает все для того, чтобы уход был страшным и болезненным. Творческие люди — они же как дети, поэтому у них душа чище. А это значит, они ближе к Богу, и религиозный канон им понятен, они его принимают и разделяют. Правда, разделяют несколько своеобразно. Но они инстинктивно стремятся к тому, чтобы смерть и уход не выглядели безобразными и невыносимыми, они хотят даже из этого сделать праздник, чтобы не было так страшно. Разве это плохо?

Она говорила негромко и поглаживала Сергея по плечу и по волосам. И он не заметил, как полудрема сменилась глубоким сном.

Спал он около часа, сидя на стуле в маленькой кухоньке, а Ольга все стояла за его спиной.

* * *

Наконец результаты судебно-химического и бактериологического исследований по случаю Рустама Кудиярова были получены, и Сергей приступил к гистологическому исследованию.

При химическом исследовании не обнаружено ни спиртов, ни органических галогенпроизводных и хлорпроизводных, ни ацетона, ни толуола, ни бензола, ни ксилола, ни соединений мышьяка, ни солей тяжелых металлов. Одним словом, ничего, чем можно было бы отравиться. Исследование для определения наркотических, лекарственных и психотропных препаратов проводить не стали по двум причинам: во-первых, клинико-морфологическая картина никак не соответствовала отравлению этими веществами, а во-вторых, в последние часы жизни Кудиярову проводилось интенсивное лечение, в ходе которого ему вводили большое количество лекарственных препаратов. Так что даже их обнаружение никак не проливало бы свет на причину его смерти.

В лаборатории эпидотдела исследовали содержимое тонкого и толстого кишечника, а также желчного пузыря. Их вердикт гласил: возбудителей сальмонеллезов, дизентерий, холеры, иерсиниозов, псевдотуберкулеза и вообще какой-либо другой патогенной микрофлоры, включая патогенные грибы, не обнаружено.

Еще когда Кудияров был жив, у него взяли материал для ПЦР-диагностики, правда, саму диагностику провели уже после его смерти, но итог и здесь оказался удручающим: полимеразная цепная реакция не обнаружила ни малейших признаков вирусных агентов. То есть умер Рустам от чего угодно, только не от вирусной инфекции.

Ознакомившись с присланными результатами, Саблин засел за микроскоп. Он почему-то был уверен, что найдет, непременно найдет что-то такое, за что можно будет зацепиться и, подкрепив свои выводы данными от судебных химиков и бактериологов, определить, чем же все-таки болел или отравился тридцатипятилетний рабочий. Он не отрывался от окуляров много часов, раз за разом пересматривая стеклопрепараты, тщательно фиксируя каждую находку, проверяя и перепроверяя самого себя. В конце концов он пришел к выводу, что ничего понять не может. Клиническая и патоморфологическая картина говорит об инфекционном заболевании системы пищеварения, осложнившемся развитием эндогенно-токсического шока. И при этом ни малейших следов возбудителя инфекции. Ни вирусов, ни бактерий, ни грибов. Конечно, инфекционных заболеваний в этом мире куда больше, чем то, что перечислено в заключении бактериологов, но это надо еще ухитриться ими заразиться. А вот заразиться-то Рустаму Кудиярову было абсолютно негде, ибо ни в какие экзотические тропические страны он сроду не выезжал и с людьми, приехавшими оттуда, никогда не контактировал: об этом Саблин специально спрашивал вдову Кудиярова.

Что же касается отравляющих веществ, то и здесь заключение судебных химиков нельзя было считать исчерпывающим. Возможности химической лаборатории ограничены наиболее распространенными в быту токсическими веществами. Но, как известно, объем «наиболее распространенного» всегда значительно меньше объема того, что встречается не так часто или даже совсем редко. Ни одна судебно-химическая лаборатория не располагает полным комплектом образцов отравляющих веществ, имеющихся на нашей планете. Да, чем-то обыкновенным, привычным Кудиярова не отравили. Но кто сказал, что его не могли отравить чем-то редко встречающимся? Для того чтобы установить отравляющее вещество, нужно иметь его образец, чтобы было с чем сравнить. Именно эти образцы и собирают в библиотеки химических лабораторий. А если образца нет, то... А его не было.

Правда, мелькнула в голове мысль о том, что, возможно, речь идет о растительном яде. Ведь сколько случаев известно, когда человек идет в лес за грибами или просто погулять, срывает ягодку или сует в рот листик-травинку и... Летальный исход. И грибами легко отравиться, если ты грибник неопытный.

Но мысль тут же отступила под натиском реалий: все это возможно в средней полосе, но никак не в северогорской тундре, в которой сколько грибов ни растет — ни одного ядовитого. И с ядовитыми растениями в местном климате все очень проблематично. Да и не ходил Рустам ни на какие загородные прогулки, уж вся неделя от момента Дня города до момента вызова «Скорой помощи» была расписана буквально по минутам: дотошный Саблин не пожалел времени и в течение месяца, пока ждал результаты от химиков и бактериологов, неоднократно разговаривал с вдовой погибшего, задавая ей массу вопросов и вникая во все мыслимые и немыслимые детали, пытаясь хотя бы приблизительно нащупать направление диагностического поиска.

Срок по исследованию трупа Рустама Кудиярова заканчивался. Это означало, что нужно как-то определиться и с диагнозом, и с причиной смерти. В ЗАГСе лежит представленное вдовой медицинское свидетельство о смерти, в котором написано, что «причина смерти временно не установлена». Их такая бумажка никак устроить не может: нужно заполнять статистическую отчетность с указанием причин смерти населения, поэтому им требуется диагноз, все равно какой, но установленный. А вот всем остальным далеко не все равно, какой именно диагноз поставит судебно-медицинская экспертиза. Правоохранительные органы ждут ответа на вопрос: человек умер от заболевания или был отравлен? Поэтому какую бы причину смерти ни написал в своих выводах судебный медик, обязательно кто-нибудь останется недоволен. Напишешь «инфекцию» — взропщут медики, эпидотдел и Роспотребнадзор, хотя следствие останется более чем довольно: раз человек болел, значит, никакого криминала, и морочиться не нужно. Да и родственники умершего не обрадуются такому диагнозу: будут думать, что врачи все-таки что-то сделали неправильно, что-то недосмотрели, а судебно-медицинская экспертиза прикрывает «своих», сваливая смерть Рустама на какую-то неведомую инфекционную болезнь. А вот если написать «отравление неустановленным веществом», то медики обрадуются, с них взятки гладки, зато менты скорчат недовольную мину. Криминал, значит, надо работать. Ну и начнут работать, то есть в первую очередь придут к нему, к начальнику Бюро судмедэкспертизы Сергею Михайловичу Саблину, и начнут спрашивать, что за яд, откуда он взялся, каким образом попал в организм погибшего — случайно или умышленно.

И что Саблин им ответит? Дескать, я сам не знаю, я даже не знаю, что это было за вещество, поэтому ни на один ваш вопрос ответить не могу. Несложно представить себе, какие слова он услышит в ответ. Самое мягкое — это: «Если ты ничего не знаешь, так какое право имеешь утверждать в своих выводах, что это было отравление?» В общем-то, справедливо. И на производстве, где работал Кудияров, версия об отравлении вряд ли понравится, потому что сразу же возникнет масса вопросов: не на работе ли отравился человек, не было ли нарушения техники безопасности? Ибо если нарушения техники безопасности не было, а отравление произошло именно на работе, то придется выплачивать огромную компенсацию. А уж как комбинат любит выплачивать эти компенсации, Саблину было известно преотлично. Да за примерами и ходить далеко не надо: случай Вдовина — яркое тому подтверждение.

В конце концов, сломав всю голову и промучившись двое суток, Саблин выставил причиной смерти пищевую токсикоинфекцию с неуточненным возбудителем. В экспертном заключении он написал: «...причиной смерти гражданина Кудиярова Р.А. явилась бактериальная кишечная инфекция (пищевое отравление тяжелой степени), установить возбудитель которой только при бактериологическом исследовании не представилось возможным...»

Случай был закончен. Сергей чувствовал себя отвратительно. Впервые за все годы работы в судмедэкспертизе он выставил диагноз, в котором не был уверен. Да, он не пошел на поводу ни у интересов коллег-медиков, ни у интересов правоохранительных органов, из которых ему регулярно позванивали, интересовались, как там дела с установлением причины смерти Кудиярова, и ненавязчиво давали понять, что лучше бы смерть эта оказалась некриминальной. Никаких намеков Сергей слышать не умел и не хотел уметь, он слушал только самого себя, но в данном случае так и не понял, что должен делать. Он несколько раз доставал заветный, уже изрядно потрепанный листок с красными строчками, где по-английски было написано: «Если я потеряю честь, я потеряю себя». Вчитывался, всматривался в буквы и слова, прислушивался к внутренним ощущениям... И не понимал. Какое-то заключение дать надо. Но какое, если он действительно не знает, отчего умер Рустам? Картина инфекционно-токсического шока — да, несомненно, нарушение работы внутренних органов — да, именно оно в конечном итоге привело к смерти. Но что, какое вещество, какая крохотная бактерия запустила этот страшный и необратимый механизм? Вот этого он не знал.

Сергей истерзал Ольгу разговорами о случае Кудиярова. Она слушала, вникала, задавала вопросы, уточняла, советовала, смотрела вместе с ним стекла и, в конце концов, сказала:

— Саблин, перестань терзаться. Я же понимаю, что тебе покоя не дает.

— Причина смерти мне не дает покоя, — ответил он уверенно.

— Да нет, мой дорогой, тебе не дает покоя мысль о том, что ты, такой умный, такой профессиональный, такой весь из себя конопляный муравей — и чего-то не смог. Вот что тебя грызет. Успокойся. Каждый человек чего-то не может. И признаться в том, что ты не знаешь, не умеешь или не можешь, не стыдно. Ты, поди, листочек свой любимый уже раз десять прочитал за эти дни, да? Ты, Саблин, уклоняешься от признания простых истин, ты думаешь, что диагноз по этому случаю — это вопрос твоей чести, дескать, не давите на меня, не намекайте мне, не давайте мне взяток за нужный вам экспертный вывод, я весь такой принципиальный и правильный и напишу в заключении то, в чем буду убежден. Ты смотришь на свой листочек и пытаешься свести проблему к вопросам чести. А проблема-то не в этом. А в том, что ты не смог. Ты не сумел. Ты потерпел поражение. Вот и все. Это надо признать, принять и идти дальше.

Сергей презрительно скривился.

— Ты хочешь сказать, что я должен выбросить этот случай из головы, забыть о нем и весело идти по жизни дальше, насвистывая и отбивая чечетку?

Она посмотрела на него удивленно и даже немного обиженно.

— Саблин, ты столько лет меня знаешь... Даже странно, что тебе такое пришло в голову. Нет, я хочу сказать, что надо взять дыхание и идти дальше. Ответь мне, только честно: ты сделал все возможное по этому случаю? Ты исчерпал все варианты? У тебя больше не осталось резервов?

Он удрученно молчал. Ну почему, почему эта женщина всегда в конечном итоге оказывается правой? Он точно знал, что сделал не все. Но у него же не было времени! Ему нужно было ждать результатов других исследований! И разве он виноват, что эти исследования ничего не дали? Да, еще есть варианты, еще многое можно попробовать сделать, но теперь уже поздно. Заключение написано и передано в правоохранительные органы, которые и будут принимать все последующие решения. И еще она права в том, что он действительно пытался прикрыться своей честью, вместо того чтобы признать собственную интеллектуальную недостаточность.

Нет, с этим он смириться не может. Никак не может. Конечно, обидно, что Оля назвала его конопляным муравьем, но сути это не меняет: его мучает, что он не смог. Не сумел. Не додумался. Но он докажет, и в первую очередь — самому себе, что он может решить эту нерешаемую задачу. Костьми ляжет, а решит.

* * *

Первым делом Саблин позвонил бактериологам в лабораторию эпидотдела и услышал от них то, чего и опасался: набранный для бактериологического исследования материал — желчь и каловые массы — был уничтожен в процессе исследований, а остатки его утилизированы, как того требует ведомственная инструкция. Однако Сергей в свое время распорядился не утилизировать после судебно-химического исследования банки с остатками органов и биожидкостей — как чувствовал, что могут пригодиться.

Близилось лето, а с ним — и очередной отпуск, до которого оставалось всего два месяца. В этом году он повезет Лену на Крит — она давно хотела побывать на Эгейском море, наслушавшись рассказов о том, какая там чистая вода и какая невероятная красота. Дашка ехать с ними отказалась сразу, едва речь зашла о совместной поездке с родителями: юной студентке такое времяпрепровождение вовсе не казалось привлекательным, она собиралась провести каникулы в более интересной компании. Но Крит — это всего две недели, а отпуск-то намного дольше, и если провести его в Москве в попытках наладить контакты с теми, кто может помочь...

Но к такой поездке нужно готовиться заранее. Критом занималась Лена — пусть сама выберет отель, который ей захочется, денег у Саблина хватит, если, конечно, это не «пять звезд» с каким-нибудь необыкновенным размещением типа «вилла с собственным подогреваемым бассейном». А вот всей подготовительной работой для решения задачи Рустама Кудиярова он начал заниматься еще в Северогорске. Первым делом вышел в Интернете на форум судебных медиков, пообщался виртуально с коллегами, которые с готовностью обменивались опытом, просил их посодействовать в поисках судебно-химической лаборатории с обширной библиотекой масс-спектров, но, к своему огорчению, выяснил, что возможности во всех Бюро примерно одинаковые и образцов чего-то редкого и необычного там нет.

Он созвонился на всякий случай с заведующим судебно-химическим отделением своего бывшего Бюро — Московского городского, и узнал, что тот уже давно там не работает, но позвонить и узнать — без вопросов. Позвонил. Узнал. И перезвонил Саблину: все то же самое. Образцы самых распространенных, а также более или менее часто встречающихся отравляющих веществ есть, но их перечень ничем не отличался от того, что имелось и в Северогорском Бюро, а вот редких, экзотических — нет, не имеется.

Сергей на несколько минут впал в отчаяние, но быстро взял себя в руки. Он же солдат, а солдаты не отступают.

Порылся в старых ежедневниках и нашел телефонный номер Яниса Орестовича Пурвитиса, патологоанатома из Саратова. Конечно, он не химик и не токсиколог, но вдруг у него есть какие-то полезные контакты. Правда, прошло больше десяти лет, и как знать, где теперь Пурвитис, работает ли и вообще... Может, его уже нет в живых.

Но снова помог Интернет. Набрав в поисковике имя патологоанатома, Сергей увидел множество ссылок: оказывается, Янис Орестович руководит кафедрой патологической анатомии в Саратовском мединституте и дает множество интервью местным средствам массовой информации по одному громкому и скандальному делу, связанному с врачебной ошибкой и некачественным оказанием медицинских услуг. Обрадовавшись тому, что Пурвитис живздоров, Сергей без колебаний набрал телефонный номер, даже не подумав о том, что, во-первых, за эти годы номер мог и измениться, причем не один раз, а во-вторых, Пурвитис мог напрочь забыть молодого судебного медика, который всего один раз много лет назад консультировал у него «стекла».

Но правильно говорят: не думай о плохом — оно и не случится. Номер телефона оказался действующим, Янис Орестович ответил на звонок и, более того, пусть не сразу, но вспомнил-таки Саблина. Выслушав Сергея, который постарался не грузить собеседника излишними подробностями и быть как можно более кратким, патологоанатом задумчиво ответил:

— Мне нужно подумать. Так навскидку я вам не скажу. Надо порыться в своих записных книжках. Возможно, я и смогу найти кого-то, кто окажется вам полезным.

Сергей разочарованно повесил трубку. Он почему-то надеялся, что саратовский специалист сразу же скажет какие-нибудь волшебные слова вроде: «Ну конечно, мой хороший знакомый как раз и занимается редкими отравляющими веществами, у них в лаборатории колоссальная подборка образцов редких отравляющих веществ, и он с удовольствием вам поможет, я с ним поговорю, вот вам номер телефона, звоните ему в любое время». Почему-то при всей своей прагматичности и приземленности Саблин не утратил веры в чудо.

А чудес, как известно, не бывает. И никаких таких волшебных слов он не услышал.

* * *

Прошла неделя, до отлета в Москву оставалось всего четыре дня, когда Пурвитис, наконец, позвонил Сергею.

— Я нашел то, что вам нужно, — как обычно, неторопливо проговорил он, — вам нужны военные эксперты. Я дам вам телефон человека в Москве, который вам поможет. Он уже предупрежден и ждет вашего звонка. Вы сможете привезти с собой материалы?

— Да, конечно, — обрадовался Сергей.

— Только есть один нюанс, — продолжал Пурвитис все так же невозмутимо-медленно, — вам будут помогать неофициально, поэтому работа должна быть оплачена. Меня просили предупредить вас заранее об этом, чтобы вы были готовы. Потому что если вы не можете платить, а уже обо всем договоритесь, то выйдет неловкость. Такие вопросы, как говорится, нужно решать на берегу, пока лодка не отплыла.

— Сколько? — спросил Сергей с замиранием сердца.

Все деньги были посчитаны. На оплату путевок и билетов он давно уже послал Лене требуемую сумму, но ведь на Крите нужно на что-то жить, в отеле им гарантирован только завтрак, входящий в стоимость номера, а обеды и ужины? А экскурсии, если Лене вдруг захочется? А жизнь в Москве в оставшееся время? На это деньги отложены. И в заначке оставалось не так много.

Пурвитис сумму назвал, и Сергей с облегчением перевел дух: придется ухнуть всю заначку, но в «московский» и «критский» бюджет можно не залезать.

Янис Орестович оказался человеком весьма основательным, как и большинство медлительных людей, и подготовительную работу с московским знакомым провел, видимо, серьезную, потому что, когда Сергей позвонил по указанному телефону, с ним сразу начали разговаривать доброжелательно, весело и очень по-деловому:

— Вы когда прилетаете? Какие у вас материалы? Сколько? Каким временем вы располагаете?

Услышав, что в распоряжении Сергея больше месяца, что-то прикинул и сказал:

— Вы должны иметь в виду: исследование одного образца занимает неделю. Так что вы заранее отберите то, что вам необходимо в первую очередь. На все образцы у вас времени не хватит.

— Неделю? — ахнул Сергей. — Почему так долго? А нельзя договориться, чтобы сделали побыстрее? Может быть, если оплатить... Я найду деньги...

— Не в деньгах дело, Сергей Михайлович, — пояснил его собеседник по фамилии Румянцев, — анализ делает аппарат, у него специальная программа, работа по программе рассчитана на сто шестьдесят часов. Денег он, как вы понимаете, не берет, а выполнить программу быстрее не может.

Ну что ж, подумал Саблин, хоть так. Пусть не все образцы окажутся проверенными, но зато удастся, наверное, установить отравляющее вещество, а это уже немало. Они договорились о встрече прямо в аэропорту Домодедово, чтобы не терять времени. И в Москву Сергей Саблин полетел с чемоданом и тщательно упакованным ящиком с банками, в которых хранились остатки биоматериалов от трупа Рустама Кудиярова.

* * *

Подполковник Румянцев оказался смешливым толстеньким коротышкой на целую голову ниже рослого Саблина. Как и договаривались, он стоял на улице у первого входа, одетый в джинсы и ярко-красную футболку с надписью «200 лет МВД» над рисунком «Щит и меч». Не заметить его или не узнать было просто невозможно.

Рукопожатие у Румянцева было крепким, и Саблин машинально отметил, что ладонь у подполковника, несмотря на жаркую погоду, сухая, а не влажная, как можно было бы ожидать. Почему-то именно это обстоятельство моментально расположило Сергея к нему.

— Вас кто-нибудь встречает? — спросил Румянцев.

— Нет, я обычно сам до дома добираюсь, на электричке до Павелецкого вокзала, это удобно, а там беру такси, чтобы с чемоданом по метро не таскаться.

— Если хотите, я вас отвезу, но не сразу. В первую очередь мы поедем туда, где вам будут делать исследования, отдадим ваши материалы, люди ждут, все заряжено, время идет. А потом уж вас доставлю.

Сергей согласился, ему хотелось порасспрашивать нового знакомого о том, где будут проводить исследования, кто именно, какие научные разработки лежат в основе деятельности лаборатории. Однако Румянцев, весьма охотно вступивший в разговор, на такие вопросы отвечать отказался.

— Сергей Михайлович, не обижайтесь, поймите меня правильно. Работа «левая», за деньги, разработки с грифом. Не заставляйте меня раскрывать чужие секреты.

Такие резоны были Саблину понятны, и он расспросы прекратил. Когда машина остановилась перед большим многоэтажным зданием где-то на юге Москвы, он попытался рассмотреть надпись на табличке у того входа, куда вошел Румянцев с ящиком в руках, но не сумел: автомобиль остановился слишком далеко. Можно было бы выйти, конечно, и подойти поближе, но Саблин отчего-то засмущался: ему же сказали, что не нужно лезть в чужие секреты. Все равно он рано или поздно узнает, в какой организации и в каком подразделении проводили исследования: ведь результат-то ему выдадут в письменном виде и, вероятнее всего, на официальном бланке.

Ждать пришлось долго, Румянцев вернулся только минут через сорок, его круглое лицо выражало полное удовлетворение.

— Ну, все, Сергей Михайлович, процесс запущен. Теперь можно и домой. Вы в отпуск или как?

— В отпуск.

— Поедете куда-нибудь? Или на даче отсидитесь, как многие из нас?

И снова Сергей почему-то смутился. Он зарабатывает в Северогорске столько, что имеет возможность каждый год ездить в отпуск за границу, а военные такой возможности не имеют, хотя работа у них вряд ли проще или легче. Хотя как знать...

— Жена взяла путевки куда-то, — уклончиво ответил он. — Мне все равно, куда ехать, лишь бы отдохнуть.

Румянцев глянул на него искоса и почему-то ухмыльнулся.

Дома выяснилось, что Лена взяла путевки не «куда-то», а в очень хороший отель в районе Элунды, где, как утверждали путеводители, уже много лет морская вода считается одной из самых чистых в мире. Даша не проявила к приезду отца никакого интереса, дежурно чмокнула Саблина в щеку и умчалась на свидание. И Саблин подумал с удивлением, что это его не обидело.

Летели до Ираклиона, потом около часа добирались до отеля на такси. Море действительно оказалось такого цвета, какого Сергей никогда в жизни не видел, хотя ездил отдыхать не только на Черноморское побережье, но и в Турцию, и на Канары. Оно было абсолютно синим, как сапфир. Такой цвет он видел только в рекламных роликах и проспектах и всегда был уверен, что это результат применения фотошопа. Он купался на рассвете, плавая в прозрачной воде навстречу появляющемуся из ложбины между холмами розово-пунцовому диску, плавал днем, не переставая удивляться тому, как меняется цвет воды в зависимости от положения солнца на небосводе, плавал ночью при свете звезд, наслаждаясь темнотой и одиночеством. В нем неожиданно вновь после долгого периода проснулся интерес к Лене, и она ответила ему с пылом и нежностью. Первые три-четыре дня отдыха прошли упоительно, но интерес снова пропал так же неожиданно, как и появился. Лена ничего не сказала и никак не прокомментировала его вернувшуюся холодность, восприняла все молча, как должное, а Саблин до самого отъезда с Крита мучился тягостным ощущением, словно близость с законной женой оставила в душе неприятный осадок. Он чувствовал себя животным, которое готово на случку с любой самкой. И если изменять Лене с Ольгой казалось ему нормальным и естественным, то изменять Ольге с Леной было как-то гадостно. При этом его не оставляло чувство неясной вины перед женой, которую он словно бы «обнадежил» своей активностью в первые три дня и обманул родившиеся ожидания, поэтому он старался быть предупредительным, водил ее в близлежащую деревушку есть свежевыловленную только что пожаренную рыбу, вкуснейший только что выпеченный хлеб и пить критское вино. В последний день на острове Саблин вздохнул с облегчением.

Остаток отпуска провели порознь: Лена укатила к матери в Ярославль, а Сергей провалялся в шезлонге на родительской даче, много читал, спал, бездельничал, ходил порыбачить на местное озеро. Почти каждый вечер приезжала Юлия Анисимовна, и, хотя разговаривали они совсем мало, от присутствия матери в доме становилось уютно и спокойно. После смерти Михаила Евгеньевича она сильно изменилась, и хотя продолжала по-прежнему быть энергичной и активной, со всеми общалась, всем помогала и бесконечно устраивала чужие дела и решала чужие проблемы, но настойчивой жесткой «бирюковской» агрессивности в ней поубавилось. Сергей одно время с неудовольствием ждал, что мать заведет разговор на тему отпуска, который они с женой проводят отдельно, дескать, это не семья, я же тебя предупреждала, что твой брак рано или поздно развалится, он уже давно развалился, у вас нет ничего общего... Ждал и готовился дать отпор. Но Юлия Анисимовна не обмолвилась ни словом, просто приезжала, привозила что-нибудь вкусное, они вместе пили чай на веранде, перебрасываясь ничего не значащими фразами, и расходились по своим углам с книжками или с компьютером. Спать ложились поздно, телевизор не включали, а рано утром Юлия Анисимовна садилась в машину и уезжала в институт. Сергей оставался один.

Подошло время улетать в Северогорск, и он позвонил Румянцеву. Тот сказал, что все, что успели, оформили заключением и Сергей может его получить в обмен на оговоренную ранее сумму в конвертике. Встречу снова назначили в аэропорту: оказалось, что Румянцеву это удобно, он жил где-то в Орехово-Борисове, у самой Кольцевой дороги. На этот раз подполковник был в форме. Он передал Сергею конверт с заключением и взял конверт с деньгами. Оба улыбнулись: конверты оказались совершенно идентичными, из плотной коричневато-желтой бумаги.

— Хороший знак, — подмигнул веселый толстяк, — мы с вами мыслим одинаково. И еще одно, Сергей Михайлович: ребята убедительно просили вас сохранять конфиденциальность. Сделали вам работу только потому, что я попросил, а я попросил только потому, что ко мне обратился Янис Орестович, которому я многим обязан. Вообще-то то, что мы с вами тут все вместе сотворили, — дело подсудное. Лаборатория закрытая, секретная, а ребята мало того что взялись проводить стороннее исследование, так еще и деньги взяли. Если информация об этом хоть куда-нибудь просочится, у них будут колоссальные неприятности, да и у меня тоже. А так, если что — обращайтесь. На тех же условиях, если не будет официального направления на исследование.

— А куда адресовать направление, если что? — спросил Сергей. — Как называется организация? Или хотя бы фамилии специалистов скажите.

— Там все написано, — коротко хохотнул Румянцев. — Счастливо долететь.

Руки у Саблина тряслись от нетерпения, когда он вскрывал заклеенный конверт, устроившись за столиком в кафетерии. На бланке действительно были указаны и название учреждения, и полное название отдела и лаборатории. Под заключением стояли фамилии тех, кто выполнял исследование: два кандидата наук и один доктор наук. Солидно.

А вот то, что было написано в резюмирующей части исследования, Сергея озадачило: «При химико-токсикологическом исследовании внутренних органов данных погибших животных обнаружен РИЦИН». Каких животных? Что за животные? И что за рицин?

Поразмышляв пару минут, Сергей догадался, что военным химикам-токсикологам нужно было как-то оформить у себя в отчетах это исследование, и они, скорее всего, провели его как один из экспериментов с лабораторными животными. В общем-то, этого можно было ожидать. Ведь если Румянцев ничего не перепутал и анализ действительно делается на приборе с программой, рассчитанной на 160 часов, то невозможно загрузить аппарат тайком каким-то «левым» материалом.

Оживший громкоговоритель осчастливил вылетающих рейсом Москва — Северогорск информацией о том, что рейс задерживается на полтора часа. Сергей огляделся в поисках справочного бюро. Бюро нашлось совсем рядом с кафетерием, и уже через пять минут ему объяснили, как воспользоваться имеющимся в здании аэропорта высокоскоростным Интернетом. Достав из сумки нетбук, Саблин подключился к Сети и начал искать и скачивать все подряд материалы по загадочному отравляющему веществу с названием «рицин», о котором он слышал впервые. Он решил не тратить времени на чтение — у него будет в самолете целых четыре часа, и просто сваливал все, что мог найти, в единый файл. Но надо признаться, нашел он очень немного. Большинство материалов по сути повторяли друг друга.

Он успел до объявления посадки на рейс скачать все, что нашел, и в самолете немедленно приступил к чтению. Четыре часа пролетели незаметно, и к прибытию в Северогорск Сергей Саблин уже кое-что знал.

Из научных материалов стало понятно, что рицин состоит из естественных белков, получаемых из растений касторовых бобов. Молекула рицина состоит из двух основных частей: одна выступает в качестве «оружия», а другая — для маскировки. Маскировочная часть делает так, что клетки пропускают в себя молекулу рицина, не распознавая в ней врага и принимая за «друга». А уж когда молекула проникла в клетку, она отключает маскировку и включает «оружие». Рицин блокирует механизмы, которые создают белки, необходимые для жизнедеятельности организма. Без этих белков клетки умирают. В результате под действием рицина органы перестают функционировать. При употреблении в пищу рицин вызывает тяжелый гастроэнтерит и кровотечение, затем перестают работать печень, селезенка и почки. А вот если его вдохнуть, то симптомы будут уже другими: слабость, лихорадка, кашель, отек легких и дыхательная недостаточность.

Очень похоже, что Рустама Кудиярова отравили рицином, попавшим в пищу. Но зачем? Кто и каким образом мог это сделать?

Еще один материал показался Сергею тоже весьма любопытным.

«Как убить зонтиком?»

Нет человека, который не знал бы, что такое касторка. Ее получают из бобов клещевины, по-украински — рицины. Это незаурядное растение в последние годы стало модным и часто украшает наши парки и ботанические сады. Когда-то жмых после выжимки касторового масла просто выкидывали. Но потом обнаружили, что в нем содержится смертельно опасный токсин рицин.

Рицин можно производить на обычных фармацевтических заводах или даже в небольших лабораториях. В распоряжении «Аль-Каиды» есть, по меньшей мере, шесть лабораторий, пригодных для производства рицина, причем половина из них, по утверждению Корреспондент.net, закуплена на Украине.

Если показать любому химику или фармацевту инструкцию по приготовлению рицина, он только недоуменно пожмет плечами, мол, стоит ли говорить о такой ерунде. Тем не менее, всего лишь восемь граммов этой ерунды, изготовленной при помощи «оборудования», имеющегося в любой кухне и с применением «реактивов», купленных в хозяйственном магазине, способны превратить кубометр воды в смертельно опасный яд.

Ни одно издательство (кроме террористических) не возьмется опубликовать эти «рецепты», и правильно сделает. Страшно подумать, что могут натворить пытливые умы «юных химиков». По себе помню, как, будучи школьником, из чистого любопытства синтезировал на кухне всякие гадости от нитроглицерина до цианистого калия. А рицин — пострашнее.

Впервые рицин был выделен еще в XIX веке доктором Дерптского университета Германом Штильмарком, он и дал ему это название. Но тогда и в голову никому не могла прийти мысль травить им людей, тем более применять его в химической войне. Эта «светлая мысль» пришла в голову советским «ученым» уже в 30-х годах, когда они в тесном сотрудничестве с будущими палачами немецких концлагерей разрабатывали новые средства умерщвления.

Смерть наступает не сразу. Это доказано многочисленными «опытами» над заключенными ГУЛАГа. Человек, в зависимости от дозы, умирает в страшных мучениях через 2–14 дней. Причем первые два дня он может и не знать, что он уже мертвец. Затем начинается рвота, кровавый понос, удушье и смерть.

Смерть от рицина неминуема. Правда, в печати проскальзывали сведения о том, что в Техасском университете найдено противоядие от этой «касторки», но, похоже, приготовить его в достаточных количествах намного сложнее, чем сам рицин.

Доза, вызывающая летальный исход, по крайней мере половины отравленных, составляет около четырех милионных долей грамма на 1 кг веса человека. Это в 20 раз опаснее яда гадюки, в 100 раз хуже стрихнина, в 200 раз смертельнее синильной кислоты. Но это только в общем случае. Тут многое зависит от способа введения яда и его разновидности. Дело в том, что, как и витамины, рицины бывают А, В, С и так далее. И по токсичности некоторые из них смертоноснее в десятки, если не в сотни тысяч раз. А ведь даже самые безобидные способны убить.

Во время Второй мировой войны бомбы с рицином разрабатывали и Великобритания и Германия, но ни одна из сторон не решилась использовать это оружие.

В 1978 году болгарские спецслужбы использовали рицин для убийства писателя-диссидента Георгия Маркова за его контакты с редакцией «Радио Свобода» и Би-би-си. Почти как в известной кинокомедии он был убит то ли уколом зонтика, то ли выстрелом из него: проникшая в тело микрокапсула с рицином растаяла, и Марков скончался четыре дня спустя. Кстати, зонтик был разработан в Советском Союзе.

Нынче рицин взяли на вооружение террористы. В 90-х годах он был найден в Ираке. В 1998 году крупные запасы рицина из арсенала Саддама Хусейна были уничтожены при налете на промышленный центр в Фаллудже. Однако сейчас этот завод восстановлен и работает. В 2001 году инструкции по приготовлению рицина были обнаружены в Афганистане и Чечне.

Опасайтесь террористов с зонтиками!

Shkolazhizni.ru

О смерти болгарского диссидента Маркова тоже нашлись более подробные сведения. Ему рицин был введен подкожно, и клиника отличалась определенным своеобразием. Он плохо себя почувствовал уже через сутки после получения укола зонтиком, через двое суток состояние его ухудшилось настолько, что его госпитализировали, но допросить подробно не сумели — журналист потерял сознание. Скончался он на третьи сутки после отравления. Проводивший вскрытие патологоанатом не сумел установить причину смерти Маркова. Образцы пораженной ткани были направлены на экспертизу в специальные лаборатории Скотленд-Ярда и Министерства обороны Великобритании, но результаты исследований в тот момент засекретили. Спустя много лет при расследовании обстоятельств убийства Георгия Маркова все-таки прозвучало слово «рицин», но оно не было связано с результатами лабораторных исследований. О рицине заговорил кто-то из осведомленных лиц.

Также в Интернете нашлось упоминание об автореферате кандидатской диссертации о методах выявления рицина. Фамилия автора показалась Сергею знакомой, и он тут же сообразил, что это имя было одним из трех, стоявших под полученным им сегодня заключением.

И что теперь со всем этим делать? Организация, в которой проводилось исследование, более чем серьезная, и ставить под сомнение результат у него нет никаких оснований. Но этот результат никак не использовать. Исследование было неофициальным, организовано по собственной инициативе Саблина и им же оплачено. Причем оплачено не через кассу и не в соответствии с вывешенным на стене прейскурантом, а наличными «в конвертике». Ведомственными приказами эксперту категорически запрещается самостоятельно собирать материалы для экспертизы, он имеет право использовать только то, что ему предоставило следствие. Поэтому вся деятельность Сергея по выявлению отравляющего вещества, убившего Рустама Кудиярова, была, мягко говоря, незаконной. Но даже если бы право собирать дополнительные материалы у эксперта было, полученное заключение все равно никуда в данном случае не пристегнуть. Что он может предоставить правоохранительным органам? Заключение о смерти каких-то симпатичных крыс и пушистых хомячков от отравления рицином? Ну, и какое отношение эта бумажка имеет к смерти Кудиярова? Для того чтобы следствие имело возможность убедиться в причинах смерти взрывника, необходимо вынесение постановления о проведении химико-токсикологической экспертизы, причем экспертизу следует назначить именно в том учреждении, которое располагает необходимым научным и техническим потенциалом для проведения такого рода исследований. Тогда сотрудников лаборатории, которым будет поручено исследование, официально признают экспертами и возьмут с них подписку о том, что они осведомлены об уголовной ответственности за дачу заведомо ложного заключения. Только при соблюдении всех этих формальностей слово «рицин» будет что-то значить для следствия.

ГЛАВА 3

Уезжая в отпуск, Саблин, как и оба предыдущих раза, оставил Юрия Альбертовича Вихлянцева исполнять обязанности начальника Бюро. Конечно, заведующий отделением освидетельствования «живых лиц» не был полностью безупречен в этой роли, в первый раз не проверял акты, во второй — не сориентировался вовремя в ситуации с трупом старика Рыкова, но это были промахи вполне простительные. Сергей сам забыл сказать ему о необходимости контролировать работу экспертов, а уж что касается Рыкова, то сообразить, что к чему и как нужно действовать, мог только танатолог. Так что в принципе больших претензий к Юрию Альбертовичу у Саблина не было. Более того, он показал себя с самой хорошей стороны не только как организатор работы на амбулаторном приеме, но и как судебно-медицинский эксперт. Расположение Сергея он завоевал, когда однажды позвонил ему и спросил, нет ли у того хороших контактов в среде милицейских криминалистов.

— А что случилось? — удивился тогда Саблин. — Зачем вам хорошие контакты? Вы — должностное лицо, вы имеете право контактировать с кем угодно.

— Да нет, Сергей Михайлович, у меня такое дело... Не должностное. Понимаете, мне нужно провести освидетельствование афроамериканца.

— И что? — не понял Сергей. — Без милицейских криминалистов никак не освидетельствуете?

— В том-то и дело. У них должны быть специальные лампы, а у нас их нет. У меня потерпевший чернокожий, как я на нем кровоподтеки буду считать и измерять? Я же их не вижу. Я вообще-то даже растерялся, когда его менты привезли, он какой-то журналист, делает цикл материалов о разных географических зонах, вот и на Крайний Север приехал. А наше местное хулиганье себя показало в лучшем виде. Избили и ограбили. Я посмотрел и ахнул: ничего не вижу! И вспомнил, что читал в специальной литературе о такой проблеме. Там как раз и советуют применять лампы. А у нас их нет.

Сергей долго смеялся, потом позвонил криминалистам, которых за многие годы дежурства в следственно-оперативных группах успел хорошо узнать, и лампу Вихлянцеву, конечно же, дали. А Саблин сделал вывод о том, что Юрий Альбертович интересуется научной литературой по своей специальности, и это существенно прибавило ему очков в глазах начальника Бюро. Сергей любил и уважал только тех, кто любил и уважал свою работу, а Вихлянцев, что очевидно, был из числа таких людей. Пожалуй, еще немного — и можно будет представлять его к назначению на должность заместителя начальника.

В этот раз, отбывая в Москву, Сергей не поленился и устроил исполняющему обязанности «курс молодого бойца», заставив записать под диктовку все обязанности, которые нужно непременно выполнять, и все дела, которые за предстоящий период нужно не забыть сделать или проконтролировать.

Едва Саблин появился в Бюро после отпуска, Юрий Альбертович явился с докладом. Саблину понравилось, что у него все было записано, а документы разложены по папкам с надписями. По словам Вихлянцева выходило, что за время отсутствия начальника в Бюро все было спокойно, работа выполнялась в срок, перебоев с расходными материалами не было, никаких ЧП не произошло. «Вот мама порадовалась бы, — язвительно подумал Сергей. — То-то она меня корила, что стоит мне оказаться за порогом — и вся работа разваливается. Ничего у меня не разваливается, все налажено и действует бесперебойно».

— Вы акты и заключения проверяли? — спросил он будущего заместителя.

— Да, конечно, — кивнул Вихлянцев. — Всё как вы велели.

Поблагодарив Юрия Альбертовича, Сергей отпустил его в поликлинику вести амбулаторный прием, а сам попросил Светлану принести ему вторые экземпляры актов и заключений, выполненных в Бюро за время его отсутствия и направленных в правоохранительные органы. Действительно, на каждом титульном листе стояла дата проверки и подпись Вихлянцева. Молодец, Юрий Альбертович!

Он вернул папку со вторыми экземплярами секретарю и собрался было сходить в танатологию к Сумароковой, но Светлана остановила его странным вопросом:

— Вы уже возвращаете акты? Что, смотреть сами не будете?

Что-то в ее голосе насторожило Саблина. Он остановился и вопросительно посмотрел на нее.

— А вы считаете, что нужно?

Та глядела пристально своими ярко-изумрудными глазами, губы подрагивали в сдерживаемой усмешке.

— Я не имею права давать вам советы, но на вашем месте я бы посмотрела.

— Почему?

— Потому что Юрий Альбертович их вообще не читал. Он их только подписывал.

— С чего вы это взяли?

— А я время понимаю. — Она все-таки не выдержала и усмехнулась. — Меня, знаете ли, в раннем детстве мама научила на часы смотреть и в стрелках и циферблате разбираться. И я понимаю, что если человеку приносят на подпись акт на десяти страницах, а через три минуты этот акт уже подписан, то крайне маловероятно, что его читали. Или вы считаете по-другому? Я же помню, сколько времени нужно вам, чтобы прочитать акт или заключение от корки до корки. Или у нашего Юрия Альбертовича особые способности к быстрому чтению?

Саблин внимательно смотрел на Светлану. Ей уже за сорок. Всю жизнь она сидит в этой приемной, за этим столом, печатает то, что ей поручают, ведет делопроизводство, заполняет контрольные карточки, в качестве кадровика занимается личными делами сотрудников, заваривает для начальника и его посетителей чай и кофе, занимается йогой, выходит замуж и разводится... Что еще он знает о ней? Да ничего! Ему даже в голову никогда не приходило поинтересоваться, кто у нее муж или почему у нее до сих пор нет детей. А между тем эта женщина, почти его ровесница, знает о работе судебно-медицинских экспертов чуть ли не больше его самого, начальника этих самых экспертов. Она предана Бюро, она знает здесь всех и каждого, она наблюдательна и умна, она расторопна и исполнительна. Одним словом, она такая, каких не бывает. И почему он до сих пор пренебрегал возможностью прибегать к ее помощи? Неужели Ольга права и он действительно высокомерный сноб, который полагает человека без высшего образования не ровней себе, такому умному и грамотному?

— Света, — неожиданно произнес он, — у вас удивительно зеленые глаза. Я таких ни у кого никогда не встречал.

Она рассмеялась и тряхнула головой, при этом длинная челка упала на глаза, совершенно закрыв их.

— Это цветные контактные линзы, — призналась она. — У меня сильная близорукость. Разве вы не знали?

«Разве вы не знали?» Вот в том-то и дело, что не знал. Он вообще ничего ни о ком не знает. Он ничем и никем не интересуется, кроме своей работы судебного медика. Ему на все наплевать.

— Давайте мне папку, я посмотрю все акты и заключения сам, — решительно сказал он. — Чайку мне заварите, пожалуйста.

Поход в танатологию откладывался, Сергей вернулся в кабинет и принялся за чтение документов, прихлебывая крепкий сладкий чай с лимоном. Уже через полчаса ему стало понятно, что Вихлянцев эти документы действительно не читал. Во всяком случае, ни один уважающий себя специалист в области судебной медицины документы такого качества не завизировал бы. Нет, разумеется, далеко не все акты и заключения были с недостатками, но попадались и такие явные огрехи, которые просто невозможно было не заметить, если взять на себя труд прочесть документы хотя бы по диагонали. Если бы Сумарокова их просмотрела, она бы все это увидела, но Саблин давно уже завел порядок, в соответствии с которым на второй уровень контроля — контроль со стороны заведующих отделениями — поступали обычные рутинные случаи, скоропостижные смерти, побои на бытовой почве, то есть исследования в рамках доследственных проверок. Что же касается экспертиз, назначенных следствием, то их Сергей всегда проверял сам независимо от того, касались они трупов или живых лиц. И уезжая в отпуск, он ничего не изменил в этом порядке и не поручил Изабелле Савельевне тщательно контролировать работу танатологов по всем случаям без исключения. А коль специального указания не было, все решили, что эту часть своей работы начальник Бюро полностью передоверил Вихлянцеву на время своего отсутствия, поэтому заведующая отделением экспертизы трупов с чистой совестью передавала заключения на третий уровень контроля, то есть руководству в лице исполняющего обязанности начальника Бюро. Ну что ж, Саблин, опять получается, что ты виноват? Не дал указание, не подумал как следует, не все учел? Мысль оказалась болезненно непереносимой, и почему-то в памяти вдруг всплыли слова Ольги о том, что ему противопоказано испытывать чувство вины. Что она имела в виду? Почему противопоказано? И вообще, какое может быть чувство вины, если люди отказываются думать и принимать самостоятельные решения? Да, он не сказал, да, он не поручил, ну а сами-то что, не сообразили? Тоже мне, сотрудники с высшим образованием!

Но здесь уже ничего нельзя было исправить, акты и заключения ушли из Бюро в те органы, которые назначали исследования и экспертизы. А вот то, что из Бюро еще не ушло, следовало немедленно проверить. Саблин позвонил в регистратуру и попросил принести ему сданные для отправки акты и заключения. Их оказалось немного — документы из Бюро уходили обычно вовремя, не залеживались. Взяв первый же акт судебно-медицинского исследования, он с трудом справился с охватившей его яростью. Ну нельзя же так! Ставить причиной смерти первое, что приходит в голову из более или менее подходящего к обстоятельствам дела! Эдак и невинного человека недолго за решетку упрятать.

Жил-был человек, имел старшего брата-пьяницу и хорошую жену. Пьющий брат жил отдельно, но вот принесла его нелегкая как-то вечером в гости к младшему братику, явился он незваным, сильно пьяным, да еще бутылку с собой приволок. Младший брат не пил, не любил он это дело, да и на работу ему рано вставать, так что разделить алкогольные радости со старшим братом он отказался наотрез. Старший настаивал, младший отнекивался, старший, прихлебывая из горла и затейливо матерясь, делался все более агрессивным, полез в драку, пытаясь выяснить, кто кого тут уважает, и получил от младшего сдачи. Причем получил прилично. Отряхнулся, допил остатки из бутылки и завалился спать на постеленном ему матрасе в углу комнаты. Утром младший брат ушел на работу, старший тихо спал в своем углу, а около полудня позвонила перепуганная жена: она попыталась разбудить спящего, и оказалось, что он умер. Младший брат немедленно примчался домой, убедился в том, что жена не ошиблась с перепугу, и вызвал следственно-оперативную группу.

К акту была приложена копия протокола осмотра места происшествия, из которого следовало, что старший брат был обнаружен лежащим на матрасе, лицом вниз. На лице — потеки подсохшей крови и насыщенные кровоподтеки, такие же кровоподтеки были и на руках. Судебный медик Коля Гаврыш, работавший в Бюро всего два года, провел исследовательские манипуляции и заявил, что на момент осмотра трупа давность смерти определяется в 10—12 часов, то есть, учитывая, что труп осматривали около 13 часов, умер старший брат где-то в интервале между часом и тремя часами ночи. Скандал же с дракой, по свидетельству младшего брата и его жены, примерно в это время и произошел.

Тот же Коля Гаврыш, согласно правилу «кто выезжает на труп, тот и вскрывает», провел вскрытие и написал заключение, в соответствии с которым смерть старшего брата-алкаша наступила в результате закрытой черепно-мозговой травмы с кровоизлиянием под твердую и мягкую мозговые оболочки и ушибом вещества головного мозга. То есть по всему выходило, что младший брат, разозлившись на назойливого пьяницу, вмазал ему так крепко, что причинил травму черепа, повлекшую смерть. И для любого следователя и судьи, которые не обязаны разбираться в медицине, это будет именно так.

Однако Сергей Саблин был не следователем и не судьей, а именно медиком, поэтому сразу насторожился. Его не устраивали ни объем субдуральной гематомы — он был весьма невелик, — ни локализация субарахноидального кровоизлияния, ни отсутствие видимых очагов ушиба мозга, которые не обнаружились ни макроскопически, ни при судебно-гистологическом исследовании. По черепно-мозговым травмам Саблин и впрямь мог считаться самым знающим специалистом Бюро, ибо именно ими занимался в период подготовки кандидатской диссертации. Такой объем субдуральной гематомы, какой был указан в акте, совершенно недостаточен для развития смертельного сдавления мозга.

Зато результаты судебно-химического исследования показывали, что в крови трупа имелось 5,1 промилле этилового спирта, а в моче — целых 5,9 промилле, что являлось бесспорным доказательством того, что в момент наступления смерти старший брат пребывал в состоянии алкогольной интоксикации тяжелой степени. Тяжелой настолько, что умереть вполне мог как раз-таки от нее, а вовсе не от черепно-мозговой травмы.

Вызванный по его просьбе Коля Гаврыш, смазливый худенький блондин, вошел в кабинет с лицом настороженным и испуганным.

— Вызывали, Сергей Михайлович? — робко спросил он, протискиваясь в дверь.

Саблин издалека показал ему титульный лист акта.

— Узнаете?

— Ну да, — растерянно кивнул Гаврыш, заметно приободряясь.

— И на основании чего вы пришли к выводу, что причиной смерти является закрытая черепно-мозговая травма? — менторским тоном начал Сергей.

Коля принялся торопливо излагать все то, что Саблин уже прочел в акте: про субдуральное и субарахноидальное кровоизлияние, про ушиб вещества головного мозга, про странгуляционные борозды на миндалинах мозжечка... Сергей не стал дослушивать до конца.

— Николай Александрович, вероятно, я ослеп или отупел за время отпуска, но в вашем акте я не увидел ни одного указания на признаки ушиба вещества головного мозга. Вы их не видели глазами во время вскрытия, и их не нашли гистологи, когда смотрели в микроскоп. Может, у вас какой-то новый прибор завелся, который умеет видеть то, что недоступно ни человеческому глазу, ни электронному микроскопу? Так поделитесь с нами, не жадничайте.

Коля смотрел на него с обидой и недоумением.

— Но нас учили, что наличие субдурального и субарахноидального кровоизлияния уже само по себе может свидетельствовать об ушибе головного мозга. Кровоизлияния-то были, вот я и решил...

— Николай Александрович, — устало проговорил Сергей, — вас учили так, как учат клиницистов, которые не могут залезть в мозг и посмотреть, что там на самом деле, поэтому ориентируются на симптомы и клиническое течение. А вы — судебно-медицинский эксперт, проводящий вскрытие, вы исследуете открытый мозг и имеете все возможности посмотреть глазами, что там и как. И если вы не находите кровоизлияний в коре, то не имеете никаких оснований делать вывод об ушибе мозга.

— Ну, хорошо, — не сдавался Гаврыш, — а что надо было ставить причиной смерти при таких обстоятельствах? Два брата подрались, один врезал другому, тот и помер. Все же понятно.

Саблин открыл было рот, чтобы выдать очередную гневно-саркастическую тираду, когда звякнул спикерфон.

— Сергей Михайлович, — раздался голос Светланы, — к вам Лев Станиславович очень просится, ему буквально на одну секундочку, срочно нужна ваша подпись. Можно ему зайти или пусть придет попозже?

И тут же в памяти возник голос биолога Таскона, который, прикрыв глаза, с блаженной улыбкой на лице, нараспев цитировал известного судебного медика девятнадцатого века Армфельда. И цитата эта пришлась бы сейчас как нельзя более кстати.

— Пригласите Льва Станиславовича, — велел он.

Таскон вкатился в кабинет на коротеньких кривых ножках и с виноватым видом.

— Простите, ради бога, Сергей Михайлович, но у нас такая ситуация...

Сергей глянул в протянутый документ и согласно кивнул: ситуация действительно «горящая», а без его подписи действовать дальше невозможно. Он поставил под документом размашистый росчерк и снова нажал кнопку спикерфона:

— Света, заберите документ, пусть отвезут, куда следует.

Таскон еще больше смутился:

— Ну зачем, Сергей Михайлович, я бы сам... Зачем же Свету вызывать...

— А вас, Лев Станиславович, я попрошу задержаться на несколько минут, если вы не очень спешите.

— Что-то случилось? — насторожился эксперт-биолог.

— Помнится, вы мне приводили замечательные слова Армфельда о том, что эксперт не должен смешивать сомнительное и правдоподобное или как-то похоже... Я ничего не путаю?

— Нет, — с довольной улыбкой ответил Таскон, — не путаете, было такое. А что?

— Хочу попросить вас привести цитату полностью, а то у нас тут, изволите ли видеть, Николай Александрович увидел труп человека, про которого ему сказали, что он подрался и получил по морде, так он, ничтоже сумняшеся, ставит ему причиной смерти черепно-мозговую травму. Вот хочу, чтобы он послушал слова умного человека и подумал над правильностью своих выводов. Посодействуйте мне в воспитательном процессе, Лев Станиславович, уж будьте так любезны, — попросил Саблин голосом, полным ядовитого презрения к молодому эксперту.

Таскон прикрыл на мгновение глаза, вызывая в памяти нужную цитату, и начал нараспев декламировать:

— «Сколько раз достигалось то, что медицина освобождала невинных, которые без всякой вины подошли под подозрение преступления... причем делала это не на основании пустой гипотезы, но в результате твердого и определенного анализа».

— Вот, — встрял Саблин, — слышите, Николай Александрович? Не на основании пустой гипотезы, как это ухитрились сделать вы, а на основании твердого и определенного анализа. Там еще дальше было, Лев Станиславович...

— Да-да, — кивнул биолог, — сейчас. Вот. Армфельд предлагает в заключениях врачей не смешивать сомнительное с правдоподобным, а определенное не подменять правдоподобным. И приводит замечательный по своей яркости пример. Он писал так: «Определенно, например, что человек, у которого сердце проколото в двух местах, не причинил себе смерть собственной рукой, ибо никто, кроме неведающего всех законов физиологии, никогда не подумает, чтобы, вытащив нож или кинжал из раны, нанести себе новую рану. Наоборот, если ты обнаружишь человека, лежащего на постели и удушенного петлей, или убитого тупым или колотым орудием грубым и жестоким способом, или погруженного в воду со связанными руками и ногами, — все это будет только правдоподобно, что смерть его недобровольная, но еще не достоверно». Вы эту цитату имели в виду?

— Именно эту, — подтвердил Сергей. — Вам, Николай Александрович, повторяю более понятным языком, если вам трудно уследить за речевыми оборотами середины девятнадцатого века. Человек, ударивший себя ножом и попавший прямо в сердце, никогда, ни при каких условиях, ни в коем случае не станет вытаскивать нож и бить себя в сердце второй раз. Это — несомненно. А вот если человек решил утопиться наверняка, то он вполне может связать себе руки и ноги и броситься в воду, чтобы не было соблазна и возможности прекратить попытку. Поэтому при обнаружении в воде связанного утопленника мы ни в коем случае не имеем права определенно утверждать, что его злонамеренно утопили. Мы можем считать это предположение более или менее правдоподобным, но никак не определенным, пока не будет проведен подробный и точный анализ. Вы меня поняли?

Гаврыш посмотрел на него с плохо скрытой ненавистью. Сергей и сам не заметил, как стал уподобляться матери и разговаривать с подчиненным в той самой манере, которая так не нравилась ему самому и раздражала.

— Продолжайте, пожалуйста, Лев Станиславович, насколько я помню, это еще не все.

— Не все, — улыбнулся Таскон. — Эта неопределенность зависит, по мнению Армфельда, не от врача, а от неопределенности и ограниченности наших собственных знаний. «Ничего не следует требовать от судебного врача, что не содержалось бы в пределах медицины; последняя же знает многое, однако не знает всего... Судебные вопросы нередко ставятся таким образом, что не представляется возможным при ответах на них ни утверждать о природе явления, ни отрицать их. Следовательно, неопределенным является самый предмет, а не ответ врача-эксперта. Ведь кто говорит, что вещь неопределенная, он тоже дает определенный ответ. Кто объясняет, что данный факт можно истолковать в двух или трех направлениях, — разве он не дает никакого объяснения?.. Все, что вы знаете, как определенное и точное, смело утверждайте, как истину! Не выдавайте правдоподобное за определенное, не объясняйте, или лучше сказать, не запутывайте суждений произвольными и ложными гипотезами. Никогда не следует думать, что большая для вас похвала и больший почет в безосновательном утверждении или отрицании, чем в законном колебании или сомнении...» Вот теперь, кажется, все. Или вы хотите еще что-то услышать?

— Благодарю вас, Лев Станиславович, больше ничего. Сейчас я на пальцах разъясню Николаю Александровичу смысл того, что он услышал, но наверняка не понял. А потом скажу, что и как он должен сделать.

— Так я могу идти? — Таскон сделал движение по направлению к двери.

— Да-да, спасибо, что уделили нам время.

Таскон ушел, а Сергей нудным и исполненным поучительности голосом принялся втолковывать эксперту-танатологу, что есть вещи, которые медицине пока не известны, и если медик в рамках своей науки не может найти ответ на вопрос, то он не должен заниматься пустыми домыслами и высасывать заключение из пальца, а должен просто признаться, что ответа его наука не дает. И ничего стыдного нет в том, чтобы сомневаться или колебаться, если нет возможности дать точный и определенный ответ. Потому что лучше сомнения и колебания, это, по крайней мере, честнее, чем ответ, который упрячет невинного за решетку.

Гаврыш пыхтел и слушал, хотя было видно, что ему невыносимо скучно и муторно.

— Я все понял, — выдавил он, когда Сергей, наконец, закончил читать мораль. — Так что я должен написать в акте? Вы скажите, что написать, я переделаю. Но имейте в виду, Сергей Михайлович, вы нарушаете закон.

— Да-а-а? — делано изумился Саблин. — Да что вы говорите? А я и не заметил. И в чем же я, интересно, его нарушил?

— Никто не имеет права оказывать давление на эксперта, никто не может ему указывать, какие выводы он должен делать. Разве не так написано в законе?

Ох ты, грамотный какой! Он бы черепно-мозговую травму знал так хорошо, как законы, было бы больше пользы для дела. Но Саблин знал законы и инструкции не хуже, если даже не лучше.

— В законе именно так и написано, — вкрадчиво начал он. — Вы совершенно правы, уважаемый Николай Александрович, я вам скажу даже больше: в этом же федеральном законе написано, что руководитель экспертного учреждения не вправе давать эксперту указания, предрешающие содержание выводов по конкретной судебной экспертизе. А вы прочитали эту статью закона и обрадовались, что можете написать в заключении любую ахинею, которая не подтверждается ни результатами вскрытия, ни результатами дополнительных методов исследования, да? Нет, уважаемый, не можете вы писать то, что приходит вам в голову, но не имеет под собой никаких оснований. И данная статья закона, которую вы так нежно любите, не означает, что я обязан безропотно с этой ахинеей соглашаться. Я ваш начальник, и если я вижу, что вы допустили ошибку или чего-то не сделали, или сделали, но не в полном объеме, я буду заставлять вас переделывать заключение раз за разом, пока оно не покажется мне профессионально безупречным. И только после этого я разрешу отправить его по назначению.

— А чего я не сделал-то? — совсем по-детски спросил Коля Гаврыш.

Саблин встал и подошел к небольшому столику, заваленному специальной литературой, которой он постоянно пользовался и к которой обращался и когда сам писал заключения, и когда проверял работу экспертов. На самом верху, на видном месте лежала тонкая брошюра, Сергей всегда старался держать ее под рукой и не перекладывал, чтобы потом не искать.

— Вы сколько раз были у меня в кабинете? — спросил он строго.

— Ну... много раз. А что?

— Вот эти книги видели? А вот эту, которая сверху всегда лежит, тоже видели? Никогда не задумывались, почему она тут лежит все время, для чего я ее здесь держу?

Гаврыш молчал. Он хотел скорее уйти отсюда и совершенно не понимал, чего от него добивается начальник.

— Вам когда-нибудь приходило в голову поинтересоваться, что это за книги такие, которые у начальника Бюро всегда под рукой? Нет, вам не интересно, потому что вы не интересуетесь своей профессией и не уважаете ее. Но хотя бы плакат-то вы видели?

И Саблин указал на плакат на английском языке: «BE REASONABLE, DO IT MY WAY».

— Вам перевести?

— Не надо, — буркнул Гаврыш, — я знаю. Делать, как вы говорите.

— Так вот и делайте! — Саблин повысил голос. — Берите научную и справочную литературу и изучайте ее, пользуйтесь ею, там написано много нужного и полезного. Теперь перейдем к фактам. Доказательств ушиба мозга нет. Объем субдуральной гематомы слишком мал и совершенно недостаточен для того, чтобы вызвать сдавление мозга. Обнаруженные субарахноидальные кровоизлияния имеют очаговый характер. Все эти факты заставляют меня усомниться в выставленной вами причине смерти. Значит, надо поискать другую возможную причину. Я подчеркиваю — возможную. И вот если вы ее не найдете, тогда я соглашусь с вашими выводами.

Гаврыш поднял голову и с вызовом посмотрел на Саблина.

— И где я должен ее искать? В сердце? В легких? А может, в кишечнике? Вы хотите заставить меня найти заболевание, от которого человек умер, чтобы отмазать от суда его брата?

Это было прямое обвинение во взяточничестве, но Сергей не обратил на него внимания. Такие слова от своих подчиненных он слышал каждый раз, когда требовал либо обосновать выводы, либо их изменить. Вернее, сам-то он эти слова слышал только от родственников умерших, никто из подчиненных не смел сказать такое в глаза начальнику Бюро, но всеведущая Светлана непременно сообщала ему, когда кто-нибудь позволял себе подобное высказывание. Сегодня Саблин впервые услышал такое от эксперта. Ладно, с этим он потом разберется, сейчас главное — довести до ума исследование трупа и обосновать выводы о причине смерти.

— Я хочу, — медленно, ровным тоном заговорил он, — чтобы вы тщательно проверили возможность смерти от тяжелой алкогольной интоксикации.

— Но отек мозга...

— Отек мозга мог быть вызван именно тяжелой алкогольной интоксикацией, — ровный спокойный тон давался Саблину с трудом, ему пришлось крепко сжать в руке зажигалку — обычно это помогало контролировать себя. — Кроме того, вы, Николай Александрович, невнимательно отнеслись к заключению гистологов. Вам напомнить, что написано в их заключении?

Сергей нашел глазами нужное место в акте и зачитал его вслух.

— Это никак не картина черепно-мозговой травмы. Это в чистейшем виде картина алкогольной интоксикации. Это картина поражения внутренних органов.

Гаврыш, обманутый показным спокойствием начальника, снова попытался отстаивать свой диагноз.

— Но во всех руководствах написано, что смертельной концентрацией алкоголя в крови является шесть промилле и выше! А у него меньше. Не мог он умереть от интоксикации при такой низкой концентрации, всего пять и шесть десятых.

— Николай Александрович, если бы вы читали литературу по специальности, то знали бы, что проведенные исследования установили диапазон от трех до двадцати промилле. Так что ваши «шесть» можете засунуть себе в задницу. Все очень индивидуально и зависит от множества факторов, известны случаи смертей при трех с половиной промилле и известны случаи, когда человек оставался жив, имея восемнадцать этих самых промилле. И проявите благоразумие, Николай Александрович, сделайте так, как я говорю. Изучите то, что написали умные люди по данному вопросу, обдумайте как следует и только потом принимайте решение и формулируйте заключение. Потом, а не до того.

Гаврыш ушел, а Сергей еще некоторое время сидел за столом, тупо уставясь в следующий подлежащий проверке акт. Сосредоточиться на работе он не мог. Снова и снова прокручивал он в голове только что закончившуюся сцену, и на душе становилось все более мерзко. Эксперт смотрел на него с нескрываемой ненавистью. Почему? За что? За то, что заставил переделывать плохо сделанную работу? По идее, Коля должен был смутиться, устыдиться, просить извинения, обещать, что такое больше не повторится — он должен был выдать нормальную и вполне понятную реакцию человека, которого уличили в недобросовестности. А у него такая открытая, такая жгучая ненависть в глазах... Неужели мать права и его подчиненные ненавидят своего начальника? Он хотел, чтобы они его уважали. Хотел, чтобы боялись. Но при этом хотел, чтобы его еще и любили. Может быть, он хотел того, чего не может быть в принципе?

— In time we hate that which we often fear, — пробормотал он. — «Мы ненавидим тех, кого боимся». Шекспир, «Антоний и Клеопатра».

Он все-таки взял себя в руки и занялся текущими делами, просмотрел оставшиеся акты, серьезных огрехов не нашел и попросил Светлану принести копии приказов, которые Вихлянцев подписал в качестве исполняющего обязанности.

— Что, досталось нашему Колясику? — весело спросила секретарь, кладя перед Саблиным папку с надписью «Приказы». — Вышел от вас весь перевернутый. И правильно вы его уделали.

— Правильно? — удивился Сергей. — Почему? Не думал, что вы разбираетесь в судебной медицине. Вы не перестаете меня поражать, Светочка.

Теперь пришла ее очередь удивляться.

— А при чем тут судебная медицина?

— Ну как — при чем? Откуда вы могли узнать, что Коля Гаврыш напортачил с диагнозом? Значит, прочитали акт и все поняли.

— Да какой акт, Сергей Михайлович, Господь с вами! — Светлана всплеснула руками. — Я думала, вы его за пьянку отчехвостили.

Саблин нахмурился.

— За какую еще пьянку? Ну-ка, выкладывайте все, что знаете.

Светлана поведала ему, что во время отсутствия начальника Бюро эксперт Гаврыш Николай Александрович ушел в трехдневный запой не то по случаю какой-то личной драмы, не то ввиду какого-то семейного праздника типа свадьбы двоюродного брата. И все три дня не появлялся на работе, а когда на четвертый день появился, распространяя вокруг себя немыслимый «выхлоп», Вихлянцев немедленно поймал его, отвел к лаборантам-химикам и велел сдать анализ на предмет определения наличия алкоголя в крови. Получив вполне ожидаемый результат, он тут же составил акт о появлении эксперта на работе в нетрезвом состоянии. Акт об отсутствии на работе без уважительных причин и оправдательных документов Юрий Альбертович тоже не поленился составить.

— А разве вам Юрий Альбертович не сказал?

Саблин молча смотрел на секретаря. Какие еще сюрпризы принесет сегодняшний день?

— А про заявление что, тоже не сказал? Он же заставил Колясика написать заявление об уходе с открытой датой, чтобы в случае следующей провинности уволить его без всяких разговоров.

Ай да Юрий Альбертович! Еще раз молодец! Никому спуску не дает. Только непонятно, почему он, глядя на Саблина ясными глазами, уверял, что за время отсутствия начальника не произошло ни одного ЧП. А трехдневный пьяный прогул — это что, не ЧП?

Вихлянцев уже давно уехал в поликлинику, но Сергей решил не откладывать дело в долгий ящик и все выяснить до конца. Позвонил в отделение экспертизы живых лиц и попросил заведующего после окончания приема вновь вернуться в Бюро.

— Юрий Альбертович, что там с Гаврышем? — спросил он, когда Вихлянцев вошел в кабинет. — Прогул? Появление на работе в состоянии опьянения? Почему вы мне не доложили сегодня утром?

Вихлянцев, казалось, был смущен до чрезвычайности.

— Сергей Михайлович, не хотел я вас расстраивать. Сами понимаете, дело молодое, ну, сорвался мальчишка, с кем не бывает. Я подумал, не стоит из-за этого бучу поднимать.

— Может быть, — согласился Саблин. — Вы мне принесите, пожалуйста, акты, которые вы составили, и заявление Гавриша об уходе по собственному желанию тоже захватите, я хочу ознакомиться.

Юрий Альбертович побелел.

— У меня их нет, — тихо пробормотал он.

— То есть как — нет? — поднял брови Сергей. — А где они?

— Я их уничтожил.

— Зачем?

— Понимаете, Сергей Михайлович, пожалел я Колю. Ну правда ведь, он совсем еще пацан, у него детство в одном месте играет. Мне кажется, мы с вами как люди более зрелые должны быть снисходительны к шалостям молодежи. И потом, я строго поговорил с Колей, он раскаялся, просил прощения, клялся, что это больше не повторится никогда. И я его пожалел.

— И?

— Ну... я все документы уничтожил. И вам решил не говорить. Простите меня. Мне жаль, что так вышло.

— Как — так? — зло спросил Саблин. — Жалеют, что «так вышло» тогда, когда хотят, как лучше, а помимо их воли получается не очень хорошо. Вот тогда можно и посожалеть. А здесь помимо вашей воли не произошло ничего, все сделано вашими собственными руками: и то, что вы составили акты, и то, что вы их уничтожили, и то, что попытались от меня скрыть. Или вам жаль, что я узнал? Юрий Альбертович, вы прекрасно знаете, что я рассматриваю вашу кандидатуру на должность моего заместителя, поэтому оставляю вас исполнять обязанности начальника, чтобы убедиться в том, что вы справитесь с руководством Бюро в периоды моего отсутствия и будете надежным замом. То, что вы позволили себе меня обмануть, заставляет меня усомниться в правильности моего выбора. Идите и подумайте над тем, что произошло.

Однако Юрий Альбертович Вихлянцев был не из тех, кто моментально отступает и сдает позиции.

— Сергей Михайлович, если вы рассматриваете мою кандидатуру на должность вашего зама, то я считаю нужным поставить вас в известность о своих принципах построения отношений с людьми. Я настаиваю на том, что руководителю, как и любому наставнику или старшему товарищу, необходимо проявлять снисходительность.

Сергей пристально посмотрел на него. И еще раз молодец! Не пасует, не тушуется. Правда, добренький не в меру, но это ничего, пообтешется. Душевная мягкость гораздо меньший недостаток, нежели непорядочность.

— «Ничто греха не поощряет так, как милость», — сказал он. — Шекспир, «Тимон Афинский». Советую вам прислушаться к словам великого драматурга.

* * *

Я нашел, наконец, то, что искал. Яд, который действует спустя несколько дней и убивает наверняка. Причем можно даже не париться с дозировкой, если случайно сыпануть больше, чем нужно, смерть быстрее не наступит. Идеальное оружие!

Мне всегда нравилось экспериментировать, и отравляющие вещества, которые я использовал, я из-

готавливал сам. Но оказалось, что у моих ядов есть один существенный недостаток: они действовали быстро, и моя жертва, носитель мира, который я стремился разрушить, не успевала уйти далеко от того места, где я, ее неожиданный новый знакомец, подсыпал отраву в пищу или напиток. Понятно, что все это были заведения общепита: рестораны, кафе, бары, закусочные, кафетерии и тому подобное. И если носитель мира начинал умирать прямо на пороге заведения, то велик был риск, что начнут трясти всех посетителей, и кто-нибудь непременно вспомнит, что погибший сидел за столиком вместе со мной. Конечно, опознать меня невозможно, тут уж я постарался, принимал всегда облик, неотличимый от тысяч и тысяч других людей. Опишут очевидцы одежду — и толку? В такой одежде каждый второй ходит. А лица моего никто не видит, а если и видит, то не запоминает. Но все равно неприятно, заставляет нервничать, а нервничать я не люблю.

И я стал работать над ядом отставленного действия. В общем-то мысль о рицине пришла давно, я читал о нем и кое-что представлял, но поначалу почему-то мне казалось, что нужно сочетать его с другим ядом. И с чего я это взял? Наверное, мне просто жаль было отказываться от собственных оригинальных разработок. И вообще, я никогда не шел по проторенному пути, мне интересен поиск и эксперимент. Я комбинировал рицин с тем, что изобретал ранее. Результат получался всегда чрезвычайно любопытным, каждый раз неповторимым и непредсказуемым, но, к сожалению, влек за собой все те же негативные последствия.

Более того, я узнал, что разрушал миры не только избранных мною носителей, но и — попутно — некоторых других людей. И мне это страшно не понравилось. Когда один носитель умер прямо в ресторане, у владельца заведения начались крупные неприятности, его стали трясти Роспотребнадзор, санэпидстанция, менты с прокуратурой, подключилось Общество защиты прав потребителей, подняли в газетах страшный шум о недоброкачественных продуктах, из которых готовились блюда в этом ресторане, потом потянулась ниточка к поставщикам продуктов, их тоже замордовали, в ресторан перестали приходить посетители, у поставщика перестали закупать продукцию, в итоге оба разорились. Поставщик продуктов был вынужден продать дело и уехать подальше, чтобы начать все с начала, а ресторатор повесился от отчаяния, потому что не смог спасти свое любимое детище, которое пестовал много лет. Мне было жаль его. Я не хотел, чтобы у него были неприятности, и уж тем более не хотел его смерти. Я не испытываю ненависти к людям, наоборот, я их люблю, они замечательные, интересные, у них богатейший внутренний мир, который так радостно, так восхитительно разрушать...

Потом был еще один случай, когда я изменил пропорции и составляющие своей отравы, соединив рицин с химическим веществом, и носитель умер не в заведении, а по дороге домой. Уже лучше, но опять дотошные опера доперлись до кафешки, в которой я совершил свое действо. Кафешка, правда, доброго слова не стоила, но оказалась расположена не в том месте. Место уж больно хорошее, и помещение подходящее, на него давно уже зуб точила одна криминальная группировка, чего-то там они устроить хотели, не то баню с девочками, не то стриптиз-бар, не то еще какую-то подобную гадость. И наезжали они на хозяина кафешки регулярно, требовали продать им помещение. А владелец не уступал, самому, говорит, надо, место уж больно хорошее, посетителей всегда много, обороты большие получаются, где он еще столько денег заработает? Так и ходили они по кругу. А тут такая удача: скандал, человек отравился, опять же клиенты ходить перестали сразу же, выручка стремительно стала падать. И тогда хозяин кафешки решился на отчаянный шаг: сменил поставщика продуктов, стал закупать у другого по существенно более низким ценам, что позволило ему снизить цены и в самом кафе до такого уровня, что страх быть отравленным как-то померк перед возможностью нажраться до отвала практически даром. И все бы ничего, но ведь знал хозяин, что его новый поставщик — жучила и мошенник, торгует просроченным и испорченным, а главное — несертифицированным товаром, и можно в любой момент «попасть»... И он таки «попал»! В самый разгар следствия по делу об отравлении посетителя кафе нагрянул Роспотребнадзор с проверкой. А там... Короче, посадили хозяина. Так мало того, что посадили, на него еще и моего носителя навесили, хотя к его смерти он никакого отношения не имел. А впаяли ему не только несертифицированные продукты, но и смерть человека, якобы наступившую именно из-за этих самых продуктов. И никак он не смог доказать, что продукты от поставщика-мошенника появились в его кафешке куда позже. Он уж и документы показывал о том, с какого числа начал брать у того продукты, а ему следователь говорит: мало ли чего ты нам показываешь, может, ты малую часть брал в нормальной фирме, а основной массив гнал из гнилых продуктов, которые закупал за копейки. Потому у тебя и навар был в твоем заведении, потому ты его и продавать не хотел. Короче, никто его слушать не стал, а срок впаяли. И его мне тоже очень жалко.

Не хотел я, чтобы у людей были проблемы. И еще мне не нравится, что мой план в процессе реализации выходит из-под контроля. Я сам выбираю носителя мира, который буду уничтожать, я сам намечаю жертву, и меня ломает, когда действо утрачивает первозданную чистоту и ясность форм. Зачем менты в общепите? Зачем срок хозяину кафе? Почему повесился ресторатор? Я этого не планировал! Это портило общую картину и лишало меня уверенности в том, что я все контролирую и полностью управляю ситуацией. Последствия, не предусмотренные моим планом, не имеют права наступать.

Поэтому мне пришлось расстаться с мыслью о дальнейшем использовании моих разработок. Жаль, но ничего не поделаешь.

Теперь в моих руках рицин. Только один рицин. Без всяких примесей, чистый и великолепный в своей смертоносной силе.

А начальник Бюро судмедэкспертизы — занятный мужичок... Весь соткан из противоречий. Сложный такой, неоднозначный. И мир, носителем которого он является, наверное, очень глубокий и многогранный, красочный и многозвучный. Надо будет о нем как-нибудь подумать...

* * *

— Господи, какая же ты красивая!

Юрий Вихлянцев ласково провел пальцами по бедру и голени женщины, лежащей рядом с ним в постели. Их связь длилась уже несколько лет, но слова восхищения и нежности не иссякали.

— Юра, ты меня смущаешь, — ответила она, натягивая одеяло на грудь.

— Ну почему, любимая? Почему тебя смущает, что ты — красивая женщина?

— Ты знаешь почему, — строго ответила она, но глаза ее улыбались и смотрели на Юрия с любовью и теплотой.

— Принести тебе кофе? Или соку? С конфеткой, да? Ты же любишь конфетку съесть после этого.

Она благодарно рассмеялась и прижала к себе его голову, стала перебирать густые темные волосы.

— Ты — потрясающий любовник. Ты всегда умеешь сделать так, что я чувствую себя королевой.

Она подняла его голову и пристально посмотрела в глаза Вихлянцеву. Потом добавила почти шепотом:

— Хотя ею и не являюсь. И это тебе тоже прекрасно известно.

Он высвободился из объятий, накинул халат и направился в кухню, но на пороге комнаты остановился и обернулся к женщине:

— Мне известно одно: я тебя люблю, и для меня ты всегда королева. Была, есть и будешь. Тебе конфетки принести с ромом или с орешками?

Она откинулась на подушку и блаженно потянулась.

— С орешками.

Юрий вышел на кухню и начал собирать на поднос вазочку с конфетами, сахарницу, молочник... Когда в кармане халата завибрировал мобильник, он от неожиданности чуть не выронил из рук чашку с горячим кофе.

— Как у нас дела? — послышался знакомый голос.

— Все в порядке, как и договаривались.

— То есть вы все сделали?

— Естественно. Я всегда делаю то, что обещаю. Надеюсь на такое же отношение с вашей стороны.

— Ну, это уж вы не сомневайтесь. Сегодня вечером получите все, что вам причитается. Или вам удобнее завтра?

Вихлянцев задумался. Свидание в самом разгаре, пока они кофе выпьют, пока поворкуют, потом, возможно, будет еще один сексуальный заход... К себе в общагу он отправится не раньше одиннадцати вечера, это будет уже совсем поздно для деловых встреч. С другой стороны, если все завершить уже сегодня, то он ляжет спать обладателем новой немаленькой суммы денег, которую можно будет присоединить к уже имеющейся. Пожалуй, не стоит откладывать до завтра, сон слаще будет.

— Давайте сегодня, — решительно ответил он. — Только попозже, я сейчас занят.

Он принес поднос с кофе и конфетами в спальню и присел на краешек кровати.

— Просто поразительно, — проговорил он, ласково глядя на женщину, — я отсутствовал всего минут пятнадцать, а соскучился по тебе, словно целую вечность не видел.

Он не любил ее. Но умел вести себя правильно.

* * *

Саблину очень хотелось обсудить с Ольгой неожиданный ответ московских химиков-токсикологов, но оказалось, что пока он проводил время в Москве, тяжело заболела ее родственница, молодая женщина, год назад родившая ребенка. Мужа у нее не было, родителей тоже — была только мама, которая умерла года четыре назад. Жила она в том самом провинциальном городе, откуда родом была и сама Ольга, и родственники, не очень близкие, но добрые и сочувствующие, с ног сбились, пытаясь организовать заболевшей квалифицированную медицинскую помощь. Однако сделать это было не так-то просто, и родители Ольги — со своей стороны, а сама Ольга — со своей постоянно связывались с ними по телефону, обсуждали состояние молодой мамы, давали советы, посылали деньги, дотошно выспрашивали обо всех показателях анализов крови, одним словом, семья Бондарей была целиком и полностью погружена в решение проблемы больной родственницы. Ольга ничего не говорила Саблину, пока он был в Москве, а когда вернулся, то понял по ее озабоченному и расстроенному лицу, что ей не до разговоров и что все мысли ее сейчас очень далеко. Конечно же, она спросила о результатах исследования сразу же, едва Сергей переступил порог квартиры, но выражение глаз ее было при этом отсутствующим, и он не стал вдаваться в подробности, ограничившись коротким ответом:

— Обнаружили рицин. Мне нужно подумать, что с этим делать.

Она молча кивнула и больше ничего не спрашивала, тут же погрузившись в чтение раскрытого толстого тома монографии, посвященной тому самому заболеванию, которое было диагностировано у ее троюродной сестры.

Саблин терпел два дня, на большее его выдержки не хватило, и на третий день он попытался поговорить с ней о рицине. Ольга выслушала его, но ничего конструктивного не предложила.

— Получается, что объективных патоморфологических признаков отравления рицином не существует? — сделала она вывод. — А если и есть, то только косвенные?

— В том-то и дело! Традиционными методами химического исследования этот яд определить невозможно, потому что он очень быстро метаболизируется. А тот метод, которым его определили в Москве, вообще совершенно новый и никому не известен. Я много чего успел прочесть про эту гадость. При исследовании биологической активности рицина установили, что он способен вызывать агглютинацию эритроцитов, но это не специфический признак, сама понимаешь.

— Ну да, — кивнула Ольга, — агглютинация эритроцитов может быть вызвана переливанием несоответствующей крови, вирусными инфекциями, да много чем, вплоть до изменений условий окружающей среды. И самое противное, что среди агглютиногенов действительно много растительных, которые содержатся в распространенных и доступных растениях.

— Но рицин был первым из обнаруженных, — заметил Саблин, — он — первый из открытых растительных гликопротеидов, им еще в Первую мировую войну ученые начали заниматься. Он их привлекал именно своей высокой токсичностью, с одной стороны, и доступностью — с другой.

— Так это же почти сто лет! — удивилась Ольга. — Неужели за сто лет ученые не продвинулись в плане разработки методик его выявления?

— Ну, как видишь, продвинулись только недавно, — уклончиво ответил он, памятуя о своем обещании не распространяться о том, где, кто и каким способом произвел исследование в Москве.

Разумеется, Ольга никоим образом не относилась к людям, от которых Саблин намеревался скрывать что бы то ни было, тем паче она отлично знала, каким образом ему удалось устроить проведение исследования биожидкостей от трупа Кудиярова, но детали он излагать не стал.

— А клиническая картина совпадает? — спросила она. — Все-таки ты рассказываешь про этот рицин такие вещи, что слабо верится. Ну откуда он мог попасть в организм обыкновенного мастера-взрывника на Крайнем Севере? Как? Зачем? Этим средством интересуются военные, они им владеют и его применяют, ну, еще спецслужбы, вероятно. А у нас-то на Дне города он откуда взялся? Может быть, это все-таки ошибка и Кудияров был отравлен чем-то другим?

— Оль, ну чем другим? Вот смотри: во всех материалах, которые я прочитал, написано, что при отравлении рицином наблюдается симптоматика острого энтероколита, боли в животе, рвота, понос. Все это было у Кудиярова. Кроме того, быстро нарастают симптомы тяжелого обезвоживания организма и интоксикации, развивается отек головного мозга и, как следствие, появляются судороги, токсическое поражение печени и нарушение мочевыделительной функции вплоть до полного отсутствия мочи. И все это мы имели у Кудиярова. Мочевой пузырь к моменту вскрытия вообще пуст, а по меддокументам видно, что мочевыделение за несколько часов до смерти полностью прекратилось.

— Погоди, Саблин, но ведь то, что ты описываешь, характерно и для ботулизма. Анализ на ботулотоксин делали?

— Ну а то! Конечно, делали. Нет его там и не было. И кстати, такая симптоматика и так быстро при ботулизме развивается только у детей, а Кудияров был взрослым мужиком. Короче, Оль, я в тупике. Не знаю, что делать. Результаты есть, а как их к делу привязать и вообще довести до сведения следствия — ума не приложу. Разглашать ничего нельзя. Дурацкая ситуация какая-то.

Ольга помолчала, потом вскинула голову:

— Слушай, а почему бы тебе не поговорить с сыном Кашириной? Он же химические экспертизы делает, значит, в химии разбирается, в отличие от нас с тобой. А вдруг он придумает какую-нибудь хитрую штуку, при помощи которой все-таки можно обнаружить рицин в биожидкостях? Ты в Москву все отвез? Или хоть что-нибудь оставил в Бюро?

Саблина бросило в жар, даже подмышки вспотели. И тут же волна облегчения остудила его: ну конечно же, он отвез в Москву не все, что оставалось после судебно-химической экспертизы. Как Бог отвел! Ведь собирался взять все, но в последний момент почему-то передумал. А ведь Оля подала дельную мысль. Глебу Морачевскому можно ничего не рассказывать про московскую лабораторию, наврать, что когда-то читал что-то про рицин, и вот вдруг вспомнил, какая клиника описывалась, и подумал, что все очень похоже... Ну, короче, что-то в этом роде. Главное, поставить перед Глебом задачу: если известно, что нужно искать именно рицин, то можно ли его обнаружить? А вдруг он и в самом деле придумает какой-нибудь изящный и нестандартный способ? Все-таки одно дело — определять рицин, когда не знаешь, что именно ищешь, и совсем другое, если есть образец для сравнения и известна его формула. Тогда можно будет провести исследование в Северогорске, совершенно официально, силами Бюро и по инициативе Саблина. Все законно, с этим можно будет идти в прокуратуру, а секретность окажется соблюдена.

Вопрос только в том, захочет ли Глеб ему помогать. У парня и без того работы по горло, а тут рицин какой-то, да еще в свободное время... Но Саблин встречался с сыном Татьяны Геннадьевны за последние годы много раз — и дежурили вместе, и празднуники отмечали в «правоохранительном коллективе», и был уверен, что эксперт-криминалист такой же фанат своей профессии, как и сам Сергей. Они обязательно найдут общий язык.

* * *

От предложения посидеть в спортбаре, чтобы обсудить один любопытный вопрос, Глеб Морачевский виноватым голосом отказался: пиво он не пьет, так что делать ему там особо нечего.

— Ты говорил, что часто там бываешь, — разочарованно заметил Саблин. За время, прошедшее после того инцидента с дракой в баре, они успели перейти на «ты».

— Бываю, — согласился Глеб, — но очень коротко, только если надо с кем-то пересечься и что-то быстро обсудить. Я вообще не любитель пивных посиделок. И шумных мест не люблю.

В этом они с Саблиным были схожи.

— Тогда назови место, где тебе удобно поговорить. Хочешь, я тебя к себе домой приглашу, Ольга пельменей налепит, поедим и поговорим. Или хочешь — к тебе на работу зайду вечерком, когда твои коллеги по домам разойдутся и никто нам не помешает.

— Не помешает? — переспросил Глеб с нескрываемым любопытством. — А что, что-то серьезное? Или сверхсекретное?

— И то, и другое.

Эксперт моментально сделался серьезным.

— Тогда давай у меня в кабинете. Даже если кто-то из ребят задержится, мы сможем перейти в лабораторию, там хоть и тесновато, но уж точно никто не помешает.

И вечером, часов в восемь, Саблин отправился в здание отдела внутренних дел, где на третьем этаже размещался экспертно-криминалистический центр. Глеб как в воду глядел: в общем кабинете работал до сих пор не ушедший домой криминалист, выполнявший срочное исследование. Прихватив с собой стул и табуретку, Сергей с Глебом укрылись в лаборатории — тесном помещении, заставленном лабораторными шкафами с реактивами, мензурками, пипетками и прочими необходимыми при лабораторных исследованиях предметами. Здесь же каким-то немыслимым образом поместились холодильник, вытяжной шкаф, обеспечивающий усиленную принудительную вытяжку, и лабораторные столы. В углу — раковина с краном. Сергей заметил и электронные весы, показывающие результат с точностью до тысячной доли грамма.

— Располагайся, — пригласил Глеб, ставя табурет рядом с раковиной. Для стула, на котором должен был сидеть Саблин, оставалось совсем немного места, но ему удалось кое-как пристроить свою массивную фигуру и при этом ничего не уронить и не разбить.

Услышав, с какой проблемой явился к нему судебно-медицинский эксперт, Глеб на несколько секунд призадумался, потом хмыкнул.

— Вообще-то я про рицин что-то слышал, даже, кажется, читал, но очень давно, все из головы вылетело. Вроде тогда писали, что нет ни противоядия, ни методов обнаружения. Но это когда было-то... Неужели до сих пор ничего не придумали?

Противоядие удалось получить техасским ученым, но в производство разработка не пошла — слишком трудно и дорого, так что можно было считать, что противоядия как не было, так и нет. А вот метод обнаружения был, но распространяться об этом нельзя.

— Ничего, — покривил душой Саблин. — Но я подумал, что при решении сверхсложных задач ответ зачастую лежит на поверхности, просто его никто не видит, потому что все уверены, что задачу такой сложности можно решить только сверхсложными методами и при помощи новейшей аппаратуры. А вдруг можно придумать что-нибудь простое и элегантное? Ведь если знать, что ищешь именно рицин, то и задача формулируется по-другому.

— Ну, в принципе, да, — протянул Морачевский.

Он сидел, положив локоть на край раковины, сосредоточенный и спокойный, как человек, который просто воспринимает нужную информацию и старается ничего не упустить. Глаза его, неопределенного зеленовато-серого цвета, с ярким темным ободком вокруг радужки, смотрели на Саблина пристально и внимательно.

— Расскажи, что это за фигня такая — рицин, — попросил он. — Может, у меня по мере твоего рассказа что-нибудь в памяти всплывет, а то помню только название и то, что не выявляется и антидотов нет. А больше ничего.

Саблин принялся методично пересказывать сведения, почерпнутые из Интернета, избегая медицинских и особенно патолого-анатомических подробностей: все равно Морачевский не медик, он ничего в этом не поймет, и какой смысл тратить время на объяснения всяких тонкостей про агглютиногены, геморрагический диатез, токсическое поражение печени и анурию. Он говорил уже минут двадцать, когда лицо Морачевского внезапно прояснилось. Он вскочил с табурета и жестом победителя вскинул вверх правую руку с ладонью, сжатой в кулак.

— Йес!!!

— Ты чего? — удивился Саблин.

— Я вспомнил! Ты представляешь, какая классная штука наша память? Вот ведь уверен был, что все забыл, и вдруг зацепился за слова «укол зонтиком» и вспомнил все, что когда-то прочитал. Я даже вспомнил, что самым распространенным сортом клещевины, который разводят на Украине, а у нас — в Краснодарском крае, является «казачка». Но вообще-то родиной клещевины является Восточная Африка, она там до сих пор встречается в диком виде. Рицин именуется рицином, потому что по-латыни «ricinus» означает «клещ». У этого растения семена по форме напоминают восточного клеща, потому так и назвали — клещевиной. И известно оно с древнейших времен. Семена клещевины даже в гробницах египетских фараонов находили. Клещевина обыкновенная — это самое ядовитое из всех семенных растений, точно? Я правильно вспомнил?

— Правильно, — с облегчением улыбнулся Саблин.

В этот момент им овладела уверенность, что он не ошибся. Глеб из тех людей, которым, как и самому Саблину, интересны нерешаемые задачи. Он обязательно возьмется помочь. И обязательно что-нибудь придумает.

— И еще я вспомнил, — рассмеялся Морачевский, — что клещевину используют как техническую культуру для получения касторового масла. Слушай, это ведь даже представить себе невозможно: обыкновенная касторка, которая продается в любой аптеке и которую пьют как слабительное, — и смертельный яд, от которого нет спасения. В голове не укладывается.

— Ну, вообще-то насчет того, что «нет спасения», я бы не стал так категорично утверждать, — поправил его Сергей.

— Так ты же сказал, что противоядия нет.

— Противоядия — нет, но разные источники дают разную информацию о том, насколько рицин смертелен. В некоторых написано, что он абсолютно смертелен, если нет противоядия, а в некоторых — что если смерть не наступила в течение пяти дней, то вероятность выздоровления достаточно высока. В общем, Глеб, ситуация такая: никто ничего точно не знает, никто ничего с уверенностью сказать не может.

— Супер! — Глеб заметно оживился, в его глазах заиграл огонь, так хорошо знакомый Саблину: огонь исследователя и первооткрывателя, которому предстоит войти в дремучие джунгли, где растут неизвестно какие ядовитые растения и водятся неизвестно какие хищные и опасные твари.

Сергей не ошибся. В сыне Татьяны Геннадьевны Кашириной он нашел надежного соратника.

* * *

Ольга поговорила по телефону с матерью и осторожно положила аппарат на стол, словно он мог взорваться от малейшего сотрясения. Решение она приняла в первое же мгновение, но уже секундой позже испугалась и заколебалась. Сможет ли она стать хорошей матерью внезапно осиротевшему годовалому малышу? Сможет ли бросить Саблина, с которым прожила столько лет, и вернуться в Москву? Ей так хотелось иметь ребенка! Но она, зная характер Сергея, поставила крест на этой мысли: нельзя заставлять его рваться между двумя детьми, между двумя семьями. До тех пор, пока речь шла только о двух женщинах, ему было проще. Такая ноша ему вполне по силам. Двое детей от разных женщин — это ноша, с которой он не справится при своем чувстве долга и ответственности. Она, в общем-то, смирилась с тем, что детей у нее не будет и радость материнства останется для нее просто несбывшейся мечтой. Но Ольга Бондарь точно знала: ее Сергей, ее любимый мужчина, мучается угрызениями совести из-за того, что она не рожает. Он не разводится — и у нее нет детей. Может быть, пора освободить его от этой тяжести, от чувства вины, которое для Саблина совершенно непереносимо?

Ольга не знала, как поступить, а решение следовало принимать быстро, пока не завертелась чугунно-непробиваемая система опеки, которая постарается немедленно ухватить малыша и отправить в дом ребенка, а оттуда — в детский дом. Придется потратить определенное время на увольнение и перевод в Москву, что тоже не в один день делается, поэтому терять нельзя ни одного часа. Если делать — то делать немедленно, принимать решение, звонить родственникам, обещать, что возьмет ребенка, просить их обратиться в органы опеки с просьбой помочь подготовить все необходимые документы для того, чтобы передать малыша на усыновление ей, троюродной сестре умершей матери.

Хорошо, что Саблина нет дома. Он договорился о встрече с экспертом-криминалистом Морачевским и придет сегодня поздно, у нее есть время до его прихода определиться. Потому что если уезжать, то сказать об этом нужно сразу. Это будет правильно.

Телефон зазвонил снова, и Ольга схватила трубку, не посмотрев на дисплей, уверена была, что это или снова мама звонит, или родня из того города, где жила сестра. Но в трубке зазвучал энергичный голосок Ванды, которая спросила, может ли она зайти в гости, она тут неподалеку проезжает. В первый раз за все годы Ольга не была рада ее видеть и собралась было отказать, сославшись на занятость, или вообще соврать, что она не дома, поскольку звонила Ванда на мобильный телефон, но почему-то вместо этого сказала:

— Конечно, заезжай, кофейку выпьем, я как раз бисквиты вчера испекла.

Ванда появилась через пятнадцать минут и сразу увидела, что ее подруга расстроена. Ольга не собиралась посвящать молоденькую пустоголовую Ванду в свои планы и уж тем более делиться с ней колебаниями и сомнениями, однако, сама не зная почему, вдруг взяла и все рассказала. Где-то на задворках сознания мелькнула мысль: мы же всегда стараемся проконсультировать «стекла», если сомневаемся, не уверены или не знаем, мы понимаем, что сторонний глаз может увидеть то, чего ты не заметил. А вдруг Ванда со своим чудноватым менталитетом увидит ситуацию как-то иначе? А вдруг у нее найдутся какие-то аргументы, которые не приходили Ольге в голову, но которые помогут принять решение?

Ванда полностью поддержала ее.

— Конечно, поезжай, Ольгуша, о чем тут думать-то? Ребеночек — он же маленький, беззащитный, его растить надо, опекать, поддерживать, а Сережка твой здоровенный бугаина, он и без тебя справится, не пропадет. Ты же помнишь, он сам всегда говорит, что помогать надо слабому, потому что сильный сам себе поможет. А Сережка у тебя сильный. И потом, ты, может, еще и с ребеночком сюда вернешься, будете жить втроем, чем плохо? Будете как настоящая семья, сначала этого малыша возьмете, потом своего родите, и будет семья с детками.

— Да у Сергея есть уже семья, и ребенок у него есть, — вздохнула Ольга. — Вторая семья ему не нужна.

— Ну и ладно, и не надо, сама вырастишь, и не хуже других будет. Ты же такая умная, Ольгуша, ты такая ловкая, ты все знаешь и умеешь, из тебя получится превосходная мать, да ты такого ребенка вырастишь — все попадают от зависти. И красивый будет, и здоровый, и образованный, и карьеру сделает, и тебя еще на старости лет будет содержать. И потом, у тебя тоже еще все может сложиться, в Москве-то мужиков в разы больше, чем тут у нас, в Северогорске, там выбор ого-го какой! А если уж здесь у тебя поклонники были, то там-то наверняка все будет в полном порядке.

Ольга умом понимала, что Ванда говорит глупости, но почему-то от этих глупостей ей становилось легче. И решение показалось ей простым и ясным: она уедет отсюда, вернется в Москву и усыновит ребенка умершей сестры.

Они пили кофе с бисквитами и обсуждали, как построить жизнь в Москве с маленьким ребенком, и Ольге было тепло и уютно от этих разговоров, приближавших с каждой секундой, с каждым произнесенным словом исполнение ее мечты. Едва в дверном замке клацнул ключ, Ванда засобиралась уходить.

— У вас тут сейчас сцена будет, — испуганно прошептала она, — боюсь, как бы мне попутно не досталось.

Она торопливо схватила висящую в прихожей легкую ветровку, сунула ноги в туфельки-«балетки» и быстро прошмыгнула мимо вошедшего в прихожую Сергея.

— Оля, ты мне подала совершенно гениальную идею обратиться к сыну Кашириной, — радостно сообщил он прямо с порога. — Ванда, кукла, ты куда убегаешь? Это я тебя так напугал?

— Извини, Сереж, — бросила она, опрометью спускаясь по ступенькам лестницы, — мне пора, я опаздываю!

Сергей только усмехнулся и пожал плечами.

— Чего она убежала-то? Меня боится, что ли? Небось приходила с какой-нибудь новой суперидеей типа создать сайт тех, кто пережил клиническую смерть и готов поделиться впечатлениями. Такой клуб «заглянувших ТУДА». Нет?

Ольга молча стояла в дверном проеме на пороге комнаты и смотрела на него печально и как-то отстраненно. Он еще пытался рассказать ей о встрече с Глебом, но вдруг осекся.

— Оль, ты что? Что-то случилось?

Она помолчала, потом разомкнула губы, и это движение далось ей с огромным трудом. Вот сейчас она скажет ему. Должна сказать. Нельзя не сказать, если решение принято, это будет нечестно. Он начнет рассказывать про свою работу, про рицин, про Глеба и будет думать, что все — как обычно, и завтра будет так же, и послезавтра, и через месяц, и через год. А она уже точно знает, что так не будет. И если она сейчас промолчит, получится, что она Сергея обманула.

— Я уезжаю, Саблин. Сестра умерла сегодня утром, ребенок остался сиротой. Я возвращаюсь в Москву. Усыновлю мальчика и буду его растить.

Он побледнел и замер. Ольга заметила, что у него затряслись руки.

— То есть ты меня бросаешь? — спросил он каким-то чужим голосом.

— Нет, я тебя освобождаю. Теперь ты можешь жить в полном соответствии со своими моральными принципами и не думать о том, что причиняешь этим кому-то боль. Тебе будет легче без меня, ты, по крайней мере, будешь точно знать, что я не лишаюсь возможности воспитать ребенка из-за того, что ты не можешь развестись с Леной.

Он молча кивнул, прошел мимо нее в комнату и с грохотом закрыл за собой дверь. Ольга осталась стоять в прихожей. Она столько лет знала Саблина, что не сомневалась ни минуты: сейчас он, не раздеваясь, ляжет на диван и отвернется к стене. До утра он не произнесет ни слова. А она до утра просидит на кухне за столом, обдумывая свои дальнейшие шаги, составляя планы, уточняя детали, чтобы утром явиться на работу полностью готовой ко всем разговорам и объяснениям с руководством и с коллегами. Заснуть она все равно не сможет.

ГЛАВА 4

Ольга уехала. Саблин даже не предполагал, что может быть так больно. Он похудел, почернел, глаза ввалились, сон пропал окончательно. В Бюро к нему боялись подходить и предпочитали не попадаться на глаза: он был невыносимо резок и груб. Хорошо, что стояла ранняя сухая осень, и Сергей каждый день после работы выезжал на своем байке на бетонку и мчался с такой скоростью, что думать ни о чем было уже невозможно — ветром из головы выдувало все мысли.

Прошла неделя с того дня, как он отвез Ольгу в аэропорт, когда в дверь квартиры вечером позвонили и на пороге возникла Ванда. Пришла без предупреждения и без разрешения, чем страшно разозлила Сергея: его коробила такая манера, в Москве это не принято, и хотя он давно уже жил в Северогорске, все равно помнил столичные правила поведения. Ванда радостно впорхнула в прихожую, нагруженная сумками с продуктами, частью купленными в магазине, частью приготовленными дома.

— Сидишь, наверное, голодный, — уверенно говорила она, снимая плащ и скидывая с ног туфельки. — Давай я тебя покормлю и в квартире уберусь, у тебя тут настоящая конюшня. И рубашки давай постираю.

Сергей растерялся перед подобным натиском и, вместо того, чтобы выпроводить непрошеную гостью, зачем-то пустился в объяснения.

— Да у меня стиральная машина, я сам справляюсь...

— Ну, тогда давай поглажу. И вообще, Сережа, ты на меня можешь рассчитывать.

При этих словах он насторожился. О чем это она?

— Это в каком же смысле? — спросил он, недобро прищурившись.

Ванда, конечно, казалась ему абсолютной дурой, однако смысл вопроса она поняла и расхохоталась.

— Да нет, ты не понял, Сережа, я ни на что не претендую, у меня все в полном порядке, и спонсор есть... нет, даже два, кажется... точно, два, и третий на подходе. Мне от тебя ничего не нужно, тем более Ольгуша моя подруга, которую я люблю и очень уважаю, так что я бы никогда... Но если тебе нужно... Ну, в медицинском смысле... Понимаешь, о чем я?

Он молча кивнул, с интересом ожидая продолжения.

— Так я всегда пожалуйста, даже не сомневайся. Я же понимаю, что тебе может быть нужно, ты же здоровый мужик, нормальный во всех смыслах, а Ольгуша уехала, ну что тебе, с панели девок таскать или на работе крутить? А так я приду и быстренько все сделаю по первому требованию, так что ты имей в виду, ладно? И ни о чем не беспокойся, я здоровая, могу справку принести. И вообще, не думай, что я на твою невинность покушаюсь, ты для меня старый.

— Ой-ой-ой, можно подумать, твои спонсоры моложе меня, — хмыкнул Сергей.

— Да ты что! — Ванда возмущенно округлила глаза. — Конечно, они старше, вопросов нет. Но это же спонсоры! Почувствуйте разницу. Спонсор может быть любого возраста, а мужчина для души все-таки не должен быть старым. Ты же в спонсоры не годишься, у тебя финансовый статус не тот.

— То есть я старый? — уточнил Сергей, не понимая, то ли ему обидно, то ли смешно.

— Ну, для роли мужчины для души — конечно, старый, — уверенно ответила Ванда.

— А как же ты собираешься... ну, то, что ты предлагала?..

— Так это же не для души, это для дела, — обстоятельно, как маленькому ребенку, принялась объяснять она. — Это для твоего здоровья и психологического равновесия. Типа благотворительности.

— А-а-а, — протянул он с улыбкой. — Теперь понял. То есть бесплатно?

— Совершенно, — искренне ответила она, не чуя подвоха. — И вообще, Сережа, ну почему ты все время все усложняешь? Будь проще — и люди к тебе потянутся.

— Я не хочу быть проще. И не хочу, чтобы люди ко мне тянулись. Я — волк-одиночка и прекрасно чувствую себя без всех этих людей.

— Дурак ты.

Его немного отпустило. Все-таки Оля была права, Ванда — как солнышко, вдруг в пасмурный день выглядывающее из-за тяжелых мрачных облаков, несет с собой радость, легкость и улыбку. Сергей позволил ей приготовить ему ужин и съел его не без удовольствия: за неделю «холостой» жизни он даже яичницу себе не приготовил, питался исключительно бутербродами, которые запивал огромным количеством чая. Поэтому нормально приготовленная еда, даже не особенно вкусная, показалась ему деликатесом. После ужина Ванда вымыла посуду и настояла-таки на том, чтобы погладить постиранные в машине саблинские сорочки.

— Сегодня уже поздно, — заявила она, закончив глажку и оглядывая комнату, — с уборкой затеваться не буду. Но живешь ты, Сережка, по-свински, нельзя так. Завтра я работаю с десяти утра до десяти вечера, а послезавтра приду часиков в семь, покормлю тебя и наведу тут чистоту, а то так и завшиветь недолго.

Конечно, это было преувеличением, по саблинским меркам квартира выглядела вполне прилично, комья пыли не громоздились в углах и не перекатывались под ногами при каждом открывании форточки, а то, что кругом разбросаны книги и предметы одежды — так это нормально, обычный художественный беспорядок.

— Значит, я послезавтра у тебя сделаю уборку, — говорила Ванда, одеваясь, — и буду приходить раз в две недели наводить чистоту. А то позвонит мне Ольгуша, спросит, как ты тут один, без нее, справляешься, и что я ей отвечу? Что ты грязью по уши зарос? Тогда грош мне цена как ее подруге. Мой телефон у тебя есть? Если что — звони.

— Что — если что? — спросил он строго.

— Ну, ты сам знаешь, что, — она почему-то залилась краской и выскочила на лестничную площадку.

Сергей и сам не заметил, что улыбался. Боль не утихла, но переносить ее стало чуть легче.

* * *

Звонок из областного Бюро судебно-медицинской экспертизы застал Саблина врасплох.

— Мы хотим включить вас в состав экспертной комиссии в части исследования эксгумированного трупа Алексея Вдовина, — сказал заместитель начальника Бюро по экспертной работе. — Чтобы нам из области не лететь на эксгумацию, вам в порядке исключения будет поручено провести ее и выполнить исследование в качестве члена областной комиссии. Не возражаете?

Господи, в своей погоне за рицином и в переживаниях из-за расставания с Ольгой он совершенно забыл об этом случае! Значит, все-таки дело дошло до эксгумации... Стало быть, проверочные мероприятия закончились возбуждением уголовного дела. И кто-то каким-то образом решил вопрос с финансированием эксгумации. Интересно, как Вере Владимировне удалось добиться этого? Он всегда восхищался людьми, обладающими настойчивостью и неутомимостью.

— Не возражаю, — ответил он. — На какой день назначена эксгумация?

Зам по экспертной работе назвал дату, и Сергей пометил ее в своем ежедневнике жирным черным фломастером, а дату через два дня — тем же фломастером, но другим значком, что означало: на этот день больше никаких дел не назначать. Эксгумация — дело небыстрое, времени занимает много, особенно в условиях вечной мерзлоты, когда землю приходится долбить компрессором, потом эксгумированный труп нужно будет поместить в малую секционную и оставить на пару суток, и только после оттаивания можно будет проводить исследование, которое займет несколько часов.

— Ваш Северогорский следственный комитет назначил комиссионную экспертизу у нас в области, у вас же отняли право на такие экспертизы, вот мы за вас и работаем, — шутливо пояснил зам начальника областного Бюро. — Нам все документы скинули — и акт исследования трупа, и акты служебных проверок на руднике, и бумагу от отдела по технике безопасности, а к ней даже приложили описание места происшествия и машин и механизмов, которые там имелись, когда парень погиб.

— Ну и как, разобрались? — спросил Сергей.

— Увы, Сергей Михайлович, не разобрались, потому эксгумацию и назначили. Акт исследования трупа уж больно куцый от вас пришел, повреждения описаны так скудно, что невозможно понять, есть убедительные доказательства переезда пострадавшего колесом автомобиля или их нет. И то же самое касается сдавления между объектами. Плохо у вас танатологи работают, ставлю вам на вид. А нам представили объяснения участников происшествия, которые утверждают, что в момент получения травмы погибший спал на полу в гараже, его просто не видели. И что мы можем комиссионно решить при таком акте исследования, а?

Сергей снова вспомнил, как ругался с Филимоновым по поводу вскрытия Алеши Вдовина, и ему стало тошно. Ну как, как можно проявлять снисходительность, за что так ратует Вихлянцев? Какая, к чертовой матери, снисходительность может быть в таком ответственном и трудном деле, как судебно-медицинская экспертиза?

— А наркотики? — спросил он. — Вы нашли доказательства того, что Вдовин был в состоянии наркотического опьянения?

— И здесь неудача, — театрально вздохнул заместитель по экспертной работе. — Вот эксгумируем труп, исследуем внутренние органы и ткани, тогда точно и объективно скажем, есть в них наркотические вещества или нет, заодно и хвосты за вашим экспертом подчистим, объективно оценим характер и локализацию повреждений костного каркаса грудной клетки. Вот тогда и сможем ответить на вопрос однозначно: имело ли место сдавление или это был переезд колесом автомобиля.

И все-таки любопытно, как удалось «пробить» эксгумацию? Здесь же самый сложный вопрос — финансовый. Кто заплатил?

Он не выдержал и набрал номер телефона матери погибшего юноши. Вера Владимировна на звонок не ответила: это был номер домашнего телефона, а никакого другого номера у Саблина не оказалось.

Однако Вера Владимировна Вдовина пришла к нему на следующий день сама. Оказалось, что похоронная служба Северогорска согласилась осуществить эксгумацию под гарантийное письмо руководителя следственного комитета с обещанием оплаты при получении финансирования. Сергей отдал должное человеку, подписавшему это письмо: будет ли финансирование — неизвестно, а вот то, что кирпичей на свою голову он получит от областного начальства — это сто процентов. И ведь он не только письмо подписал, рискуя навлечь на себя начальственный гнев, но и уговорил Виктора Павловича Лаврика провести тяжелейшую в условиях Крайнего Севера работу фактически за свой счет, потому что труп эксгумировать нужно уже сейчас, а деньги, обещанные гарантийным письмом, то ли будут, то ли нет...

— Сергей Михайлович, — осторожно приступила Вдовина к вопросу, ради которого, собственно, и пришла, — сейчас, когда срок назначили, мне что-то так страшно стало... Боюсь, я не выдержу этого. Может быть, можно как-то обойтись без эксгумации Алеши? Ну зачем она нужна? Столько времени прошло, что вы там найдете?

Саблина всегда приводило в недоумение стойкое невежество людей. Ну с чего они взяли, что эксгумированный труп не нужно исследовать, потому что все равно ничего не найти? Кто им такое сказал? Трупное разрушение в могиле — явление строго индивидуальное, все органы подвергаются процессу гниения с разной скоростью, и ни в какие раз и навсегда определенные схемы и таблицы этот процесс не укладывается. Извлеченный из могилы труп и внутренние органы могут по внешнему виду выглядеть полностью разрушенными, однако при микроскопическом исследовании оказывается, что это далеко не так. Вид гнилостно измененного трупа не дает эксперту никакого права судить о состоянии всех внутренних органов, потому что в болезненно измененных тканях и органах процессы гниения развиваются медленнее, нежели в органах и тканях, не затронутых болезненными процессами. Экспертам хорошо известны случаи, когда исследования эксгумированных трупов, пролежавших в могилах больше года, приносили убедительные результаты, позволявшие уверенно утверждать о наличии тех или иных заболеваний или повреждений.

— Вера Владимировна, уж не знаю, как насчет повреждений костного каркаса, но вопрос с наличием наркотиков можно будет решить совершенно определенно, — уверенно ответил он. — Вас ведь именно это больше всего волнует, правда?

Она молча кивнула, по щекам покатились крупные светлые слезы.

— Я боюсь, — пробормотала она. — Я столько сил положила на то, чтобы возбудили дело, я до областной прокуратура дошла, в областной центр летала несколько раз, на прием к начальству пробивалась, уговаривала, просила, умоляла, да чего я только не делала, чтобы вернуть Алешеньке доброе имя, а вот сейчас... Не могу. Скажите, мне обязательно нужно там присутствовать?

— Нет, что вы, — поспешил успокоить ее Саблин. — Только если вы сами хотите.

— Я... я не знаю... я боюсь очень...

— Ну и не надо вам там присутствовать, Вера Владимировна. Поверьте мне, так будет лучше для вас. Эксгумация сама по себе процедура очень тяжелая, а уж вид близкого человека после стольких месяцев пребывания в земле — это зрелище, которого лучше избежать, если есть такая возможность.

— А мне говорили, что у нас в условиях вечной мерзлоты трупы хорошо сохраняются, — возразила она.

— Это правда. Но бывает по-всякому. И потом, зачем вам видеть труп сына? Ну, вы сами подумайте. Вы его уже видели перед вскрытием. Лучше он не стал, уверяю вас.

Его слова звучали цинично, но Саблин понимал, что никаких других слов он сейчас подобрать не сможет. Слишком тяжело у него самого на душе, и нет никакой возможности быть участливым и теплым. Кроме того, ему было жаль Веру Владимировну и хотелось уберечь ее от лишнего стресса, она и без того натерпелась за последний год.

— Значит, вы считаете, что мне не нужно присутствовать?

— Нет. Я считаю — это лишнее.

— Но если у вас опять что-нибудь... Кто-нибудь... Вы не обижайтесь, Сергей Михайлович, я вам очень доверяю, но видите, как с наркотиками получилось, тоже ведь специалист делал, а результат...

Он понимал ее. Вдовину обуревали противоречивые чувства, одно сильнее и страшнее другого. С одной стороны, она безумно боялась зрелища, которое могла бы увидеть при эксгумации и повторном вскрытии и хотела бы избежать его, с другой стороны, не доверяла экспертизе, следствию и комбинату и хотела все увидеть собственными глазами и услышать выводы из первых уст.

— Вера Владимировна, я еще раз повторяю: ни на эксгумации, ни на вскрытии вам делать нечего. Это слишком тяжелое зрелище для любого человека, а тем более для матери. Вас следствие признало потерпевшей?

— Да, я подписывала постановление, ну, в том смысле, что ознакомлена с ним.

— Значит, вы имеете право на адвоката. У вас есть адвокат?

— Есть, — кивнула Вдовина.

— Вот пусть он приходит и на эксгумацию, и на вскрытие, если, конечно, выдержит. Он может делать фотографии и проводить видеосъемку, и вы будете полностью уверены в том, что никто ничего не скрыл и не сфальсифицировал. Хорошо?

— Хорошо, — с облегчением произнесла Вдовина. — Спасибо вам. А когда будет вскрытие? Сразу после эксгумации?

— Нет, через два дня, нужно, чтобы тело оттаяло.

— И вот в тот день, когда вы Алешу посмотрите... вы уже все будете знать, да? И все мне скажете?

Саблин вздохнул тяжело. Бедная женщина, она даже не представляет, сколько ей еще придется ждать окончательного ответа.

— Я не имею ни права, ни возможности делать какие бы то ни было выводы по результатам вскрытия вашего сына, — принялся объяснять он. — Проводится комиссионная экспертиза, назначенная в областном Бюро, а я — всего лишь один из членов экспертной комиссии. Все выводы будут делаться только коллегиально. Моя задача — эксгумировать труп и провести всю подготовительную работу, то есть вскрыть, зафиксировать и описать все повреждения, которые удастся обнаружить, изъять поврежденные части для медико-криминалистического исследования, изъять фрагменты органов и мягких тканей для судебно-химического исследования, и весь набранный материал будет отправлен в область, где и проведут собственно экспертизу. Так что приготовьтесь, придется еще подождать.

— Господи, — прошептала Вдовина, — как долго... Как у вас все сложно...

Это да, подумал Саблин, у нас сложно и долго. И почему в дурацких книжках и кино результаты работы судебных медиков становятся известны чуть ли не к вечеру того дня, когда совершено преступление? Почему никому из этих писак и режиссеров не приходит в голову хотя бы поверхностно ознакомиться с тем, как все происходит на самом деле?

* * *

В день эксгумации с самого утра моросил дождь, и Саблин наблюдал за рабочими, долбящими мерзлый грунт, сидя в машине следственно-оперативной группы. Неподалеку стояла другая машина — на ней приехал адвокат Вдовиной, серьезный дядька в годах, который, несмотря на дождь, стоял возле рабочих и все снимал на камеру. Сделать это посоветовал ему сам же Сергей: известны случаи, когда неаккуратная работа по извлечению гроба вела к повреждению крышки и тела, и потом при вскрытии образовавшиеся при эксгумации повреждения принимались за те, которые были получены в криминальной ситуации.

Из криминалистов сегодня дежурил Глеб Морачевский.

— Не получается у меня пока ничего, — пожаловался Глеб. — Бьюсь-бьюсь, всю голову сломал. Но ты не думай, я не отступлюсь, я ж азартный, как завсегдатай казино, меня от интересной работы за уши не оттянешь. Сроков же нет никаких, правильно?

— Нет, конечно, — кивнул Саблин, — работаем, как говорится, за чистый научный интерес. Получится — хорошо, не получится — ну, что поделать, утремся и пойдем дальше. Вряд ли мы с тобой умнее сотен химиков во всем мире. Но вдруг, а?

— Я буду стараться, — очень серьезно ответил криминалист. — Времени, правда, не хватает на все, что в голову приходит, работы текущей очень много, а мне нужно литературу поискать и почитать, ну, ты сам все понимаешь.

— Конечно, — снова кивнул Сергей, — я все понимаю.

Настроение было все еще препоганым, и никакой уверенности в победе над проблемой идентификации рицина у него уже не было.

Наконец, гроб извлекли из могилы и открыли. Вечная мерзлота сослужила хорошую службу, труп Алексея Вдовина сохранился весьма прилично. Тело увезли в морг, где по указанию Саблина поместили в малой секционной.

Через два дня Сергей провел вскрытие и исследование трупа, который перевезли в большую секционную: при таких исследованиях обычно присутствует много народу. И в этот раз собрались, помимо самого Саблина, санитара и медрегистратора, лаборант из танатологии, лаборант из отделения медико-криминалистической экспертизы, следователь и адвокат. Лаборант делал снимки по команде Сергея, а адвокат снимал все, что хотел, за исключением участников вскрытия: это Саблин ему запретил.

Да, накосячил Филимонов... Придется сейчас делать все то, чего он не сделал: измерить высоту расположения переломов каждого из ребер от уровня подошв, описать характер их краев. А вот переломы еще четырех ребер по задней поверхности грудной клетки, которые в акте Филимонова не указаны. Просмотрел? Вот же паршивец! Картина повреждений в целом свидетельствовала об однократном сдавлении нижней части грудной клетки, а вот оскольчатых переломов, которые должны были бы образоваться при переезде грудной клетки колесом автомобиля, что-то не видно. А вот и переломы пальцев, которые у Филимонова тоже не описаны. Поторопился Виталий с выводами-то, ох, поторопился, видно в свой танцкласс спешил... Сергей изъял второй и третий пальцы правой кисти с переломами, а также все ребра с повреждениями для медико-криминалистического исследования, каждое ребро промаркировал и завернул в отдельный лист бумаги, перевязал шпагатом и прикрепил бирки с указанием номера ребра и откуда оно взято — справа или слева. Потом взял фрагменты органов, разрезанных при первоначальном исследовании, для направления в судебно-химическое отделение областного Бюро.

Следователь, присев рядом с медрегистратором и устроившись на самом уголке стола, написал постановление об изъятии материала для направления в областное Бюро.

А через несколько дней труп Алексея Вдовина был захоронен повторно в той же самой могиле. Оставалось дождаться заключения комиссионной экспертизы, чтобы поставить точку в этом долгом и тягостном деле.

* * *

— Сергей Михайлович, к вам женщина рвется, кричит очень, — сообщила Светлана, заглянув в кабинет. — Всю регистратуру на уши поставила. Пропустить?

— А что она хочет? — нахмурился Саблин.

— Она с мужем приехала. Вернее, с трупом мужа. Кричит, что никому не доверяет, только вам.

— Господи! — он схватился за голову. — Еще одна городская сумасшедшая? Я еще от дочери Рыкова в себя не пришел. Почему она только мне доверяет? Она что, знает меня?

— Она говорит, что вы соседи.

Кармен! И Анатолий Иванович... Но как же так? Ведь вчера еще Жанна Аркадьевна приглашала Сергея отведать супчика — она отменно готовила солянку, и он просидел у Ильиных часа полтора, разговаривая с Анатолием Ивановичем о предстоящих выборах в Государственную думу и обсуждая предвыборные программы различных партий. А сегодня он умер? Нет, не может быть, наверное, Света что-то напутала.

— Приведите ее сюда, — распорядился он.

Через несколько минут в кабинете появилась Жанна Аркадьевна. Она была в шоке, это Саблин сразу понял по тому, как громко и спокойно она говорила. Шок проявляется у людей по-разному, одни уходят в молчание и ступор, другие спокойно занимаются неотложными делами, третьи впадают в истерику. Ильина, судя по всему, принадлежала ко второй категории и пыталась организовать то, что ей казалось наиболее разумным: если муж просто плохо себя почувствовал и вызвал «Скорую», а через час уже умер, значит, врач «Скорой» сделал что-то не так, и пусть вскрытие проведет сам начальник Бюро судебно-медицинской экспертизы и выведет на чистую воду врача-неумеху.

— Сереженька, — начала она прямо с порога громким деловым голосом, — я не верю в то, что Толя был болен. Он был совершенно здоров. Просто немножко устал. Но от этого же не умирают, правда? Я знаю, вы очень грамотный эксперт, иначе вас не назначили бы начальником. И я требую, чтобы Толю вскрывали именно вы. Вы обязательно найдете какую-нибудь врачебную ошибку, и тогда мы с вами докажем вину этого шарлатана со «Скорой» и посадим в тюрьму. Вы ведь поможете мне, правда?

Глаза ее были мертвыми и пустыми, а голос каким-то механическим. Сознание женщины изо всех сил защищалось, не пропуская в себя страшную мысль: ее любимого мужа, с которым она прожила столько лет, больше нет. И неизвестно, как правильнее поступить: подыграть ей, поддерживая в этом измененном состоянии, в котором она по крайней мере не чувствует душевной боли, или вернуть на грешную землю. Из курса психиатрии Сергей помнил, что шок — состояние опасное, из него надо выводить любыми средствами, пусть человек осознает реальность, какой бы горькой и ужасной она ни была. И пусть плачет. Рыдания — самое лучшее в этой ситуации.

Он подошел к соседке и обнял за плечи, покрытые цветастой «цыганской» шалью.

— Жанна Аркадьевна, дорогая моя, я вам очень сочувствую, но я не могу проводить вскрытие Анатолия Ивановича.

— Почему? — с яростной требовательностью спросила Кармен, тряхнув седыми длинными распущенными волосами. — Почему вы не можете, Сережа? Вы мне отказываете?

— Я не могу и не буду проводить вскрытие человека, которого давно и хорошо знаю. Это мой близкий человек, — медленно и внятно произносил Саблин, глядя прямо ей в глаза. — Понимаете? Близкий человек. И для вас он близкий человек. Я поручу провести исследование самому лучшему эксперту, самому надежному, а вам не нужно об этом думать. Вам сейчас нужно думать о том, что вы потеряли мужа, с которым прожили так много лет, и теперь ваша жизнь изменится, она уже никогда не станет такой, как прежде. Вам нужно учиться жить без Анатолия Ивановича...

«А ведь моя жизнь тоже изменилась с того дня, как Оля объявила, что уезжает. И хотя до момента реального отъезда прошло еще какое-то время, все равно я считал ее уехавшей с того вечера, когда она решила вернуться в Москву. С того вечера я остался совсем один. И жизнь стала другой. Мне не с кем поговорить, не с кем обсудить сложный случай, не к кому приткнуться носом и заснуть. Конечно, есть Макс, и я с удовольствием с ним встречаюсь, общаюсь, езжу за город и пью пиво в спортбаре, но это ни в малейшей степени не может заменить мне Олю и не может скрасить мое одиночество. Но я научился жить один. Да, мне было трудно, больно, обидно, но я научился. И она научится».

Он добился своего — Жанна Аркадьевна разразилась рыданиями.

* * *

Провести вскрытие трупа Анатолия Ивановича Ильина Сергей попросил Сумарокову. И не потому, что считал случай особо сложным, а просто потому, что обещал соседке, что поручит его самому опытному эксперту, а опытнее и квалифицированнее Изабеллы Савельевны в танатологии никого не было. После вскрытия он спустился в морг.

— Что скажете, Изабелла Савельевна?

— Трансмуральный инфаркт передней стенки левого желудочка с разрывом стенки. Тампонада полости перикарда.

Тампонада. Сдавление сердца кровью, излившейся в полость перикарда. «Это же не ранний инфаркт, ему не менее шести часов, если не больше. Получается, несчастный Анатолий Иванович испытывал боль и терпел? Почему? Зачем? Почему не вызвал

«Скорую» сразу же? Ведь он находился дома, с женой, у него были все возможности обратиться за помощью. А он терпел... Терпел поистине невыносимую жгучую боль, которую человек терпеть не может и не должен. Восемьдесят процентов людей умирают при такой ситуации сразу. Анатолий Иванович попал в число тех, кому довелось еще пожить какое-то время, испытывая острую боль. Неужели он так любил свою Кармен, что боялся ее испугать и расстроить? Наверное. Надеялся, что обойдется, рассосется, еще немножко поболит — и пройдет, а Жанна ничего не узнает. Небось нитроглицерин глотал, думал, поможет. Или, может быть, она устроила ему очередной выверт с собиранием чемоданов и угрозами уйти навсегда? Достала она его своей ревностью, своими глупыми нападками, а он все терпел, ни разу голос на нее не повысил, ни разу не хлопнул дверью и даже резкого слова ей не сказал. Терпел. Вот и дотерпелся», — думал Саблин, поднимаясь из морга на второй этаж, в свой кабинет. И тут же из-за угла, словно ночные разбойники, выскочили мысли об Ольге. Она ведь тоже терпела. Терпела его нежелание разводиться, его гордыню, не позволявшую публично признать, что брак с Леной был ошибкой, терпела невозможность иметь детей, терпела его несносный характер... Терпела, потому что любила. Но все-таки ушла от него. Он помнил, как в день ее отлета в Москву спросил:

— Ты меня больше не любишь?

— Я люблю тебя, Саблин, — ответила Ольга. — Люблю и всегда буду любить. Мне не нужен ни один мужчина, кроме тебя.

— Тогда почему ты уезжаешь?

— Потому что кроме мужчины мне в жизни нужно еще кое-что. Да, другой мужчина мне не нужен, но ни один мужчина, даже такой любимый, как ты, не может заполнить все пространство вокруг меня и заменить мне весь мир. Это пространство должно быть заполнено тем, чего рядом с тобой я получить не могу. Поэтому я уезжаю.

У Ольги закончилось терпение, потому что ее измучила пустота. А Анатолий Иванович терпел именно потому, что кроме жены в его жизни осталось только то, что с ней напрямую связано: дети, внуки. То есть весь мир состоял для него из семьи. И нарушить ее целостность казалось ему смерти подобным.

Вечером после работы он, не заходя к себе в квартиру, позвонил в дверь соседки.

— Инфаркт?! — Она в ужасе всплеснула руками. — Но почему? Неужели это из-за тех сцен, которые я ему устраивала? Такое может быть, Сережа?

— Конечно, — кивнул Саблин. — Вы кричите, обвиняете, подозреваете, а Анатолий Иванович переживает. Вот и инфаркт.

— Но я же не всерьез... Я просто шутила. — Кармен растерялась, она все никак не могла поверить, что ее шуточки довели мужа до гибели. — Я всю жизнь любила Толю, и он меня очень любил. И никогда я его ни в чем не подозревала. Ревновала — да, всегда, он же у меня такой красивый был в молодости, да и сейчас еще... Мне все казалось, что на него женщины летят, как мухи на мед, и я страшно боялась, что он не устоит, поддастся соблазну... Но он ни разу, никогда не давал мне настоящего повода для ревности, Толя очень верный был и преданный.

— Так зачем же вы его изводили-то? — с упреком проговорил Сергей. — Если знали, что он никогда и ни с кем вам не изменял, зачем устраивали этот балаган?

Кармен подняла на него измученные, припухшие от слез глаза.

— Знаете, Сереженька, я всегда очень боялась, что Толя заскучает в нашей семейной жизни. Она была такая ровная, такая беспроблемная, такая серая... И профессии у нас с ним серые, обыкновенные, ничего яркого в них никогда не случалось. Но сначала, пока дети были маленькими, было много забот и хлопот, и как-то не до скуки, а потом, когда они выросли и стали самостоятельными, в нашей супружеской жизни все пошло так гладко, так ровно, что впору удавиться. Я боялась, что Толе станет скучно. Я хотела, чтобы наша жизнь была яркой, насыщенной, чтобы были сильные эмоции, страсти, как в кино, яростные скандалы, бурные примирения. Мы поссоримся, потом помиримся, и есть о чем поговорить, вроде как и жизнь полна какими-то событиями. Я же не думала, что он так близко к сердцу все принимает и переживает, я думала, он понимает, что все это только игра, развлечение на старости лет.

Боже мой, думал Саблин, слушая Жанну Аркадьевну, до какого идиотизма, оказывается, можно дойти в семейной жизни! Если бы ему кто-нибудь рассказал такое — он бы не поверил.

— Жанна Аркадьевна, вы можете завтра прийти и получить медицинское свидетельство о смерти. Потом в ЗАГСе вы его обменяете на свидетельство с гербовой печатью — и можете забирать тело для похорон. Вы уже решили, где будете хоронить, здесь или на материке?

— На материк будем отправлять, — вздохнула Кармен. — Дети собираются возвращаться через год-другой, и я с ними поеду, зачем мне здесь оставаться? Там и буду за могилой ухаживать.

Придя домой, Сергей не удержался от соблазна и позвонил Ольге. Вообще-то он давал себе слово не звонить ей. Но очень хотелось. А тут такой повод: смерть соседа, к которому Оля хорошо относилась и неоднократно спасала от ревнивых выходок его темпераментной супруги.

Она ответила на звонок, искренне расстроилась, узнав печальную новость, но Саблину показалось, что слышать его она не рада.

* * *

Работа комиссии экспертов в областном Бюро судебно-медицинской экспертизы по случаю Алексея Вдовина наконец завершилась. При судебно-химическом исследовании никаких признаков химических веществ, в том числе и опиатов, в органах и тканях трупа Вдовина обнаружено не было. Медико-криминалистическое же исследование сумело точно и определенно установить, что в момент получения травмы Алексей находился в вертикальном положении, а вовсе не спал на полу, как гласила объяснительная участников происшествия. Более того, с учетом измерений, проведенных Саблиным во время исследования эксгумированного трупа, и данных протокола, в котором подробно описывались машины и механизмы, находившиеся на месте трагедии, был сделан однозначный вывод: тело юноши сдавило двумя твердыми предметами, одним из которых мог быть нижний край заднего борта грузового автомобиля, а другим — верхний край ковша погрузочно-доставочной машины. Именно этот ковш и чистил практикант Вдовин в тот момент, когда его придавил грузовик, поданный задним ходом.

С обстоятельствами гибели юноши следствие разобралось, но открытым остался вопрос о том, почему эксперт Филимонов провел исследование трупа столь недобросовестно, а также почему в заключении специалиста-химика Окуловой содержалось утверждение о наличии наркотиков. Следователь пришел к выводу, что умысла на фальсификацию у эксперта Филимонова не было, но и подобную халатность он решил ему не спускать и направил в Северогорское Бюро судмедэкспертизы, а также и в областное Бюро частное определение о недопустимости подобного отношения к выполнению профессиональных обязанностей и о применении к Филимонову мер дисциплинарного воздействия. Что же касается эксперта-химика Окуловой, то выяснилось, что виновник аварии обратился к ней лично с просьбой дать заведомо ложное заключение. Они были давними знакомыми, и Людмила Григорьевна Окулова решила, что не будет ничего страшного, если она поможет хорошему человеку избежать уголовной ответственности, а мальчику-практиканту ведь все равно, что о нем будут говорить после смерти. При этом сама она уголовной ответственности не подлежала, поскольку являлась всего лишь специалистом по судебной химии, а не экспертом, и подписку о том, что она предупреждена об уголовной ответственности за дачу заведомо ложного заключения, не давала.

Виновник аварии был предан суду, признан виновным и получил условный срок, а Вере Владимировне Вдовиной комбинат выплатил все, что ей причиталось. Но больше всего радовало ее то, что сыну возвратили его честное имя.

А Саблин, получив частное определение руководства следственного комитета по поводу Виталия Филимонова, принял решение все-таки уволить эксперта. Конечно, люди не стоят в очереди, желая устроиться на работу в танатологию на Крайнем Севере, но лучше пусть эксперта совсем не будет, чем будет такой, как Филимонов. В конце концов, Саблин отлично может и сам вскрывать трупы, если возникнет такая надобность.

Он вызвал Филимонова и показал ему частное определение.

— Вот так, Виталий Николаевич. Если вы считаете, что я незаслуженно к вам придирался и на самом деле вы работаете хорошо, то мнение следственного комитета вы оспорить уже не можете. Я вам дважды объявлял выговор, а сейчас с меня требуют, чтобы я объявил вам третье взыскание. Как мы с вами будем работать после этого?

Филимонов неожиданно широко улыбнулся и просиял.

— А мы не будем с вами работать, Сергей Михайлович. Я напишу заявление «по собственному желанию», и больше вы меня никогда не увидите.

— У вас есть интересные предложения? — усомнился Саблин. — И вы не боитесь, что будете уволены с «волчьим билетом», а вовсе не по собственному желанию? Не боитесь, что всюду, куда бы вы ни устроились, вас настигнет информация о том, что вы лентяй и халтурщик?

Виталий Николаевич улыбнулся еще радостнее.

— Вы, наверное, удивитесь, Сергей Михайлович, но ничего этого я не боюсь. И не тратьте энергию на то, чтобы меня запугать. Я напишу заявление, причем сделаю это с удовольствием.

Он помолчал, словно смакуя последнее слово, и повторил его неторопливо и выразительно:

— С удовольствием. Я не хочу больше заниматься судебной медициной. Меня давно зовут в Новосибирск, предлагают открыть школу бальных танцев, а я все не мог решиться, колебался. Вот теперь самое время принять окончательное решение. С судебной медициной я завязываю. Хватит с меня.

Саблин смотрел на него и не верил тому, что слышит.

— Виталий, — тихо сказал он, перейдя на «ты», как было когда-то давно, еще до назначения начальником Бюро, — но как же так? Ты же такая умница, ты эксперт от Бога, у тебя потрясающие руки, у тебя хорошая голова, ты так много знаешь и умеешь. Как же можно бросать профессию, если ты для нее природой создан?

Филимонов молча подошел к столу начальника и без приглашения сел на стул для посетителей.

— Знаешь, Серега, скажу тебе не как начальнику, а как эксперту, с которым много раз водку пил: не могу я больше. Я — человек творческий, у меня душа оголена. Не знаю, как ты выдерживаешь, но наверное, ты просто покрепче меня, более толстокожий, более простой. А я не могу. Вот я слышал как-то твои слова о том, что смерть во время вскрытия стоит за спиной и ухмыляется, дескать, разгадаем мы ее загадку или нет. Ты правильно сказал, она действительно стоит, и работать в танатологии могут только те, кто в состоянии это выносить, или те, кто этого вообще не чувствует. Такие, как ты, как Белочка наша. А я — не могу. Я ее очень чувствую. И танцы не бросал именно потому, что они позволяли забыть, отвлечься, очиститься, не сойти с ума. Я ведь не от лени халтурил, а исключительно от желания поскорее закончить вскрытие и уйти из секционной. Но все это я тебе сказал только как бывшему собутыльнику.

С этими словами Виталий Николаевич поднялся и снова отступил назад, туда где стоял, пока Саблин устраивал ему выволочку.

— А как начальнику Бюро, — заговорил он уже совсем другим тоном, — я вам скажу, Сергей Михайлович, что глубоко раскаиваюсь во всех своих промахах, понимаю, что они могли повлечь судебные ошибки, в том числе и привлечение к уголовной ответственности невиновных, и освобождение от ответственности виновных, и все такое в том же духе. Я раскаиваюсь, приношу свои извинения и прошу уволить меня по собственному желанию. И как можно быстрее.

Сергей не мог успокоиться до самого вечера, и снова грудь жгла острая тоска по Ольге: вот сейчас можно было бы прийти домой, рассказать ей о Филимонове и о его желании уйти из судебной медицины, спросить, неужели он, Саблин, такой толстокожий и непробиваемый, а люди с тонкой чувствительной натурой действительно не могут работать в морге... Как плохо, что ее нет рядом! Как ему не хватает этой женщины, такой независимой, такой самодостаточной и такой любимой!

ЧАСТЬ СЕДЬМАЯ

ГЛАВА 1

Арицин все не шел из головы. Глеб никакими успехами пока похвастаться не мог, и Саблин решил заняться поисками в гистологическом архиве. Он надеялся найти акты с заключениями об отравлениях неустановленным веществом, но таковых не обнаружил. Получается, что случай Рустама Кудиярова был первым? Может быть, и так. Но может быть, в городе завелся убийца-отравитель, который экспериментирует на людях? Сегодня он попробует один яд, завтра — другой, послезавтра — третий. Но способ, если он себя оправдывает, обычно не меняется. Modus operandi, как рассказывали знакомые опера и следователи, как правило, характеризуется устойчивостью. И если этому маньяку нравится подсыпать яд в пищу в заведениях общепита, то он так и будет поступать, даже меняя отравляющее вещество.

Поэтому Сергей, ориентируясь на способ совершения преступления, выбрал все случаи отравления в учреждениях общепита. Их оказалось не так много, в двух случаях материалы направлялись на исследование в лабораторию Роспотребнадзора, где было подтверждено отравление ботулотоксином. В одном случае смерть наступила от передозировки наркотика, когда молодую девушку нашли мертвой в туалете круглосуточно работавшего бара. И еще в двух случаях стояло отравление высокотоксичными веществами, которые вообще непонятно как попали в пищу. Оба эти вещества были хорошо известны Сергею, но... Но это был не рицин.

Выписав в блокнот номера уголовных дел и фамилии потерпевших и следователей, назначавших экспертизы, он позвонил одному из этих следователей с вопросом: раскрыто ли преступление? Раскрыто, виновный — владелец кафе — осужден и отбывает срок. «При чем тут владелец кафе? — недоуменно думал Саблин. — Он что, пригласил в свое заведение человека, которого решил отравить, угостил фирменным блюдом и сыпанул туда отраву? Бред какой-то». Звонок второму следователю тоже ясности не добавил, но поскольку этот человек многократно дежурил вместе с Саблиным и очень хорошо к нему относился, то поведал некоторые подробности. Преступление так и осталось нераскрытым, но информация об отравлении в ресторане просочилась повсюду, в том числе и в средства массовой информации, люди перестали туда приходить, бизнес прогорел и владелец повесился.

— А про второй похожий случай ты знаешь? — спросил Саблин.

— Это который у Саньки Михайлова был?

— Точно, — подтвердил он.

— Слыхал, конечно. Там тоже беда с владельцем, посадили его. В общем-то, было за что, но ему же и смерть отравленного припаяли, сочли доказанным, что он отравился продуктами, поэтому и срок дали приличный.

— Но как же так? — удивился Сергей. — В заключении судмедэкспертизы же четко указано, какими веществами потерпевший был отравлен. При чем тут продукты?

— Ой, а то ты Саньку не знаешь! Да и судья одного с ним поля ягода. Им чего ни напиши — они все равно вывернут так, как им надо. А им надо, чтобы преступление было раскрыто, уголовное дело расследованием завершено и передано в суд, в суде рассмотрено с вынесением обвинительного приговора. Статистика — зашибись, и все довольны. А ты почему интересуешься?

— Да так, — уклончиво ответил Саблин, — проверяю архивы на всякий случай, пытаюсь контролировать работу своих бойцов.

Объяснение было совершенно неубедительным, но следователь вникать не стал.

* * *

— Сергей Михайлович, вот еще заявление от Гольцовой, она уходит в отпуск по беременности и родам.

Саблин взглянул на протянутое Светланой заявление и мысленно схватился за голову: он совсем забыл о том, что молодая женщина-эксперт, работавшая в отделении у Вихлянцева, собралась рожать. Ведь помнил же, и как только узнал о том, что она беременна, поставил перед собой задачу подыскать кого-нибудь на ее место, скорее всего — перевести на «живой» прием кого-нибудь из танатологов. Но когда уволился Филимонов, еще больше оголять танатологический фронт Сергей не рискнул, подумывал о том, чтобы найти замену в областном центре или уговорить кого-нибудь из северогорских клиницистов пройти переподготовку, пока Гольцова еще работала, да закрутился, забыл и все мысли загрузил таинственным рицином. «А Вихлянцев чего молчит? — с неудовольствием подумал он. — Ведь знает же, что остается один на весь амбулаторный прием, почему не поставил вопрос передо мной, почему не напомнил? Не могу я обо всем и за всех думать, я тоже живой человек, и голова у меня одна».

Визу на заявлении Гольцовой он поставил и тут же позвонил Вихлянцеву.

— Да никаких проблем, Сергей Михайлович, — спокойно ответил тот. — Мне и в голову не приходило ставить перед вами такой вопрос, я отлично справлюсь один.

— Вы уверены? — с сомнением спросил Сергей. — Все-таки объем работы довольно серьезный. Пока вас не было, Гольцова одна не справлялась.

— Так она ведь женщина! — рассмеялся Вихлянцев. — Женщины — это особый вид сотрудников, уж вам ли не знать. Во-первых, они менее выносливые, нежные, слабые, и с этим нужно считаться. Собственно, за это мы их и любим, — он снова хохотнул. — А во-вторых, у них почти у всех семьи, и для женщины-сотрудницы принципиальное значение имеет возможность рано заканчивать рабочий день, поэтому они не особо перерабатывают. А я мужик холостой, семьи у меня нет, обеды варить не надо, я все больше по общепитам шатаюсь или полуфабрикаты покупаю, вечера у меня свободные, так что заняться мне, кроме работы, все равно нечем. Не волнуйтесь, в отделении будет полный порядок.

— Ну, смотрите, — ответил Саблин с облегчением. — Если что — сразу дайте знать, я вам в помощь кого-нибудь из танатологии переведу. Ну и, естественно, будете получать надбавку за интенсивность, я дам команду бухгалтерам.

— Вот за это спасибо, — обрадовался Юрий Альбертович, — я тогда смогу своим спиногрызам побольше высылать.

Недели три Саблин пристально наблюдал за функционированием амбулаторного приема и убедился в том, что Юрий Альбертович действительно отлично справляется со всем объемом работы в одиночку. Медрегистраторы не жаловались, поскольку он установил им временный скользящий график работы, чтобы они смогли обслуживать прием и в установленное рабочее время, и после него, как говорится, «до последнего посетителя».

Спустя еще пару недель Вихлянцев поставил вопрос о том, чтобы получать не только свою зарплату, но и зарплату Гольцовой, поскольку выполняет работу за двоих. Пришлось объяснить ему, что так как Гольцова в декретном отпуске, Бюро обязано выплачивать ей зарплату, пусть и не в полном объеме, поэтому Вихлянцев эти деньги получить ни при каких условиях не может. Юрий Альбертович расстроился и ушел от Саблина разочарованным. И снова Сергей начал подумывать о том, чтобы перевести на «живой» прием эксперта из отделения Сумароковой. «Надо поговорить с Изабеллой, — подумал он. — Может быть, она пожертвует кем-нибудь из своих охламонов. Тогда переведу его на «живой» прием вместе со ставкой, а потом назад заберу. Поговорю с Сумароковой завтра после планерки».

На следующий день, распределив задания, он собрался уже было заканчивать планерку, когда непутевый Коля Гавриш поднял руку:

— У меня вопрос, Сергей Михайлович: что слышно с экологическими выплатами? Будут деньги или нет? Нам кредиты нужно погашать, отпуска на следующий год планировать, и вообще, люди должны понимать, на каком они свете.

Присутствующие одобрительно загудели: вопрос был острым и болезненным, и получить ответ на него хотел каждый сотрудник Бюро.

Дело в том, что зарплата сотрудника Северогорского Бюро судебно-медицинской экспертизы состояла из двух частей, примерно равных по величине. Первую выплачивали из городского бюджета, вторую — так называемые экологические выплаты — из тех денег, которые в виде налогов перечисляли комбинаты Северогорска по программе финансовых отчислений за тяжелые климатические и экологические условия, в которых вынуждены были существовать те, кто жил и работал на Крайнем Севере. Чем лучше шли дела у комбинатов, тем большую прибыль они получали и, соответственно, тем большие отчисления шли в городскую казну. Однако в последнее время промышленность Северогорска стала испытывать некоторые трудности, спрос на продукцию начал падать, прибыли резко снизились, и те суммы, из которых начислялись экологические выплаты, уже не позволяли увеличивать зарплату всем без исключения работающим в том же объеме, что и раньше. Процент, которым определялся размер выплаты, устанавливался Городской думой, и встал вопрос о том, чтобы пересмотреть этот показатель в сторону уменьшения до такой степени, которая позволит все-таки выплачивать надбавку всем, пусть и не такую высокую. Вторым вариантом решения проблемы было сохранение процента, но выплаты тогда уже можно было производить только выборочно, индивидуально, отдавая предпочтение тем предприятиям и организациям, где трудилось наибольшее количество малообеспеченных работников.

К малообеспеченным сотрудники Бюро судмедэкспертизы относиться никак не могли, поскольку получали довольно серьезные надбавки за большое количество профессиональных вредностей, за работу с инфицированным материалом и токсическими веществами. Так что при решении вопроса о распределении финансов для экологических выплат судебным медикам, скорее всего, ничего не светило.

Сергей периодически ходил в администрацию, выяснял ситуацию с выплатами, но ничего обнадеживающего не услышал, поэтому, дабы не сеять в Бюро упаднические настроения, старался о результатах своих переговоров с руководством города не распространяться. Вот когда будут хорошие новости, тогда он доведет их до всеобщего сведения, а так... Зачем людей зря расстраивать?

Но коль вопрос задан на планерке в присутствии всех, нужно отвечать. И он ответил, рассказав снова и в подробностях все то, что уже и прежде было известно.

— Это мы уже слышали, — раздался недовольный голос главной медсестры, — а что вы сделали, чтобы повернуть ситуацию в нашу пользу? Вы предпринимали какие-нибудь шаги, чтобы мы получили деньги? Или вы только ходите и спрашиваете, как дела, и утираетесь, когда вам отвечают, что все плохо?

Выпад этой сотрудницы был грубым, но отнюдь не неожиданным: с ней у Саблина отношения в последнее время сильно испортились, и Светлана то и дело докладывала ему о тех гадостях, которые распространяет о начальнике Бюро главная сестра.

— Я вам еще раз повторяю, — скрипнув зубами, сказал Саблин, — вопрос с выплатами до сих пор не решен. Если бы вы все работали так, как я требую, и добросовестно относились к своим обязанностям, мне не приходилось бы тратить время на то, чтобы контролировать и перепроверять каждый ваш шаг, и тогда я мог бы позволить себе роскошь каждый день торчать в администрации, заводить правильные отношения с нужными людьми, пить с ними водку и ходить в баню, а потом ненароком попросить, чтобы наше Бюро вставили в список тех, кто получит выплаты в первоочередном порядке. Но вы сами с вашей ленью, безответственностью и разгильдяйством не даете мне такой возможности. Поэтому выбирайте: или вы начинаете нормально работать, или никаких выплат вам не будет.

Эти слова были встречены неодобрительными взглядами, но вслух больше никто не высказывался.

— Планерка закончена, все свободны, — не терпящим возражений тоном произнес он. — Изабелла Савельевна, будьте добры, зайдите ко мне.

Кроме разговора об эксперте, которого можно перевести на «живой» прием, у Сергея было к Сумароковой еще одно дело, возникшее сегодня утром, когда он просматривал принесенные из регистратуры только что поступившие направления на исследования и экспертизы. Собственно, направлений было всего три: один гнилой труп, который Саблин в воспитательных целях расписал Коле Гаврышу, один самоубийца, вынутый из петли, и некий гражданин, скончавшийся в машине «Скорой помощи» по пути в больницу. Этот гражданин по фамилии Землянухин интересовал Саблина более всего: история его скоротечной болезни и все симптомы, описанные в приложенных к направлению документах, до боли напоминали случай Рустама Кудиярова. Сергей собирался провести вскрытие сам, но на всякий случай хотел бы, чтобы в секционной присутствовала Изабелла Савельевна — единственный эксперт-танатолог в его Бюро, которому он полностью доверял.

— Даже и не знаю, что вам ответить, Сергей Михайлович, — задумчиво проговорила заведующая танатологией. — У меня народ такой, что и не выберешь, кого можно вам предложить. Хорошего эксперта жалко отдавать, у меня тогда совсем никого не останется, а плохого Вихлянцев не возьмет: зачем ему плохой эксперт?

— Вихлянцев будет работать с тем, с кем я прикажу, — жестко ответил Саблин. — Пока еще начальник в Бюро я, а не Юрий Альбертович. Колю Гаврыша отдадите?

— Ой, да ради бога, — замахала руками Изабелла Савельевна, — пусть поработает с живыми людьми, а то у него явные проблемы с определением прижизненности повреждений. Берите, не жалко.

— Хорошо, — кивнул Саблин, — если до этого дойдет, буду иметь в виду Гаврыша. Теперь вот что, Изабелла Савельевна. Я вам сегодня расписал труп мужчины, скончавшегося в машине...

— Да-да, я помню, — перебила она. — Честно говоря, Сергей Михайлович, я не поняла, почему именно мне вы это поручили. Там что, какие-то необыкновенные сложности? Или с клиницистами опять терки?

Он объяснил ей, чем вызвано такое внимание к данному случаю. Случай Кудиярова Сумарокова помнила хорошо, так что мысль Сергея схватила на лету.

— Я хочу сам провести вскрытие и исследование трупа Землянухина. Но я прошу вас принять участие. Хотя бы просто постоять рядом. Для меня как для начальника Бюро оскорбительна ситуация, когда я не могу сказать точно, от чего человек умер. Профессиональная гордость задета, понимаете?

Сумарокова усмехнулась и кивнула.

— Сегодняшний случай очень похож, и не могу смириться с мыслью, что мне снова придется подписывать акт, в котором будут стоять слова «отравление неустановленным веществом». Мне экспертное самолюбие не позволяет. Поэтому я хочу подстраховаться вашими глазами и вашим опытом. А вдруг я действительно при исследовании трупа Кудиярова чего-то не увидел, или не понял, или неправильно интерпретировал...

— Разумеется, я приду к вам на вскрытие, если вам так нужно, — согласилась Изабелла Савельевна. — Но вы ведь судите только по клинической картине, а она довольно типична: острый энтероколит встречается сплошь и рядом. Почему вы считаете, что эти два случаи похожи?

Вот тут-то и таилась загвоздка. Если Кудияров был отравлен именно на Дне города, когда перекусывал горячими чебуреками и шаурмой, приготовленными в киоске на площади, ибо нигде больше это произойти не могло, то здесь ситуация выглядела несколько иначе. Получив направление на исследование, Сергей с самого утра связался с врачом «Скорой помощи», который безуспешно старался довезти умирающего до больницы. Врач оказался опытным и успел задать членам семьи Землянухина кое-какие необходимые вопросы, и выяснил, что тот, молодой мужчина 26 лет от роду, дома вообще почти никогда не ел, потому что на завтрак пил пустой кофе и убегал на работу, а приходил за полночь, проводя свободное от работы время с друзьями и девушками. Где он ел, что он ел и когда, ни мать, ни сестра точно сказать не могли, а сам Землянухин, пока еще был в сознании, смог перечислить только три-четыре заведения, которые он обычно посещал. Для того чтобы установить достоверно, где и когда он принимал пищу, нужно было проводить целое расследование. А так... Бар «Снежинка», кафе «Полярное», спортбар на Пролетарской... Кафе «Полярное» было постоянным местом, где Землянухин обедал, беря самые дешевые блюда: он работал продавцом-консультантом в магазине электронной техники, где никакой рабочей столовой не было и быть не могло, а кафе было единственным заведением общепита, расположенным в зоне шаговой доступности. Бары же он посещал по вечерам.

— Зачем вы собирали все эти сведения? — удивилась Сумарокова. — Вы что, так уверены, что причина смерти — отравление? Даже до вскрытия?

— Да нет же, — раздраженно ответил Сергей, — ни в чем я не уверен. Может, это действительно энтероколит, может — алкогольная или какая-нибудь другая интоксикация, но может быть и отравление. Я хочу быть готовым ко всему. Не будет мне покоя, пока я не разберусь со случаем Кудиярова.

Сумарокова посмотрела на него внимательно и серьезно и снова усмехнулась:

— Какой вы еще молодой, Сергей Михайлович.

Когда за Изабеллой Савельевной закрылась дверь, Саблин задумчиво посмотрел на лежащие на столе бумаги. Их много, а скоро станет еще больше: он принял решение с сегодняшнего дня регулярно направлять в администрацию официальные письма, в которых разъяснять ситуацию и обосновывать необходимость сохранения сотрудникам Бюро судмедэкспертизы экологических выплат в прежнем объеме. Пусть присылают такие же официальные ответы. Пусть требуют у него дополнительные сведения о доходах каждого сотрудника Бюро хоть за последний год, хоть за три года, хоть за пять лет — он все предоставит. Это будет отнимать массу времени и сил, это будет длиться долго, но идти другим путем — путем завязывания знакомств, дутья в задницу и лизоблюдства — Сергей Саблин позволить себе не может.

* * *

Вскрытие трупа Землянухина состоялось на следующий день. Изабелла Савельевна стояла рядом и внимательно наблюдала, обсуждая с Саблиным каждую экспертную находку. Картина оказалась в точности такой же, как у Кудиярова.

— Согласна, это острая интоксикация, — сказала Сумарокова. — А вот чем — пусть химики скажут.

— Если скажут, — пробормотал Сергей.

Материалы для судебно-химического исследования он набрал с небольшим запасом: вместо полагающихся по протоколу 100 мл крови или, к примеру, мочи, брал 150, вместо 100 см тонкого и толстого кишечника отрезал по 130 см. Пригодится.

И действительно, пригодилось. Ибо по прошествии положенного времени судебный химик представил заключение, в котором утверждал, что никаких токсических и отравляющих веществ в биожидкостях и тканях от трупа Землянухина не обнаружено.

«Неужели снова рицин? — думал Сергей, не сводя глаз с текста заключения. — Что же это? Маньяк? У нас, в Северогорске? И что теперь делать?»

Решение пришло быстро и словно бы само собой: он взял телефон и позвонил в Москву Румянцеву.

— Знаете что, — предложил подполковник, выслушав его, — давайте-ка сделаем иначе. Нечего нам в шпионские игры играть. Я вам перезвоню через полчаса, надеюсь, с хорошими новостями.

Он действительно перезвонил, правда, не через полчаса, а часа через три, но Саблин этого даже не заметил, занятый многочисленными текущими делами.

— Вы сможете оплатить проведение исследования на договорных условиях? — начал Румянцев с места в карьер.

— В смысле — «как договоримся»? — хмыкнул Сергей. — Вроде в прошлый раз именно так и было.

— Вы не поняли. Я связался с начальником лаборатории, где для вас проводили исследование, им недавно разрешили заключать договоры и на платной основе проводить исследования для сторонних организаций. У них есть официальный тариф. Вы — руководитель юридического лица, и если вы заключите с ними договор, то они вам все сделают.

Это выход! Эксперт, конечно, по закону не имеет права самостоятельно собирать материал для судебной экспертизы, но здесь явно не тот случай. Аутопсийный материал собран в ходе исследования, назначенного правоохранительными органами. А вот то, что начальник Бюро намерен на договорной основе проводить дополнительные исследования в рамках назначенной экспертизы, так как раз на это он имеет право.

— И это можно будет представить как официальное заключение? — с надеждой спросил Сергей.

— Так в том-то и дело! — подхватил Румянцев. — Вы присылаете бумагу за своей подписью, в которой просите их провести исследование на платной основе, они вам в ответ высылают два экземпляра договора. И все. Отправите в Москву материалы, через какое-то время получите ответ и можете нести его хоть в прокуратуру, хоть в суд, хоть куда.

Все дальнейшее произошло неожиданно быстро. Сергею перезвонил начальник лаборатории, принадлежащей военному ведомству, они при помощи факса, компьютера и сканера обменялись подписанными и скрепленными печатями документами, и уже к вечеру можно было начинать вплотную заниматься вопросом: кто в этот раз повезет в Москву ящик с материалами. Отпуск у Саблина еще ох как не скоро...

В первую очередь он попросил Светлану принести график отпусков: если кто-нибудь собирается на юг или за границу, то чаще всего летит через Москву. Как назло, в ближайшую неделю никто из сотрудников Бюро в отпуск не уходил. Он начал обзванивать подряд всех, кого мог попросить о такой услуге, и страшно обрадовался, когда байкер Макс заявил:

— Так моя подруга через два дня летит в Москву, а оттуда — в Египет, хочет погреться на солнышке, говорит, что опупела уже от наших холодов и темноты.

— А когда обратно? — с надеждой спросил Сергей.

— Через неделю. На две недели у нее денег не хватило, — рассмеялся Макс.

Плохо. Слишком быстро. Москвичи не успеют провести исследование. Ну ладно, для получения результата можно будет найти еще какую-нибудь оказию, в конце концов, можно Ольгу попросить, у нее много знакомых в Северогорске, она позвонит им и найдет кого-нибудь, кто в нужное время будет улетать из Москвы.

* * *

Он не замечал, что история с рицином изменила его. Саблин стал злым, раздражительным, невнимательным, забывчивым, чего раньше за ним не водилось, отказывал подчиненным в просьбах, которые раньше обычно удовлетворял, разносы устраивал просто оскорбительные. Однажды Светлана, которая, как и прежде, рубила прямо в глаза правду-матку тем, к кому хорошо относилась, сказала ему:

— Сергей Михайлович, про вас говорят, что у вас крыша поехала. Вы сами на себя не похожи. Одни над вами смеются, другие боятся, третьи гадости рассказывают. У вас что-то случилось?

Саблин нахмурился. Слышать такое было неприятно.

— А что, похоже, будто у меня что-то случилось? — нервно спросил он.

— Похоже, — кивнула секретарь. — Вы действительно какой-то другой стали. У вас в глазах безумие появилось, как будто вы одержимы чем-то.

Плохо, подумал он, совсем плохо.

Через пару дней он, проходя вечером мимо кабинета судебно-биологического отделения, вдруг, сам не зная зачем, толкнул дверь. Склонившийся над какой-то схемой Лев Станиславович Таскон резко поднял голову, но, увидев начальника, приветливо улыбнулся.

— Заняты? — спросил Сергей, подходя к его столу.

— Ну, сами видите, — Таскон развел руками, — по групповому изнасилованию всегда много работы. А что? Что-то срочное?

— Ну да, — хмыкнул Саблин. — Скажите мне, Лев Станиславович, я не произвожу впечатления безумного?

Таскон вытаращил на него глаза, потом снова улыбнулся и покачал головой.

— Догадываюсь, о чем вы, мне Белочка говорила, что вы озабочены отравлением. Тот случай со взрывником, да? Покоя не дает?

— Не дает, Лев Станиславович, — признался Сергей, усаживаясь верхом на свободный стул. — Всю душу мне выгрыз, успокоиться не могу, все время думаю, думаю, прикидываю... Света говорит, надо мной смеются в Бюро. Это правда?

— Правда, — в голосе биолога зазвучало лукавство. — А вы наплюйте, Сергей Михайлович. Вы действительно выглядите одержимым, у вас в глазах блеск безумия, и никто, кроме такого старого пня, как я, вас не поймет.

— Спасибо. Но, знаете, может быть, я действительно закопался... Столько месяцев заниматься одним и тем же вопросом, это, наверное, глупо и бессмысленно. Я увяз в нем по уши. И я боюсь, что это все-таки ненормально.

— Столько месяцев? — рассмеялся Лев Станиславович. — Это сколько же «столько»?

— Больше полугода.

— Ох-ох-ох, можно подумать, — захихикал биолог. — Что такое полгода, какие-то несчастные полгода? А полтора года не хотите? Полтора года судебно-медицинские эксперты вместе со следователем разбирались в одном известном случае — и разобрались-таки! И никто их сумасшедшими не считал.

— Вы о чем?

— О мужчине, который жаловался на сердце и умер у себя на даче, прямо на грядке с клубникой. Неужели не помните?

Сергей вспомнил. Случай действительно был уникальным по фактуре и по экспертному поиску, настойчивому и изобретательному. И действительно вся история длилась полтора года. История, которая началась так просто и обыкновенно: мужчина умер, упав лицом на грядку с клубникой, которую он полол на собственном дачном участке. А когда проводили вскрытие, обнаружили пулю. Причем траектория ее прохождения внутри торса погибшего была столь затейливой, что понадобилось очень много времени для определения места, откуда мог быть произведен выстрел. Самым странным было то, что выстрела никто не слышал, хотя участки были маленькими и все соседи, в ясный летний день работавшие на своих огородиках, прекрасно друг друга видели. Вокруг дачного товарищества — лес, расстояние, с которого был произведен выстрел, путем многократных длительных экспериментов определили в размере от 500 до 2000 метров, ни ближе и ни дальше. И вся засада оказалась в том, что на том участке местности, который охватывался параметрами предполагаемого места выстрела, не оказалось ровно ничего, кроме леса, воинской части и стрельбища. Других объектов в секторе не было. Ни одного. Проверяли каждую единицу оружия в воинской части, угробили на это уйму времени, ответ: пуля, убившая мужчину, не была выпущена ни из одного автомата, находящегося на территории части. На стрельбище никаких учебных стрельб не было. И вот полтора года мучительных поисков ответа на вопрос, кто и почему, а главное, каким образом застрелил потерпевшего, завершились, когда на одного из экспертов снизошло озарение: он обратил внимание, что в изучаемом секторе проходит железнодорожная ветка, и предложил запросить управление железной дороги о прохождении поездов в тот день. И оказался прав! Именно в момент гибели потерпевшего на этом участке дороги проследовал эшелон с охраняемым грузом. Нашли военных, которые этот груз охраняли, изъяли у них все оружие, проверили — и точно! Мужчина, умерший на грядке, был убит выстрелом из автомата, который находился на вооружении у охраны эшелона. Подняли записи, нашли имя того, кому был выдан именно этот автомат. Парень уже давно демобилизовался. Когда к нему пришли, рассказал, что чистил оружие, сидя на открытой платформе, и потом произвел контрольный спуск... раздался выстрел.

Никто и никогда не смог бы предположить, что пуля, выпущенная с движущегося товарняка, пролетит такое огромное расстояние через лес и не попадет ни в одно дерево. А попадет в левое надплечье человека, мирно пропалывающего клубнику.

Да, вся работа по установлению истины длилась полтора года... Так, может быть, он не настолько безумен пока?

— Вы меня убедили, Лев Станиславович, — сказал он с усмешкой, — буду считать, что я пока еще психически здоров.

— Вот это правильно, — одобрительно отозвался Таскон. — И никого не слушайте, двигайтесь только вперед. Зуд научных и экспертных открытий — это самое страшное, что может случиться с человеком, это еще хуже, чем зуд от чесотки или вшей. Избавиться невозможно, пока не дойдешь до конца. Но с ума от этого сходят все-таки крайне редко.

Слова эксперта-биолога немного успокоили, но все равно в душе оставалось недовольство собой: он, начальник Бюро судебно-медицинской экспертизы, распустился настолько, что дал подчиненным повод смеяться над собой и злословить. Это недопустимо. Нужно поставить людей на место.

* * *

Время тянулось то мучительно медленно, то летело незаметно, в зависимости от обстановки на работе и от сложности экспертных случаев. Но о рицине Саблин не забывал ни на минуту. И когда раздался звонок из Москвы о том, что исследование завершено и можно получить заключение, Саблин все-таки позвонил Ольге.

Она его звонку не обрадовалась, но помочь обещала. И действительно, на другой день сообщила ему телефон своей приятельницы по северогорскому фитнес-клубу, которая через три дня вылетает из Москвы в Северогорск.

— Только имей в виду, Саблин, — сказала Ольга. — Эта дама — человек крайне занятой, у нее нет времени ездить за твоими бумагами. Договорись, чтобы все привезли прямо в аэропорт, иначе ничего не получится. И в Северогорске она не будет ничего никуда привозить, пусть ее встретят и все заберут. Сможешь устроить?

— Смогу, — пообещал он, но уверенности при этом не испытывал.

Как назло, именно через три дня, в день прилета такой деловой и занятой дамы, было назначено вскрытие с участием приглашенных клиницистов, следователя и адвоката. И отменить или перенести уже ничего нельзя. Пришлось снова звонить Максу, который, к счастью, оказался в это время свободен: ни уроков в школе, ни чего-то срочного в спортбаре.

Три дня Саблин прожил как на иголках, мучаясь неизвестностью и сжигающим его азартом. По телефону ему не сказали ни слова о результатах исследования. Уходя на вскрытие, он предупредил Светлану:

— Ко мне может приехать Максим, он привезет пакет. Вы уж проявите все гостеприимство, на какое способны. Если он захочет меня ждать — напоите чаем, угостите чем-нибудь вкусным.

Макс частенько появлялся в Бюро у Саблина, если они договаривались куда-нибудь вместе махнуть после работы, и Светлана хорошо его знала. Более того, обаятельный симпатичный байкер ей ужасно нравился, и каждый раз, когда Максим появлялся в приемной, строила ему глазки, на что художник реагировал совершенно адекватно: начинал говорить комплименты и открыто заигрывать с секретарем начальника Бюро.

Вскрытие затянулось, между участвующими медиками разгорелась длительная дискуссия, и когда Саблин поднимался из морга к себе в кабинет, он был уверен, что если Максим и приезжал, то давно уже уехал. Однако еще в коридоре услышал кокетливый смех Светланы. Таким особенным смехом она смеялась только над шутками Макса.

И действительно, тот сидел в приемной, развалясь на стуле, прихлебывал чай и рассказывал анекдот. Саблин застал только концовку, которая вовсе не показалась ему смешной. Впрочем, наверное, он просто очень устал: четыре часа на ногах возле секционного стола, не присев, не расслабляясь, полностью сосредоточенный и сконцентрированный, чтобы ничего не упустить.

В кабинет они с Максом вошли вместе, и Саблин сразу же вскрыл привезенный им конверт и начал читать заключение.

Рицин.

Двадцатишестилетний работник магазина электроники был отравлен рицином. Но за что? Кем? И где? Это могло произойти за два дня до его смерти или за три, вряд ли за четыре, и совсем маловероятно, что за пять дней и раньше, ведь в литературе указано, что если человек, отравленный рицином, выживает в течение пяти дней, то шанс на выздоровление достаточно высок. Хотя «высок» — еще не означает «стопроцентен». Во всяком случае, рицин попал в его организм совершенно точно не в день смерти и не накануне.

Макс не спускал с Саблина глаз, горящих любопытством.

— Чего там у тебя такого интересного? — не выдержал он. — Рассказал бы, а то подруга моя ящик в Москву на себе перла, я за конвертом мотался, мне же хочется знать, ради чего такие напряги.

«В принципе почему бы и не рассказать? — подумал Саблин. — Уголовного дела пока нет, так что и разглашения данных следствия тоже нет».

И он поведал Максиму о Рустаме Кудиярове, о Землянухине и о рицине. Конечно, о первом исследовании «на крысках и хомячках» он и словом не обмолвился.

— Ни фига ж себе! — протянул байкер. — Во завороты! Слушай, а почему ты думаешь, что их кто-то отравил?

— А что ж они, по-твоему, сами рицинчику накушались? — скептически осведомился Сергей. — Думаешь, вкусно?

— Ну а почему не сами-то? — отозвался Макс. — Может, они с собой хотели покончить.

— Ага, — кивнул Саблин со смехом, — захотели с собой покончить и приняли яд, от которого смерть не раньше чем через два-три дня наступит. Вот радость-то: жить и точно знать, что через два дня помрешь, причем в страшных мучениях. И даже если передумаешь потом умирать, изменить уже ничего нельзя будет, противоядия нет. Ты что городишь, друг мой?

— Нет, ну чего ты ржешь-то надо мной, — обиделся байкер. — Я серьезно говорю. Представь себе, у кого-то есть этот рицин в товарных количествах. И он размещает в Интернете объявление, что, дескать, есть очень хороший яд, действующий наверняка, и недорого. Все желающие уйти из жизни приглашаются. А о том, что смерть наступает не сразу, он никому не говорит. Или даже, может, и сам не знает.

Да, с фантазией у художника Максима дело обстояло превосходно.

— И где ж он возьмет этот рицин в товарных количествах, можешь мне объяснить?

Макс пожал плечами.

— Ну, это я не знаю... Я просто предположил, как могло быть. А что, думаешь, не могло?

Саблин отрицательно покачал головой.

— Нет, Макс, не могло. Никак не могло. Это ты переборщил. Хотя твоей креативности я должное отдаю.

— А как могло? — В его глазах снова загорелось любопытство. — Какие бывают самоубийства?

Какие бывают самоубийства... Да какие угодно! Конечно, бывают и демонстративные суицидальные попытки, когда человек вовсе не собирается умирать, а хочет всего-навсего попугать близких, дескать, будете еще меня обижать и на танцы не пускать — знайте, покончу с собой. Такие попытки, как правило, совершаются при помощи бритвы, которой вскрываются вены, или таблеток, которые принимаются горстями, и заканчиваются по-разному. Бывает, что благополучно, а бывает, что и нет. А вот когда человек действительно хочет умереть, тут никаких ограничений уже не существует. Каких только случаев не бывало в судебно-медицинской практике! Сергей помнил случай, когда суицидент сначала выпил уксусную кислоту, потом нанес себе ножом раны на шее, а потом еще и повесился. Чтобы уж наверняка. Другой мужчина оказался еще более выносливым: у него обнаружили тридцать две рубленые раны топором в лобно-теменной области, поперечную зияющую рану на передней поверхности шеи, такую глубокую, что видны хрящи гортани, и еще шесть резаных ран в области шеи, которые он нанес себе ножом, на обеих руках в общей сложности девять резаных ран. Так ведь он тоже сперва нанес себе все эти повреждения, а потом повесился. Но больше всего Саблина потряс в свое время случай из практики немецких судебных медиков: суицидент зажал топор в тисках и неоднократно ударялся головой о лезвие клина, кроме того, нанес себе множественные травмы всеми инструментами и орудиями, какие оказались под рукой, — косой без рукоятки, долотом, двумя пилами-ножовками, одна для дерева, другая — для металла.

— Ни фига ж себе... — снова протянул Макс, но на этот раз как-то растерянно. Видно, живое воображение тут же нарисовало ему ужасающие в своей натуралистичности картины. — Слушай, а они не того?.. Ну, в смысле, с головой дружат?

Сергей пожал плечами.

— Как сказать... По-разному бывает. Раньше, при советской власти, психиатрия безоговорочно считала попытку покончить с собой признаком психического расстройства. Если суицидент выживал, его обязательно ставили на учет в психоневрологический диспансер, а то и в больничку определяли, аминазинчиком и галоперидольчиком подколоть. Теперь, конечно, не так. Не все, кто хочет покончить с собой, имеют проблемы с психикой. Но есть, конечно, яркие случаи.

— Расскажи! — загорелся Максим.

— Выехали на труп, — начал рассказывать Саблин. — На улице мужчина, молодой, лет двадцать пять, лежит мертвый. Кровищи кругом... В тридцати сантиметрах от головы трупа на асфальте лежит яичко с пересеченным семенным канатиком и еще одна лужа крови, а в ней — фрагмент полового члена с телом и головкой. Еще чуть подальше нож валяется. Осмотрели труп — и знаешь, что увидели?

— Что? — в широко раскрытых глазах байкера-художника плавал ужас.

— У него резаная рана шеи длиной двадцать четыре сантиметра, полная травматическая ампутация полового члена, еще одна резаная рана шеи длиной одиннадцать сантиметров и множественные резаные раны, на одной руке — пять, на другой — аж целых шестнадцать. И вдобавок ко всему резаные раны век на обоих глазах. Во как жить не хотел! Правда, потом оказалось, что он сумасшедший на всю голову, на учете стоял.

— Жуть какая, — пробормотал Макс, тряся головой. — Жесть натуральная. И что, вот со всеми такими ранами тебе приходится возиться?

— И с такими, и похуже, — улыбнулся Сергей. — А еще есть такая штука, как гнилой труп, но про нее я тебе уже рассказывать не стану, вон ты побледнел как. Пошли лучше пива выпьем, у меня рабочий день давно закончился.

Они доехали до спортбара — Сергей на служебной машине, Максим — на машине приятеля, которую одолжил, чтобы съездить в аэропорт: для поездок на байке сезон был уже совсем неподходящим. Они заняли самый дальний столик, который всегда держали свободным для арт-директора бара и его гостей, Максим продолжал расспрашивать про самоубийства, Саблин лениво отвечал, что-то рассказывал, объясняя по ходу и рисуя схемы на салфетках, а сам не переставал в то же время думать о том, что же делать с полученными результатами. Как правильно поступить?

Он пойдет к Кашириной. Он все ей расскажет, кроме того, о чем обещал не распространяться, и спросит ее совета. Татьяна Геннадьевна хорошо к нему относится и в совете не откажет. А советы ее, как помнил Саблин, всегда бывали дельными.

* * *

На его звонок Татьяна Геннадьевна отозвалась удивленно, но радостно:

— Конечно, Сергей Михайлович, приходите... — в трубке послышался шелест переворачиваемых страниц ежедневника, — в пятницу после семнадцати тридцати, но не позже девятнадцати часов. Сможете?

— Смогу, — с готовностью ответил Саблин.

— Буду рада вас видеть, — добавила Каширина, — а то мы с вами что-то давно не встречались.

И снова ему вспомнились слова Ольги о том, что советник мэра города по вопросам безопасности благоволит Сергею как-то уж очень не по-деловому. И снова отмахнулся от этой мысли. Да нет, не может быть, зачем он ей? И, кстати, зачем она ему? Деловая женщина, успешная, немолодая, очень занятая, вон время как расписано — чуть ли не по минутам. И какой-то судебный медик, хоть и начальник Бюро, то есть вроде бы мужик при должности, но все равно советнику мэра не чета, да и моложе ее почти на десять лет.

Да, деловая и занятая, у нее проблем более чем достаточно, а тут он собирается отнимать у нее время какими-то россказнями про какой-то рицин. Зачем ей это? С другой стороны, та самая «безопасность», решать вопросы которой Каширина помогает мэру, как раз и подразумевает безопасность жителей города и всех его структур. И к кому, как не к ней, он пойдет со своими сомнениями и полученной информацией? Не к Журенко же, заместителю прокурора города, курирующему деятельность следственного комитета? Этот жадный до денег прохиндей вызывал у Саблина непреодолимое отвращение. Вот если бы Сергей пришел к нему с вопросом, решение которого затрагивает интересы одного из комбинатов, то он немедленно взялся бы за организацию проверки, ибо там, где комбинаты, там и денежки, которые можно получить за то, чтобы результаты этой проверки были такими, как надо. А какой-то рицин, который неизвестно кто использует, чтобы убивать людей непонятно по каким причинам, это не тот уровень: на этом бабла не срубишь.

Каширину он не видел месяца три и снова отметил, что над этой женщиной годы почему-то не властны. Она выглядела не просто хорошо — великолепно, и опять Саблину показалось, что она еще больше помолодела. Пластику, что ли, делала? Если и делала, то в каком-то очень хорошем месте у очень хороших врачей, потому что никаких искажений черт лица — ни приподнятых к вискам уголков глаз, ни растянутых губ, непременно сопровождающих большинство омолаживающих подтяжек, он не заметил.

— Татьяна Геннадьевна, я к вам пришел посоветоваться, — начал он.

Историю с Рустамом Кудияровым Каширина выслушала спокойно, все это она знала, потому что к ней в свое время обращался Роспотребнадзор, обеспокоенный смертью человека после контакта с общепитом. Ничего нового она от Саблина не услышала. Однако когда дело дошло до рассказа о московской лаборатории и проведенном там исследовании «на крысах и хомячках», ее глаза стали внимательными и серьезными. Саблин говорил о двух очень похожих случаях смертей, когда были выявлены другие отравляющие вещества, не имеющие ничего общего с рицином, но тоже попавшие в пищу именно в заведениях общепита. И, наконец, поведал о последнем случае — о смерти Землянухина, работника магазина электронной техники.

— Вот по Землянухину у меня есть официальное заключение из Москвы, — закончил он. — Парня отравили рицином. Таким образом, Татьяна Геннадьевна, мы имеем четыре случая отравления в общепите, из них два — при помощи рицина, и два — при помощи других ядов. У нас в городе затаился преступник, жертвой которого может стать любой из нас.

Каширина помолчала, глядя на стоящую перед ней безделушку — маленькую фигурку тореро со шпагой. Саблин видел множество таких сувениров, когда отдыхал с семьей на Канарах.

— Давайте-ка определимся с правовой стороной вопроса, — наконец произнесла она. — Мне эта материя как-то ближе. Значит, по мастеру-взрывнику уголовного дела нет?

— Нет, — подтвердил Саблин, — там выставлена токсикоинфекция, возбудителя которой определить не представляется возможным.

— Понятно. По Землянухину что?

— Я написал в заключении, что причина смерти — отравление рицином, направил лицу, назначившему исследование, а уж что он с этим заключением сделал — мне неведомо.

— Хорошо, — кивнула она, — я узнаю в следственном комитете, что там с этим делом происходит. Ваше заключение основано на результатах исследования, имеющего официальную силу? Там все по уму оформлено?

— Абсолютно, — заверил ее Сергей.

Каширина что-то пометила в своем блокноте.

— Теперь по тем двум случаям, когда отравили другими ядами. Почему вы считаете, что это дело рук того же человека?

— Потому что общепит... — начал было он, но Татьяна Геннадьевна не дала ему договорить.

— Всякое бывает, Сергей Михайлович, вы уж поверьте мне, я следствием много лет занималась. Случается и такое, что в одном городе в одно время действуют два разных преступника или преступные группы, очень похожие друг на друга по образу действия. Вы видите какие-нибудь способы доказать, что все четыре случая — дело рук одного человека? Я имею в виду: ваши специальные судебно-медицинские способы.

Саблин задумался. Ему в голову пришла совершенно безумная мысль, но он понимал, что осуществить ее невозможно.

— Знаете... — он поколебался, не уверенный в том, что Каширина не сочтет его слова бредом, — вряд ли человек может сразу, с первой же попытки получить чистый рицин. Ему нужна серия попыток, и каждая попытка должна завершиться опытом, экспериментом. Сейчас мы уже точно знаем, что этому доморощенному гению удалость получить рицин. А что происходило до этого? Вдруг он, не зная, что рицин имеет отставленное действие, травил свою жертву, не видел в ближайшие часы никакого результата, и тогда применял другой яд, ранее проверенный и опробованный. Такое ведь может быть?

— Может, — согласилась Татьяна Геннадьевна, подумав. — И что дальше?

— А дальше можно провести исследование аутопсийного материала от этих двух трупов на предмет выявления рицина. А вдруг он там тоже есть? Тогда можно будет с уверенностью говорить о том, что все четыре преступления совершены одним человеком.

— Так, — она согласно кивнула головой. — И что мешает вам это сделать?

Саблин закусил губу. Что мешает? Да судьба-злодейка мешает, что ж еще! Эти случаи с отравлениями имели место давно, в прошлом и позапрошлом годах, и остатки биожидкостей и тканей, пролежав после судебно-химической экспертизы положенное время в холодильнике, были утилизированы. Обычно с этими остатками и сроками их хранения и утилизации царил полный бардак, за пересмотр того, что скопилось в холодильнике, брались только тогда, когда новые материалы становилось некуда класть, и именно это разгильдяйство эксперта-химика позволило в свое время Саблину найти материалы для повторной экспертизы по случаю Алексея Вдовина. Но такая удача случается нечасто. Именно те материалы, которые спустя много месяцев вдруг требуются, оказываются утилизированными, а то, что никогда и никому не понадобится, занимает место в холодильнике долгое время.

— У меня нет аутопсийного материала для такого исследования, — признался он. — Все остатки были утилизированы.

— Значит, ничего установить точно теперь невозможно? — переспросила Каширина, нахмурившись. — И никаких вариантов?

— Вариант есть. Но он осуществим только в том случае, если отравленных похоронили здесь, в Северогорске, а не отправили на материк. Тогда можно провести эксгумацию и набрать материалы для исследования.

— Так, — снова кивнула она, что-то записывая. — Вы выяснили, где их похоронили?

— Нет.

Она снова сделала запись в своем блокноте, потом подняла голову, отложила в сторону ручку и посмотрела прямо ему в глаза.

— Сергей Михайлович, в моей памяти еще свежо воспоминание о том, сколько хлопот было с эксгумацией тела того мальчика, который погиб на комбинате. Меня замучили и прокуратура, и следственный комитет. Для того чтобы провести эксгумацию на материке, нужны очень веские основания. Перво-наперво, нужно возбужденное уголовное дело, и в нем должны содержаться очень убедительные сведения о том, что без проведения этого дорогостоящего мероприятия невозможно установить истину по делу. Нужны веские основания для привязки тех двух отравлений к убийству Землянухина. У вас они есть?

— Нет, — снова проговорил он, чувствуя, что земля уходит из-под ног.

И почему у этих законников все всегда так сложно? Почему им требуется столько бумаг, столько доказательств, столько аргументов? Почему нельзя просто эксгумировать труп, набрать материал для исследования, направить его в Москву в лабораторию и получить четкий и ясный ответ? «The first thing we do, let's kill all the lawyers». «Первое, что надо сделать, это убить всех законников». Шекспир, «Генрих Четвертый».

— А если трупы кремированы? Тогда как? — задала Каширина следующий вопрос.

— Тогда никак, — твердо ответил Саблин. — И страшный убийца, сумасшедший отравитель, будет гулять по Северогорску. Все, что я мог, я сделал. Теперь ваша очередь. Если кто-то и может помочь вашей неповоротливой машине правосудия завертеться, то только вы.

Она снова помолчала, и Саблин отметил, что паузы эти становились раз от раза все длиннее. Оно и понятно, чем больше информации — тем яснее, что дело предстоит трудное и с весьма туманными перспективами. Кашириной нужно обдумать все, что она сейчас услышала, и понять, с какого конца за это браться. Если вообще браться.

— Мне все ясно, — наконец проговорила она. Лицо ее разгладилось и словно бы посветлело. — Я займусь этим вопросом. Первое, что я сделаю, — выясню, где похоронены потерпевшие, и если они не кремированы, начну вентилировать с прокуратурой и следствием возможность эксгумации. Надавлю на них, пусть скажут точно, какой объем доказательств им нужен для принятия решения... Одним словом, дальше уже начинаются мои проблемы. Вы действительно сделали все, что было в ваших силах, Сергей Михайлович, и сделали очень много. Возвращайтесь к своим прямым обязанностям, а поиски преступника оставьте тем, кто получает за это зарплату из государственного бюджета, пусть пошевелятся, а то, я смотрю, они удобно устроились: у них теперь истину по делу устанавливает судебно-медицинский эксперт, а они только водку пьют и дурака валяют. Ваше дело — судебная медицина, а не раскрытие и расследование преступлений. А вы тратите время на... — Она внезапно улыбнулась. — Кстати, мне из Департамента финансов на вас жалуются, знают, что мы с вами добрые знакомые, просят вас унять, а то вы их письмами завалили, им работать некогда, они только на ваши письма ответы пишут, а потом еще ответы на ваши ответы.

— Так ведь у меня коллектив, — развел руками Саблин. — Людям деньги нужны, они с меня спрашивают, а я, соответственно, с администрации. Не знаете, как вопрос решится?

— Думаю, в вашу пользу. И в самое ближайшее время. Так что можете успокоить свой беспокойный коллектив. Скорее всего, недели через три будет принято решение о выплатах в прежнем объеме вашему Бюро. Вы сумели быть очень убедительным, Сергей Михайлович. И очень настойчивым.

— Вот спасибо, — обрадовался он.

Из кабинета Кашириной Сергей вышел окрыленным. Нет, не зря он решил сходить к ней посоветоваться! Решение его было правильным и привело к очень хорошему результату. Только бы оказалось, что трупы не кремированы... Тогда он сможет довести до конца то дело, которое вот уже сколько времени не дает ему покоя и лишает сна.

И с выплатами вопрос, бог даст, решится. Он, конечно, ничего не скажет своим сотрудникам, пока не будет вынесено окончательное решение. А вдруг в администрации передумают или что-то пойдет не так? Вот когда все решится с определенностью, тогда он и проинформирует подчиненных. Нет ничего больнее рухнувших надежд...

ГЛАВА 2

Коллега, с которым Саблин делил комнату в этом общежитии, явился в пять утра и, как обычно, громко стукнул дверью. Сергей недовольно заворочался на своей кровати. Ну ладно, мужик оторвался от дома и семьи и пустился во все тяжкие, ударяя по спиртному и девочкам и возвращаясь только под утро, это можно понять, но дверью-то громыхать зачем? Неужели нельзя поаккуратнее?

Протянув руку, Саблин зажег лампу, висящую над изголовьем кровати.

— Разбудил? — весело поинтересовался сосед по комнате. — И чего ты все спишь? Скучно живешь, северянин! Сходил бы в заведение, выпил, телку снял, развлекся бы. А ты читаешь и спишь, читаешь и спишь.

— Я тебя когда-нибудь убью, — с угрозой проговорил Сергей. — Еще раз разбудишь меня раньше времени — живым отсюда не выйдешь.

Сосед-весельчак махнул рукой и принялся раздеваться, напевая какую-то песенку.

— Заткнись! — зло сказал Сергей, выключая свет и поворачиваясь лицом к стене.

Надо продержаться еще четыре дня. Еще четыре ночи с внезапным пробуждением из-за загульного соседа. Еще четыре дня гнева, ярости и медленно зреющей готовности к войне.

На трехнедельный цикл по «травме», проходящий в Барнауле, он приехал по собственной инициативе и опять за свой счет: бюджет областного Бюро в части оплаты повышения квалификации судебных медиков к концу года оказался исчерпанным полностью, а пропустить цикл, на котором должны были рассматриваться многие интересующие его вопросы, Саблину было жаль. Когда еще представится возможность лично пообщаться с ведущими специалистами в области травматологии и задать им вопросы, ответы на которые так необходимы в повседневной практической деятельности судебно-медицинского эксперта!

В Бюро он оставил вместо себя все того же Вихлянцева. В принципе он неплохо справлялся с обязанностями, ну а то, что акты не проверял, вполне объяснимо: у него просто недостаточно знаний и опыта в танатологии, и он понимает, что даже если в актах есть оплошности и недостатки, он их все равно не заметит. Нужно будет перевести его к Сумароковой на несколько месяцев, пусть поучится, повскрывает трупы. У него ведь и на «живом» приеме то и дело возникают проблемы, особенно когда дело касается механизмов образования переломов костей. В биомеханизмах повреждений Вихлянцев ориентировался слабовато, и если вопрос следователя звучал как-нибудь нестандартно, Юрий Альбертович обычно просил подсказки у Саблина, который буквально диктовал ему ответы. Конечно, разобраться в происхождении и образовании переломов костей, научиться их правильно описывать и понимать механизмы их возникновения можно только при работе с трупным материалом, а опыта такой работы у Вихлянцева нет.

Правда, на амбулаторном приеме вместо него некого оставить, пока Гольцова в декрете, но опять же, можно поменять Вихлянцева на Колю Гавраша, провести такую ротацию на три, допустим, месяца. Обоим будет полезно. А когда Юрий Альбертович освоит более или менее экспертизу трупов, можно будет ставить вопрос о назначении его заместителем начальника Бюро. Пора уже. Сколько, в самом деле, можно работать без зама? Это удавалось такому руководителю, как Георгий Степанович Двояк, который все равно ничего не делал и ни во что не вникал, и все как-то катилось само собой. А он, Сергей Саблин, привык во все вникать и все контролировать, поэтому дел у него так много, что не хватает ни времени, ни сил, а ведь еще хочется и экспертизой как таковой заниматься... Одним словом, заместитель нужен.

Он не ожидал никаких проблем за время своего отсутствия, все дела были в порядке, ничего скандального или сверхсрочного не висело на Бюро. И звонок Светланы, последовавший где-то в середине второй недели обучения, его просто оглушил.

— Сергей Михайлович, вы не могли бы прервать учебу и вернуться?

— Что случилось? — спросил он, чувствуя, как холодеют ладони.

Так вопрос ставился бы, только если поступил труп, вскрывать который должен начальник Бюро. Или здание Бюро рухнуло. Или все сотрудники разом умерли. Понятно, что не второе и не третье, значит, первое. Кого привезли? Мэра? Председателя Городской думы? Прокурора города? Каширину? Кого?

— Неспокойно у нас тут, — понизив голос, сказала секретарь.

И только тут Саблин взглянул на часы и сообразил, что в Северогорске сейчас десять вечера. Значит, Света звонит из дома, а не с работы. И значит, никакого сиятельного трупа нет. Уже легче.

— Что значит — неспокойно?

— Разговоры всякие ходят про вас... Понимаете, Юрию Альбертовичу удалось решить в мэрии вопрос с выплатами, он туда сходил пару раз и сразу добился, чтобы нам «экологические» выплатили в прежнем объеме, и теперь все говорят о том, что вот он был бы очень хорошим начальником, и надо бы попросить областное Бюро, чтобы вас сняли с должности, а его назначили. Сергей Михайлович, вас люди не любят, вас боятся, я вам сто раз говорила, а вы не слушали. А Вихлянцева все любят, особенно бабы наши, он же красивый такой и холостой к тому же... Он сегодня утром планерку проводил, так знаете, что сказал? Что он как исполняющий обязанности добился в мэрии денег для нас, а вы как начальник ничего для этого не сделали, зато успешно разбазариваете бюджет Бюро, оплачивая какие-то левые исследования в собственных интересах, то есть фактически залезаете в карман государства.

— Та-а-ак, — протянул Саблин.

Больше ничего сказать он не мог. Слов не было.

«Значит, этот навозный жук, этот гаденыш считает, что выплата «экологических» — его персональная заслуга? Ну-ну. Может, не стоило тогда, после разговора с Кашириной, молчать? Может, надо было передать всем сотрудникам ее слова? Тогда у Вихлянцева сейчас не было бы такого козыря. А козырь мощный, потому что мало есть на этом свете вещей, которые интересуют людей больше, чем деньги. И ведь ему наверняка сказали в администрации, что вопрос решился уже давно и вовсе не потому, что он туда явился, а потому, что я задолбал их своими письмами и обоснованиями. Я их убедил. А теперь выходит, что я плохой, злой, грубый и несправедливый, ничего не сделал, ничего не предпринял, украл государственные деньги, чтобы оплатить какое-то исследование в своих личных интересах, а пришел добрый и хороший Юрочка, который сразу все поставил на свои места. Вот же сучонок!»

— Так вы приедете? — в голосе Светланы слышались одновременно мольба и тревога.

— Нет, — отрезал Саблин. — Я вернусь только тогда, когда закончу учебу. Я ее оплатил из собственного кармана. Я не так богат, чтобы выбрасывать деньги на ветер.

— Но Юрий Альбертович...

— Юрий Альбертович будет исполнять обязанности начальника до моего возвращения. А если вы, Света, думаете, что напугали меня, то вы очень глубоко заблуждаетесь. Я приеду тогда, когда запланировал. И разберусь, что у вас там происходит.

— Я поняла, Сергей Михайлович, — испуганно ответила секретарь.

Видно, голос у него был весьма выразительным, если испугалась даже Света, которая вообще ничего и никого не боялась.

Разумеется, ни о каком досрочном возвращении не могло быть и речи. И не потому, что ему жалко заплаченных за учебу денег. В Бюро отлично знают, что Светлана информирует начальника обо всем, что происходит. И если он сейчас вернется, все сотрудники решат, что Света поставила его в известность о фокусах Вихлянцева и начальник испугался. А раз испугался и вернулся, значит, чувствует, что его позиции слабоваты.

Нет, он не вернется. И даже звонить Вихлянцеву не станет. Он закончит цикл, приедет в Северогорск, и тогда этому гаденышу мало не покажется.

* * *

Глеб Морачевский действительно очень любил свою работу и потому частенько засиживался в кабинете, выполняя исследования. Вот и сегодня он вышел из здания городского отдела внутренних дел почти в девять вечера. Он бы еще поработал, но от многочасового напряжения стало рассеиваться внимание, и как только он поймал себя на первой же ошибке, немедленно стал приводить в порядок рабочий стол: пора заканчивать, экспертиза — не та сфера деятельности, где допустим хотя бы малейший промах.

Он решил прогуляться пешком, несмотря на лютый мороз. Обмотался длинным теплым шарфом, закрыв лицо до самого носа, надвинул поглубже меховую шапку с опущенными «ушами», руки в толстых рукавицах засунул в карманы пуховика и отправился в сторону центра Северогорска. Минут двадцать пешей прогулки пойдут на пользу, а там можно и на автобус сесть.

Проходя мимо самого «крутого» в городе фитнес-клуба, он обратил внимание на подъехавшую машину со знакомыми номерами: это был служебный автомобиль заместителя прокурора города Журенко, о котором Татьяна Геннадьевна говорила, что если где-то валяется хоть копейка, то через очень короткое время она окажется у Валеры Журенко в кармане. Был он молод, из породы наглых пробивных карьеристов, которые ничего не стесняются и никого не боятся. Глеб уже прошел было мимо, когда из машины вышли Журенко и Юрий Альбертович Вихлянцев.

«Опа! Дружочек Юрочка! — подумал криминалист. — А ты что здесь, собственно говоря, делаешь, в компании зампрокурора города? Что-то я не слыхал, чтобы вы между собой хороводы водили».

Журенко и Вихлянцев, оживленно что-то обсуждая, вошли в дверь фитнес-клуба. Глеб, не раздумывая, двинулся следом, увидел, как они, показав на ресепшене членские карточки, сразу прошли вглубь, и подошел к девушке-администратору. Купив разовый абонемент, Морачевский, следуя стрелкам на указателях, дошел до мужской раздевалки, потянул на себя дверь и остановился на пороге. Раздевалка вполне соответствовала «крутизне» заведения: она вся состояла из отдельных боксов-выгородок, в каждом из которых находились два шкафчика для одежды, банкетка, два кресла, стойка со стеклянными полками для полотенец и небольшая душевая кабина. Находящиеся в разных боксах любители спорта друг друга не видели и могли принимать душ, вытираться, одеваться или раздеваться, никого не стесняясь.

— ...еще четыре дня осталось, потом Саблин выйдет, — послышался из-за непрозрачной пластиковой стены одного из боксов голос Юрия Альбертовича Вихлянцева.

— Но ты успел хоть что-то сделать?

Это уже Журенко. Глеб насторожился и стал вслушиваться, боясь пропустить хоть слово.

— Что значит «что-то», — хохотнул довольно Вихлянцев. — Я все успел. Теперь Саблину постепенно будет приходить конец, долго он не высидит при таком раскладе. В народе зреет недовольство, а я это недовольство умело поддерживаю и разжигаю еще больше. Так что, Валера, не бзди, скоро все закрутится-завертится.

— Повезло тебе с бабой...

— С Танькой-то? Что да — то да, повезло, — охотно согласился Юрий. — Когда она мне сказала, что вопрос с выплатами уже решен принципиально и через несколько дней будет официальное решение, я и понял, что это мой шанс, упускать который нельзя. Только Саблин за порог — а я тут как тут, всех поставил в известность, что еду в мэрию добиваться выплат и когда вернусь — все расскажу: к кому ходил, что говорил, что мне ответили. Народ обрадовался! Через день снова поехал, а мне как раз и говорят: вопрос решен, Саблин вернется, бумагу подпишет — и деньги перечислят. Я хотел сам подписать, знаешь, так красиво было бы: прийти в Бюро и сказать, что я подписал... Шикарно! Но они хотят только саблинскую подпись. Да это-то хер с ним, никто все равно никогда не знает, чья подпись на какой бумажке стоит, всем результат интересен. А результат они получат из моих рук.

— Ты давай быстрее поворачивайся, Юрок, — озабоченно проговорил Журенко, — мне дом надо покупать в Крыму, а то моя красавица мне уже всю плешь проела. Без «похоронных» денег я не потяну такую покупку.

Так вот в чем дело! Глеб понял, о чем идет речь. О том, чтобы подмять под себя ритуальные услуги, которые когда-то были тесно связаны с моргом, а в последние несколько лет от морга отделились и стали осуществляться самостоятельным юридическим лицом — фирмой «Ритуал» под руководством Виктора Павловича Лаврика. От следователей и оперативников Глеб много слышал о проблемах организации похоронного дела в Северогорске, в том числе и мнение о том, что вечно пьяный начальник Бюро судмедэкспертизы просто проспал, когда у него из-под носа увели ритуальные услуги: вовремя не спохватился, и источник постоянного и весьма немаленького дохода уплыл из его рук. Значит, Юрочка Вихлянцев собирается сместить Саблина, стать начальником Бюро и подгрести под себя доходный бизнес. Естественно, ведь без работников морга ритуальные услуги существовать не могут: кто будет обмывать покойника, бальзамировать в тех случаях, когда надо отправлять тело на материк, одевать, гримировать, укладывать в гроб, если не санитары и врачи-танатологи? Многие врачи и поголовно все санитары морга подрабатывали в «Ритуале». Короче, сам бог велел приблизить фирму к Бюро и доить ее как корову-рекордсменку. Стало быть, Юрочка хочет стать начальником, это ладно, это понятно. А Журенко тут каким боком? При чем тут его дом в Крыму? Он тоже в доле, получается? Прикрывает Юрочку и оказывает ему всяческую поддержку? Любопытно.

— Думаешь, мне самому деньги не нужны? — звучал между тем голос Вихлянцева. — Мне тоже хочется побыстрее, но уж как могу...

— Слушай, ну ты жаден, дружище! — Журенко смачно расхохотался. — Ты ж на своем амбулаторном приеме такие деньги делаешь! Я знаю, сколько ты за одно «правильное» заключение берешь, мне на тебя знаешь сколько раз доносы писали? Между прочим, твоя Гольцова и писала.

— Да ну ее! Дура она набитая, больше ничего. Честная до обморока. Хорошо хоть рожать затеялась, я один остался, теперь мне никто не мешает. Саблин, правда, пытался мне кого-то в помощь навязать, но я гордо отказался, мол, я и сам справлюсь, я работы не боюсь. Не нужны мне в поликлинике лишние глаза и уши. И врачей я всех к рукам прибрал, через меня же медицинские документы проходят, а если набраться терпения и через них продраться, все внимательно прочитать, то практически у каждого клинициста можно косяк нарыть. Я как тот золотоискатель, кучу дерьма переберу, но свою золотую крупицу всегда найду. Ну чего ты возишься-то, Валера? Я уже давно переоделся, а ты все копаешься.

— Да черт... второй носок не могу найти... Не на босу же ногу кроссовки надевать... Ты не видел? Я же вроде вынимал из сумки...

— Вот твой носок, на полу в душевой валяется. Слушай, как ты работаешь, а? У тебя бумаги тоже вот так теряются?

— Ты позубоскаль, позубоскаль, — беззлобно откликнулся зампрокурора. — Я-то работаю, а вот как ТЫ будешь работать, когда станешь начальником? Думаешь, справишься? Саблин мужик крутой, это всем известно, а вот ведь не справился с коллективом, настроил всех против себя. А тебе до его крутизны как до Луны.

— Испугал! — презрительно протянул Юрий. — Крутизна — это устаревший метод управления, рожденный в середине девяностых, когда модно было демонстрировать кулаки. Я пользуюсь старыми проверенными методами, которые теперь куда более полезны. У меня почти на каждого сотрудника Бюро уже компромат есть, успел насобирать за то время, пока несколько раз исполнял обязанности вместо Саблина. Один раз, правда, чуть не прокололся, он узнал, что я кое-какие бумажки собрал на одного пьяницу, и потребовал ему отдать. Во я страху тогда натерпелся!

— И что? Отдал?

— Ну прямо! Наврал, что пьяница раскаялся, а я ему поверил и бумажки уничтожил. Саблин скушал — не подавился. А на самом деле они у меня в сейфе лежат прикопанные, до лучших времен...

Голоса стали удаляться: выход в спортзал был с противоположной стороны раздевалки. Глеб тихо прикрыл дверь и зашагал к выходу из клуба.

Ай да Юрочка-дружочек! Какой насыщенной жизнью ты живешь!

Интересно, а мать об этом знает? А Саблин?

* * *

Сергей вернулся из Барнаула и в первые два дня упорно делал вид, что ничего не знает, не замечает и вообще «не в курсе», принял у Вихлянцева отчет о состоянии дел, был ровен и с виду спокоен. На третий день попросил всех экспертов собраться у него в кабинете. Время назначил еще накануне, чтобы Вихлянцев смог приехать из поликлиники.

— Позвольте ознакомить вас с двумя приказами, которые я сегодня утром подписал, — начал Саблин, ни на кого не глядя и делая вид, что просматривает документ, который держал в руке. — Приказ о реорганизации работы Северогорского Бюро судебно-медицинской экспертизы для улучшения качества проведения судебно-медицинских исследований и экспертиз трупов, а также живых лиц.

И только после этого поднял глаза на собравших-ся. Лица у всех были испуганными и напряженными. Реорганизация — это всегда плохо и всегда страшно, потому что ты уже ко всему привык и приспособил-ся, а теперь нужно привыкать и приспосабливаться к чему-то совсем другому, новому и непонятному.

— Итак, уважаемые коллеги, ввиду отдаленного расположения нашего Бюро особые условия работы требуют от каждого из судебно-медицинских экс-пертов подготовки по различным видам судебно-ме-дицинской практики. Напоминаю вам, что судебно-медицинский эксперт, имеющий сертификат спе-циалиста по специальности «Судебно-медицинская экспертиза», обязан разбираться, кроме специфиче-ских судебной химии и судебной биологии, во всех остальных видах экспертной деятельности, иметь опыт и общее представление о возможностях дан-ных экспертиз. Поэтому я как начальник Бюро вво-жу своим приказом принцип ротации кадров. Всем экспертам отделения экспертизы трупов придется поочередно в течение года по одному месяцу отра-ботать в отделении экспертизы живых лиц, а Юрию Альбертовичу Вихлянцеву я предписываю работать в морге для приобретения и закрепления навыков судебно-медицинских экспертиз и исследований трупов. И об этом говорится в другом приказе, ко-торый я подписал. Юрий Альбертович с завтрашнего дня перемещается для работы в морг.

Саблин выдержал театральную паузу, потом поло-жил оба приказа на стол и демонстративно, медлен-но, чтобы все видели, прикрепил степлером к каж-дому приказу листок ознакомления. Эти листки он заранее попросил Светлану сделать на компьютере и отдать ему.

— А теперь, уважаемые коллеги, я попрошу каждо-го из вас по очереди подходить к моему столу и ставить свои подписи в листах ознакомления с указанием сегодняшней даты. Чтобы никто из вас потом не мог мне сказать, что он «не знал или забыл».

Радости на лицах не было, за исключением судебного химика и двух биологов, которых принцип ротации не коснулся и для которых все оставалось по-прежнему. Никто не рвался к столу ставить подпись.

— Прошу, коллеги, прошу, — Саблин приветливо улыбнулся. — Не стесняйтесь.

Первой подписывать листки подошла Сумарокова, пряча в складках губ едва сдерживаемую улыбку: она была достаточно опытна и умна, чтобы понять смысл всей затеи. Кроме того, она заведовала отделением, и уж ее-то на «живой» прием точно не пошлют. За Изабеллой Савельевной потянулись остальные. Вскоре оба листа ознакомления были заполнены подписями, пустовала на каждом из них только одна строчка: не было подписи Вихлянцева.

— Юрий Альбертович, а вы что же? — с показным добродушием спросил Сергей. — Я понимаю, вы как джентльмен пропустили вперед всех наших очаровательных дам, но теперь и ваш черед подписывать.

Вихлянцев весь подобрался.

— Я не стану это подписывать. Эти приказы незаконны.

— Это почему? — удивился Саблин. — Здесь все законно. Прошу вас, пожалуйста, подпишите.

— Вы не имеете права переводить меня в морг.

— Да кто вам такое сказал? — Саблин продолжал изображать доброту и наивность. — Все виды экспертиз, кроме химии и биологии, являются вашей компетенцией, все это входит в ваши должностные обязанности, и все это необходимо для разносторонней практической подготовки экспертов. Так что будьте любезны.

— Я не подпишу. Я должен предварительно проконсультироваться.

— Ради бога, — Саблин широко развел руки в жесте, которым словно говорил: «Делайте все, что считаете нужным, дорогой Юрий Альбертович». — Но приказ подписан и оглашен в присутствии всех экспертов Бюро, поэтому все знают, что вы проинформированы. И завтра, уж будьте так любезны, добро пожаловать в секционную. Я распишу вам труп попроще, учитывая отсутствие у вас практического опыта работы в танатологии. А на «живой» прием вместо вас завтра пойдет Николай Александрович Гавриш. Всем спасибо, все свободны.

Итак, первая часть плана выполнена. Теперь остается дождаться завтрашнего дня и посмотреть на Вихлянцева в морге.

* * *

Назавтра Юрий Альбертович в морге не появился. Светлана сообщила, что он звонил: заболел, оформил больничный. «Ладно, — подумал Саблин, — антракт между первым и вторым действиями спектакля затягивается. Но когда-нибудь он закончится».

Антракт закончился через неделю, когда Вихлянцев закрыл больничный и вышел на работу в морг. Саблин поручил ему вскрытие трупа, санитар труп доставил в секционную и подготовил, однако Юрий Альбертович к вскрытию так и не приступил. Саблин узнал об этом только в конце рабочего дня.

— Я не буду вскрывать трупы, — заявил Вихлянцев, которого Саблин вызвал к себе из ординаторской. — Вы не имеете права меня заставлять это делать. Я — эксперт «живого» приема.

— Право такое я имею, — скучным голосом ответил Саблин, не глядя на него, — и пользоваться им буду. До тех пор, пока вы не овладеете работой с трупами, я не могу быть уверен в правильности ваших заключений на «живом» приеме. Вы дали мне множество оснований сомневаться в вашей квалификации. Завтра вы придете в морг и проведете вскрытие и исследование трупа, которое я вам поручил. Можете идти.

Назавтра Вихлянцев снова весь день демонстративно просидел в ординаторской и к секционной даже не подошел. А на третий день опять взял больничный. Однако Юрий Альбертович опоздал: в конце второго рабочего дня, проведенного им в морге, Саблин успел составить акт о том, что врач — судебно-медицинский эксперт Вихлянцев Ю.А. не выполнил указание начальника Бюро и отказался проводить вскрытие трупа. За актом незамедлительно последовал приказ о выговоре, подписывать ознакомление с которым Вихлянцев снова не стал, но это уже ничего не меняло: Саблин не поленился зайти в конце дня в ординаторскую вместе с Сумароковой и одним из экспертов-танатологов, огласил тексты акта и приказа и предложил пришедшим с ним коллегам засвидетельствовать своими подписями факт, что Вихлянцев с приказом ознакомлен. «Я тебя замордую юридическими крючками, — зло думал Саблин, шагая по коридору к себе в кабинет. — Ты у меня не выкрутишься, свиненыш».

Вихлянцев пробыл на больничном три недели и, как стало известно Саблину, ухитрился в это время у себя в поликлинике, в кабинете амбулаторного приема, провести некое профсоюзное собрание. Профсоюзной ячейки в Бюро давным-давно не существовало, Саблин несколько раз предлагал сотрудникам ее создать, но никому не хотелось возиться, да и толку от нее никто не видел. Оказалось, что Вихлянцев провел заседание независимого профсоюза, и лидером ячейки назначил, естественно, самого себя.

Саблин с любопытством ждал «продолжения банкета», и оно не замедлило наступить. Больничный закончился, Юрий Альбертович вышел на работу, далее все происходило в точности так же, как и в предыдущий раз: поручение провести вскрытие — отказ — составление акта — подготовка приказа — еще один заверенный свидетелями отказ от подписи. «Ну, давай, — азартно думал Саблин, — продержись еще немножко, не спасуй передо мной, дай мне возможность объявить тебе третий выговор — и я тебя уволю. Все будет по закону». Каждый раз он предлагал Вихлянцеву написать мотивированное объяснение своего отказа вскрывать трупы, но ничего внятного не добился: Юрий Альбертович писал, что он является экспертом «живого» приема и никто не имеет права заставлять его работать в морге, а если уж его сюда перевели, то пусть ему дадут возможность вести здесь «живой» прием. Как будто в морге можно проводить экспертизу потерпевших, обвиняемых и иных живых лиц! Это же прямо запрещено законом. И все это отлично знают.

Сергею казалось, что он отлично чувствует себя на тропе войны, бодр, энергичен и полон стратегических замыслов. Он даже не заметил, как ситуация с Вихлянцевым заняла все его сознание, вытеснив оттуда многие текущие дела, а также мысли о рицине. Саблин в эту войну погрузился полностью. Конечно, он занимался не только Вихлянцевым, он и вскрытия проводил, и акты других экспертов читал, и дежурил в составе следственно-оперативной группы — все было как обычно, но все скользило мимо сознания, не задерживаясь в нем. Сергей Саблин чувствовал себя обманутым и от этого оскорбленным.

Дождавшись, наконец, третьего случая отказа от выполнения вскрытия, Сергей с облегчением подготовил сразу два приказа: о выговоре и об увольнении. В строгом соответствии с трудовым законодательством.

Через очень короткое время Юрий Альбертович нанес ответный удар: он подал в суд иск о восстановлении на работе. Проиграть суд Саблин не боялся — не зря же он столько времени потратил на изучение юридических тонкостей трудового права. Но сколько сил и времени это отнимет...

* * *

Как только Вихлянцев перестал быть сотрудником Северогорского Бюро, Сергей испытал почти физическое облегчение. И мысли его вновь вернулись к рицину. Он позвонил Кашириной, которая сперва пожурила его за то, что он так долго не интересовался вопросом, которым ее же и озадачил, а потом с сожалением сказала:

— Я навела справки. Увы, Сергей Михайлович, нам с вами здесь не повезло: оба умерших от отравления отправлены на материк и там кремированы. У вас есть еще какие-нибудь соображения? Что еще можно сделать, чтобы собрать доказательства?

— Не знаю, — уныло признался он. — Я надеялся... Жаль, что не получилось.

— Жаль, — согласилась она грустно. — Но с руководством прокуратуры и следственного комитета я поговорила, они обещали принять какие-нибудь меры. Да и в любом случае по последнему трупу, по Землянухину, дело-то возбудили. Так что, может быть, нам всем еще и повезет. Спасибо вам еще раз, Сергей Михайлович, за то, что не остаетесь равнодушным и не проходите мимо фактов, которые наши доблестные следователи предпочитают не замечать.

Ладно, здесь не получилось — может, у Глеба хоть что-нибудь получится. Хотя зачем теперь все это? Если только искать другие экспертные случаи в архиве, тщательно перебрать все эпизоды отравления в Северогорске за несколько лет, закопаться в них, проанализировать. Авось где-нибудь что-нибудь промелькнет.

Саблин отправился в супермаркет, накупил вкусной «мужской» еды — соленой, копченой, вяленой и острой — и пригласил Глеба к себе в гости. Тот охотно приехал, и Саблину даже показалось, что он обрадовался, когда Сергей ему позвонил. Может быть, ему что-то удалось придумать в отношении рицина?

Но оказалось, что дело в другом. С рицином пока ничего не получалось, зато Глеб рассказал много интересного про Юрия Альбертовича. Сергею в первый момент даже показалось, что его ударили под дых и сбилось дыхание. Он всегда считал, что неплохо разбирается в людях и умеет правильно расценивать их побуждения и поступки. Сейчас он вспоминал, как умилялся мягкости и человеколюбию Вихлянцева, который простил Коле Гаврышу трехдневный запой, уничтожил акты, свидетельствовавшие о прогуле и алкогольном опьянении эксперта-танатолога, а потом рассказывал Саблину о своих принципах построения взаимоотношений с коллегами и о том, что нужно быть добрее и снисходительнее. А сам, значит, в тот момент трясся от страха, потому что едва не спалился с этими документами, которые он не уничтожил, а спрятал у себя в сейфе. И еще Саблин вспоминал свое восхищение трудолюбием, энергией и неутомимостью заведующего отделением «живого» приема, который, с пониманием относясь к сложной кадровой ситуации в Бюро, не только не настаивал, а даже был категорически против того, чтобы после ухода Гольцовой в декрет ему в помощь переводили экспертов из танатологии. Он в глазах Сергея выглядел благородным трудоголиком. А оказалось, что все дело в возможностях «крутить дела» на «живом» приеме и зарабатывать на этом очень неплохие деньги. Все было не так, как виделось Саблину, и от этого он чувствовал себя обманутым и униженным. А теперь этот слизняк хочет занять должность начальника Бюро и настраивает против Саблина весь коллектив!

— Вот, значит, почему он метил на мое место, — протянул он с усмешкой. — Ритуальные услуги ему нужны... Ну-ну. Теперь мне понятно, почему он писал такие тупые объяснительные. Его Журенко консультировал, а Журенко не большого ума юрист. Но если честно, то он меня достал. Теперь еще и в суд на меня подал. Одна нервотрепка с этим Вихлянцевым.

— Да тут не только в похоронных делах вопрос. Он же и на «живом» приеме взятки брал. И будет продолжать их брать, если выиграет суд, восстановится на работе, выживет тебя и сам станет начальником Бюро.

— Ты думаешь, станет? — усомнился Сергей. — Неужели похоже, что этот скользкий тип меня выживет?

— В наше время все бывает, — задумчиво проговорил Морачевский. — Журенко тот еще гад, мне мать про него много рассказывала. И у него крепкие связи в области. Думаешь, он почему никого не боится? Да потому, что из-за этих связей его никто не трогает — себе дороже. И если Валера поставит перед собой цель пропихнуть твоего Вихлянцева на должность начальника Бюро, то пропихнет, можешь не сомневаться. Ты с директором «Ритуала» знаком?

— Ну да, — кивнул Саблин, — приличный мужик, неглупый, приятный, деловой. А что?

— Ну, я-то с ним не вась-вась, мне не с руки, а ты бы предупредил его на всякий случай, что на его бизнес позарились. Журенко не только тебя без должности оставит, но и его без «Ритуала», можешь мне поверить. А предупрежден — значит, вооружен. Поговори с ним.

— Ладно, спасибо за подсказку, обязательно поговорю. А ты-то что ж столько времени молчал? Почему сразу не сказал мне, когда узнал?

Глеб смущенно улыбнулся.

— Ну... Понимаешь, получается, что я вроде как сплетни развожу. Подсмотрел, подслушал, пересказал... Самому неловко. Я бы промолчал, честно тебе признаюсь, если бы все так круто не повернулось. А когда узнал, что ты Вихлянцева уволил, а он на тебя в суд подал, тогда и решил, что лучше тебе всю подноготную видеть четко.

— Жалко, — Сергей покачал головой. — Если бы я раньше узнал...

— То что? Что изменилось бы? Ты бы его убил, что ли? — усмехнулся Глеб.

Сергей грустно рассмеялся. И правда ничего не изменилось бы. Методы, которыми он вел свою войну с Вихлянцевым, остались бы точно такими же. Только, может быть, на душе было бы еще более гадко.

Поскольку Глеб спиртного не употреблял, Саблин к приходу гостя вооружился не крепкими напитками, а несколькими бутылками пива, однако выпил всего одну бутылку — и всякое желание продолжать пропало. Он слушал Глеба, вяло жевал нарезанные тоненькими пластинками копчености, и по мере того, как открывался ему истинный образ Юрия Альбертовича Вихлянцева, все ярче становилось странное ощущение: как будто он наелся дохлых мышей.

— Холостой вид у твоего жилища, — сказал ему Глеб. — Чего ты семью-то не привезешь? Или они не хотят на Севере жить? У тебя жена кто по профессии?

Это было странно, но за все время знакомства и, в общем-то, теплых дружеских отношений между ними никогда не заходил разговор о семейной ситуации обоих. Саблин понятия не имел, был ли Глеб женат и есть ли у него сейчас подруга, равно как и не рассказывал ему о Лене и Даше. Об Ольге и о том, что она уехала, Глеб, разумеется, знал, но дальше этого его информированность не простиралась. Сергей не рассказывал — он не спрашивал.

— Учитель младших классов, в школе работает.

— Ну вот видишь! У нас сфера образования вместе с культурой и здравоохранением входит в список тех, кому северные надбавки выплачиваются в первую очередь. Она бы тут у тебя, знаешь, сколько зарабатывала? Вдвоем да за столько лет вы бы уже на квартиру себе заработали.

— Да у нас есть квартира, — равнодушно отозвался Сергей.

— Купили бы побольше, попросторнее. Деньги никогда не помешают. Почему ты ее не привозишь? Она не хочет? Или ты?

— Я, — коротко ответил Саблин, не желая вдаваться в подробности.

— Из-за Ольги Борисовны?

— Именно. Ольга за мной сюда из Москвы приехала. Это дорогого стоит.

— Да ну? — искренне удивился Глеб. — Надо же... А я почему-то считал, что вы только здесь познакомились. Ну, знаешь, как это бывает: два москвича, приехали на заработки, познакомились, оба одинокие, потянулись друг к другу... Как-то так. Я думал, у вас все банально, как у многих.

Сергей покачал головой.

— Нет, Глеб, у нас не так. Я с Ольгой познакомился, еще когда женат не был. Вот с тех пор мы и вместе.

Глеб с недоверием посмотрел на него.

— А на кой ляд ты тогда женился, если у вас с Ольгой Борисовной тогда уже было?.. А, понял: тебя на пузо взяли, да?

Саблин поморщился: его покоробила такая грубость. И вообще, это было неправдой, Лена не пыталась его на себе женить, он сам принял решение и сам несет за него ответственность. Несет до сих пор. Хотя Дашка уже давно совершеннолетняя, но он за почти двадцать лет приучил Лену к тому, что заботится о ней, обеспечивает ее и решает серьезные проблемы, когда таковые возникают: устраивает, организовывает, договаривается и платит. Да, не лично, да, по телефону, но что это меняет? Главное, что проблема решается, и Лена твердо знает: что бы ни случилось — Саблин стоит за ее спиной и всегда поможет. Ну и что, что он ее не любит? Он приручил ее, приучил к определенному образу жизни и уровню комфорта и не может вот так, ни с того ни с сего, лишить жену того, к чему сам же и приучил.

Но не объяснять же все это Глебу Морачевскому! Поэтому Саблин ограничился еще одним коротким:

— Нет. И не имеет смысла это обсуждать.

Глеб не обиделся. Он с любопытством прошел по квартире, в которой был в первый раз, пробежал глазами названия на корешках книг, задержался возле стойки с дисками, повертел в руках некоторые из них, потом взгляд его задержался на пустой коробке из-под «Веревки и кольта»: сам диск был вставлен в проигрыватель, Саблин накануне для успокоения нервной системы решил посмотреть любимый фильм.

— Слушай, это что за тетка на картинке? — спросил Глеб. — Что-то лицо знакомое. Где я ее мог видеть?

— В кино, надо думать, — усмехнулся Саблин. — Актриса все-таки.

— Да нет, я понимаю, что в кино, но в каком? Это же фильм шестидесятых годов, меня еще на свете не было, а уж когда я начал в кино ходить, эта тетка наверняка уже была глубокой старухой, и фильмов, где она молодая, уже не показывали.

— Показывали, только не в кино, а по телевизору, и до сих пор показывают раза по три в год.

Он назвал три самых известных фильма с участием этой актрисы, которые действительно регулярно прокатывали в телеэфире.

— Точно! — воскликнул Глеб. — Я и смотрю — лицо знакомое. Мелькала она на экране. Но это же про любовь-морковь... Неужели ты такое смотришь?

— «Веревка и кольт» — не такое, не про любовь. Это... даже не знаю, как тебе объяснить. Для меня этот фильм вроде психотерапии. Грустный, медленный, расслабляющий.

— Ага, — подхватил Глеб, — и в конце хорошие парни всех победили, а главные герои поженились, да?

— В конце все умерли, — очень серьезно ответил Саблин. — И плохие, и хорошие. Месть никогда не приводит к достойному результату. В общем-то, фильм именно об этом.

— Дашь посмотреть?

— Прости, не дам. Он всегда должен быть у меня под рукой. Этот фильм — мое спасение, мое лекарство от всех напастей. Ты из Интернета скачай, он там есть.

— Ладно, — согласился Глеб. — Обязательно посмотрю, очень уж мне любопытно, что может стать лекарством от всех напастей для такого мужика, как Сергей Михайлович Саблин.

Он снова принялся осматривать комнату.

— Чисто у тебя, — одобрительно сказал он. — Сам убираешься? Или кто-то приходит?

— Приходит подружка Ольги, убирается.

— Только убирается? — лукаво осведомился криминалист.

— Да иди ты! — рассмеялся Саблин. — У тебя одно на уме: бабы. Впрочем, такие твои годы. Я в твоем возрасте тоже о женщинах думал больше, чем о деле.

Глеб внезапно посерьезнел и словно бы даже засмущался чего-то.

— Серега, а как тебе моя мать?

Саблин вытаращил на него непонимающие глаза.

— В каком смысле?

— В прямом. Как женщина.

— Нормально, — он смешался, откашлялся, потом натянуто рассмеялся. — Красивая женщина, очень ухоженная, очень моложавая, обаятельная. Я не пойму, к чему ты...

— А ты ей нравишься, — заявил Глеб, глядя прямо ему в глаза. — Я ей так и сказал, что если она надумает выйти за тебя замуж, то я не возражаю.

— Ты что, обалдел, дружище?!

Саблин разразился непритворным хохотом. И с чего это у Морачевского такие удивительные мысли в голове появляются?

— И вообще, я женат, на минуточку. И разводиться не собираюсь.

— Большое дело! — хмыкнул криминалист. — Ты и с Ольгой Борисовной прожил столько лет, не разводясь. И ничего. Я же не в прямом смысле говорю, а в переносном. То есть если у вас что-то намечается, но тебя смущает мое отношение, то знай: я только приветствую. Представляешь, будем жить все вместе, в одной квартире, по вечерам общаться станем, разговаривать, кино вместе будем смотреть, политику обсуждать, городские сплетни, а мать будет кормить нас вкусными ужинами. Красота! А жениться официально вовсе не обязательно, никто от тебя этого не требует.

Теперь уже они оба хохотали. Саблину снова стало любопытно, как организована личная жизнь Татьяны Геннадьевны, есть ли у нее мужчина, но спросить ее сына об этом он постеснялся.

После ухода Глеба Саблин понял, что остаток вечера, пожалуй, будет даже приятным. Сын Татьяны Геннадьевны ухитрялся сеять в душе Сергея умиротворение и уверенность, что все в конце концов будет хорошо — настолько он был спокойным, ровным и позитивным. Всегда после общения с ним настроение у Саблина поднималось, как и после общения с байкером-художником Максимом. Если бы не эти два человека, он бы, наверное, сошел с ума после отъезда Ольги, и только они, сами того не ведая, оказались для него спасательным кругом, помогающим удержаться на плаву.

Он решил перед сном провести время с книгой, заварил себе чаю, нарезал крупными ломтями лимон, сделал первый глоток и вдруг почувствовал, что не хочет ни чаю, ни чтения. Вновь вернулся отвратительный привкус обмана. И снова стало тошно.

* * *

Однако оказалось, что исковое заявление в суд о восстановлении на работе было не единственным «выступлением» Юрия Альбертовича. Выяснилось, что, пока он находился на больничном, у него было достаточно времени, чтобы написать целую кучу жалоб на Саблина в прокуратуру. Вероятнее всего, писать эти жалобы ему помогал зампрокурора города Журенко. Одной из претензий, высказанных в жалобах, было то, что в Северогорском Бюро судебно-медицинской экспертизы эксперты перегружены работой, однако денег за фактический объем проделанной работы не получают, и заработная плата начисляется без учета интенсивности, хотя объемы работы значительно превышают рекомендуемые нормативы. В Бюро существует резервный ставочный фонд, на который начисляется финансирование, но этим фондом начальник Бюро Саблин С.М. распоряжается по своему усмотрению, присваивает себе заработную плату других экспертов и необоснованно увеличивает зарплату своим приближенным. Еще одним обвинением стало обвинение в том, что Саблин вместе с бухгалтером предоставляет в Департамент финансов городской администрации недостоверную информацию, в которой сотрудниками Бюро числятся различные посторонние лица. Это делается для увеличения объема «экологических» выплат, а разницу между необходимым и фактически начисленным объемом этих выплат Саблин со своими приближенными делит между собой и присваивает. Таким образом, по утверждению Вихлянцева, Саблин разработал коррупционную схему и вместе со своими приближенными занимался откровенным мошенничеством, причиняя материальный ущерб государству.

Тот же зампрокурора Журенко сказал «фас» прокуратуре, которая тут же начала бесконечные проверки Бюро и его начальника. Явился ОБЭП, сотрудники которого изъяли все финансовые документы, но ничего не объяснили, бросив несколько уклончивых слов о том, что к ним, дескать, поступила оперативная информация о совершении экономического преступления, и они теперь ее проверяют. Обыск длился до позднего вечера, и работать в этот день Саблину уже не довелось. Но и на следующий день пришлось тратить время на вещи, весьма далекие от судебной медицины: писать докладную записку начальнику областного Бюро, поскольку Северогорское Бюро, несмотря на всю свою самостоятельность, все-таки являлось филиалом, потом долго разговаривать с начальником областного Бюро, который пообещал узнать все, что может, в правоохранительных органах. Оказалось, что на уровне области никто инициативы в проведении проверок не проявлял, значит, ноги у всей этой катавасии росли на уровне Северогорска.

Сергей надеялся на то, что назначенный на середину мая суд по иску Вихлянцева расставит все точки над «i» и положит конец этой бессмысленной, на его взгляд, войне, но судебное заседание неожиданно перенесли на август, как объяснили Саблину — по просьбе истца, который нездоров и должен пройти курс лечения. Однако в августе суд снова не состоялся, поскольку истец выступил с очередной инициативой о переносе судебного заседания в связи с невозможностью его адвоката участвовать в процессе. Почему-то суд проявлял к истцу невероятную благосклонность и удовлетворял все его ходатайства о переносе сроков, а ходатайств этих было еще несколько, каждое — по вполне уважительной причине. Саблин понимал, что из него таким нехитрым способом просто вытягивают душу. И еще он понимал, что суд являет свою милость истцу Вихлянцеву не по собственному желанию, а явно с чьей-то подачи.

Тем временем в прокуратуру пришла еще одна жалоба на то, что Саблин препятствует работе общественных выборных органов в Северогорском Бюро судмедэкспертизы. Когда началась проверка и по этому факту, терпение Сергея лопнуло, и он снова позвонил Кашириной. На этот раз у нее не было свободного времени в ближайшие дни, чтобы встретиться с ним, и пришлось вкратце рассказать ей все по телефону.

— И всего-то? — рассмеялась Татьяна Геннадьевна. — Да не обращайте вы внимания, Сергей Михайлович! Сейчас модно бороться с коррупцией, поэтому прокуратура и следственный комитет с удовольствием жонглируют этим термином, чтобы казаться «впереди планеты всей». Каждый же хочет прогнуться перед вышестоящим начальством, вот они и стараются. Постараются еще немножко — и успокоятся.

— Но мне работать не дают! — взвыл Саблин. — Я уже год ничего не могу делать, у меня нет времени провести вскрытие и написать заключение, я только отбиваюсь от проверок, даю объяснения, пишу какие-то бесконечные бумаги. Я же в конце концов эксперт, а не специалист по технике речи, пустите меня в секционную и не заставляйте отвечать на вопросы в кабинетах.

— Ну-ну, будет, Сергей Михайлович, будет, — пыталась успокоить его Татьяна Геннадьевна. — Возьмите себя в руки. Перестаньте так волноваться. То, что у вас происходит, до крайности неприятно, я согласна, но это совершенно не смертельно. Под стражу вас не возьмут и уголовное дело против вас не возбудят. Побегают немножко, поизображают активность — и утихомирятся. Не придавайте этому такого большого значения, поверьте мне, все обойдется. Надо просто перетерпеть.

Перетерпеть! Легко сказать. Чего-чего, а терпеть Сергей Саблин не умел никогда. Ему необходимо было воевать, чтобы силой оружия завоевывать свое право «не терпеть».

Тем временем в очередной раз подходил назначенный день судебного заседания, на котором рассматривался иск Вихлянцева к Северогорскому Бюро судебно-медицинской экспертизы о восстановлении на работе. На сей раз никаких переносов уже не было, и Сергей снова вынужден был отвлекаться от своих основных обязанностей, готовясь к суду, подыскивая юристов, которые взялись бы выполнить функции адвоката со стороны ответчика, собирая документы и пытаясь толково написать мотивированный отзыв на исковое заявление. Написать такой отзыв ему предлагалось официально как представителю организации, к которой подан иск. Он злился, писал черновики, правил их, уничтожал и начинал писать заново. И все это требовало времени, времени, времени...

Суд состоялся. Исковое заявление Юрия Альбертовича Вихлянцева осталось без удовлетворения. Процесс Саблин выиграл, хотя не особо на это рассчитывал.

* * *

И только после суда Сергей вспомнил, что обещал Глебу Морачевскому поговорить с директором похоронной службы Лавриком. Выкроить время для встречи оказалось непросто: за время подготовки к суду и самого слушания дела, длившегося три дня, в Бюро скопилась масса неотложных дел, непросмотренных Саблиным актов, сроки по которым уже горели, неотвеченных официальных писем и прочего, чем непременно бывает занят рабочий день руководителя. Наконец он выбрал день, когда мог бы закончить работу в Бюро не в девять вечера, а хотя бы в семь. О том, чтобы закрывать кабинет и уходить домой в три часа, как все судебно-медицинские эксперты, даже речь не шла. Набирая номер телефона Виктора Павловича, Сергей казнил себя за то, что, увлекшись собственными проблемами, не поговорил с Лавриком раньше. Так закрутился, так замотался, отбиваясь от проверок и давая бесконечные объяснения в разных инстанциях, что данное Глебу обещание поговорить с директором похоронной службы просто вылетело из головы. «Ничего, — утешал сам себя Саблин, — пока Вихлянцев не стал начальником Бюро, «Ритуалу» ничто не угрожает. А пока не состоялся суд, об этом и речи быть не могло. Если бы Юрия Альбертовича восстановили на работе, ситуация могла бы стать критической для Лаврика, но поскольку суд решил дело в пользу Бюро, никакой опасности для похоронной службы нет. Так что, может, я и не очень виноват». И еще он подумал, что будет ужасно обидно, если Лаврик окажется занят. Не по телефону же вести подобные беседы!

Лаврик действительно имел на тот вечер определенные виды, однако услышав, что дело у начальника Бюро судмедэкспертизы важное, согласился планы изменить.

— Давай тогда посидим в том же ресторанчике, что и в тот раз, помнишь? Мы с тобой после суда по делу Рыкова туда заходили? — предложил директор похоронной службы.

— Только не туда, — быстро откликнулся Сергей.

Мысль о приближении к зданию суда хотя бы на километр вызывала в нем содрогание.

— Ладно, предлагай другую точку.

— А если спортбар на Пролетарской? Бывал там?

Спортбар, в котором подрабатывал байкер-художник — школьный учитель Максим, стал в последнее время, после отъезда Ольги, излюбленным местом, где Саблин проводил время, если не хотел возиться с приготовлением еды дома. Он активно пропагандировал заведение и нахваливал его всем, с кем общался, и даже Лев Станиславович Таскон, у которого жена была великолепной кулинаркой, не устоял перед соблазном, пришел туда с Саблиным и остался очень доволен. «Еда, конечно, не ахти, — говорил он, — моя Лялечка ту же жареную картошку готовит не в пример лучше, но что касается атмосферы — тут я полностью согласен. Действительно, молодые здоровые позитивно настроенные мужчины, особенно если они все вместе чему-то радуются, оказывают невероятное энергетическое воздействие. Я помолодел на добрый десяток лет, пока сидел здесь». И впоследствии Таскон несколько раз говорил Сергею, что заходил в бар на Пролетарской «подпитаться энергией и набраться душевных сил». А вот Виктор Лаврик, как выяснилось, там не бывал.

— Не приходилось, — ответил директор «Ритуала». — Хотя отзывы слышал неплохие, вроде, там и пиво бочковое, и интерьерчик приятный.

— Вот интерьерчик — это как раз заслуга моего доброго приятеля, — рассмеялся Сергей, — и поскольку его там зело уважают, то и к нам отнесутся со вниманием. Во всяком случае, тушеная капуста к сосискам будет точно не протухшей, а сами сосиски достаточно вкусными. И картошечку они хорошо жарят.

Лаврик опоздал на встречу минут на сорок и подошел к Сергею, уже давно сидевшему за столиком и успевшему выпить две чашки кофе, с виноватым видом.

— Дела, которые я на вечер наметил, нужно было как-то свернуть, — объяснил он, оправдываясь.

— Да ничего, — Сергей махнул рукой официанту, который немедленно подбежал и положил перед ними меню, все такое же скромное по содержанию, но уже куда более пышное и помпезное по форме: арт-директор бара, получив задание владельца придать заведению некую респектабельность, многое изменил в оформлении не только меню, но и интерьера, и даже попытался воздействовать на поваров в плане культуры сервировки и подачи блюд, стремясь компенсировать этим скудность ассортимента.

Саблин пересказал Лаврику то, что узнал от Глеба. Тот слушал внимательно и только иногда похмыкивал.

— Н-да, — протянул он, когда Саблин умолк, — рано я расслабился. Мне-то казалось, что все стабильно, вся поляна поделена и можно спать спокойно. Я же видел, что ты темы платных ритуальных услуг не поднимаешь... А кстати, почему ты ее не поднимал никогда? Такой бескорыстный, да?

— Такой неделовой, — рассмеялся Саблин. — Людям моего плана бизнес противопоказан, мы под него не заточены. Короче, мне ритуальные услуги не интересны. Мне зарплаты хватает.

— Ну да, — кивнул Лаврик, — я и смотрю, что ты не пытаешься переключить на себя финансовые потоки. Раньше, при вашем прежнем начальнике Бюро, все было иначе, он лапу в ритуальный карман так глубоко запустил, что еле выдернули, чуть вместе со всей рукой не оторвали. И когда меня сделали директором, я, честно, говоря, побаивался, что все начнется сначала. Вашего Двояка нелегко было с плеч скинуть, справились только потому, что он все мозги пропил, а вот если бы ты за дело взялся, то мне бы уже было не отвертеться, у тебя хватка бульдожья.

— Расслабься, — сказал Сергей, — у меня хватка только в отношении моей профессии, а в бизнесе я полный лох.

— Не знаю, не знаю, — Лаврик хитро посмотрел на него, — про тебя слухи-то интересные ходят, якобы ты там целую коррупционную схему разработал и большие дела проворачиваешь, так что не прибедняйся.

Саблин грустно рассмеялся.

— Вот ведь парадокс, Витя: те, кто обвиняет меня в коррупции, потому и ополчились, что я этим не занимаюсь. Да они спят и видят, как бы в Бюро начали деньги зарабатывать, тогда бы и им перепало. А так меня считают полным лохом, который по деньгам ходит, а нагнуться и поднять ленится. Вот именно в этом меня и обвиняют теперь. И что самое занятное — у Вихлянцева все получалось потому, что его бабы любят. Красивый, свободный, обаятельный, и весь мой средний медперсонал под его дудку пляшет. У меня врачи-то в основном мужики, в танатологии вообще только одна заведующая — дама, в гистологии одна дама и еще одна — биолог, ну, ту, которая в декрете, я не считаю, она в этих играх пока не участвует. А вот лаборанты у меня все женского пола, и медрегистраторы тоже. Вот всей этой жаждущей мужского внимания массой Вихлянцев и управляет, причем весьма ловко. Они ему в рот смотрят, а меня тихо ненавидят. И под его диктовку или с его подачи строчат на меня бесконечные жалобы и в прокуратуру, и в областное Бюро.

— Ну? — приподнял брови Лаврик. — И на что жалуются? На то, что ты на них не женишься?

— Если бы! Жалуются, что я груб, невежлив, ругаюсь матом на рабочем месте, кричу на подчиненных, оскорбляю их, необоснованно лишаю премиальных и все такое. Еще пишут, что я вор и взяточник. И ты знаешь, что мне кажется?

— Что?

— Вихлянцев все это делает специально, чтобы меня спровоцировать. Он ведь не рассчитывает на то, что по этим жалобам ко мне будут приняты меры дисциплинарного воздействия. Придет проверка, посмотрят, убедятся, что все неправда, и жалобу отправят в архив. Реального вреда для меня никакого. Но этим он меня может здорово достать. Да, собственно говоря, уже достал. Потому что проверки отнимают у меня время и выматывают. И рано или поздно я потеряю контроль над собой, найду эту гниду и набью ему морду. И вот тогда все получится так, как он хочет: меня снимают с должности, а может быть, и уголовное дело заводят. А его назначают. Уж об этом-то наш зампрокурора непременно позаботится.

Виктор Павлович задумчиво рассматривал остатки салата в тарелке, словно решая, имеет смысл его доедать или нет.

— Слушай, Сергей, не нравится мне все это, — наконец проговорил он. — Пока ты руководишь Бюро, у нас хоть какое-то равновесие. Все обо всем договорились, все поделили, все успокоилось, и можно работать нормально. Как только твой Вихлянцев придет к власти в Бюро и начнет раскачивать лодку, пытаясь отгрызть у меня «Ритуал», начнутся проблемы. Ты же понимаешь, что дело у меня отнимать будет Журенко, и действовать он станет своими привычными методами, насылая на меня проверки и вынимая из меня и моих сотрудников душу. В общем, схема на тебе опробована, осталось только применить ее на мне. Ты говоришь — Вихлянцева бабы любят?

— Обожают, — подтвердил Сергей.

— А часть твоих девушек подрабатывает у меня. И твой милый Юрий Альбертович именно их и настроит, чтобы они начали на меня кляузы строчить. И тогда мне не выжить. Журенко тип гнилой, но сильный. Мне с ним не справиться. Хорошо, если жив останусь и ноги унесу, а то, может, и похуже все обернется.

Голос Лаврика становился все тише и тише. Саблину в какой-то момент даже не по себе сделалось, как-то неуютно и знобко.

— И... что ты предлагаешь? — осторожно спросил он. — Ты видишь какой-нибудь выход из положения?

— Выход? — Виктор Павлович поднял глаза на Саблина и тонко улыбнулся. Было в этой улыбке что-то зловещее и мрачное. — Выход есть всегда. Уж тебе ли не знать. Ты же в морге работаешь.

Он залпом допил пиво из высокого тонкостенного бокала и со стуком поставил его на стол.

— Спасибо тебе, Сергей, что предупредил. И парню своему, криминалисту, тоже от меня спасибо передай. Скажи: если что — обслужу бесплатно и по высшему разряду.

* * *

Когда я впервые увидел меню спортбара на Пролетарской, меня оторопь взяла: нельзя претендовать на серьезность заведения при таком убогом выборе блюд. Но очень быстро я понял, что дело не в еде. Дело в мирах, которые здесь, в этом самом месте, сконцентрированы в наибольшей степени. Множество мужчин, как молодых, так и зрелых, активных, чем-то занятых, имеющих семьи, друзей, женщин, работу, родителей... Каждого из них с жизнью связывает огромное количество нитей, которые в момент смерти рвутся, как струны, издавая прекрасные звуки, складывающиеся в мелодию прощания. Эти звуки — самое большое наслаждение, которое я могу испытывать.

Сейчас все эти мужчины живы, веселы, некоторые слегка пьяны, отдельные личности уже набрались под завязку, но все равно здесь царит атмосфе-

ра жизни, яркой, наполненной, бьющей через край. А я в любой момент могу вырвать своими руками любой кусок из этой симфонии жизненных сил, из этого живописного полотна. Вырвать и послушать, как затихают последние звуки, издаваемые порванными нитями-струнами.

В этом месте все кричит о жизни, бурной, щедрой, сильной. И цвет стен, и цвет потолка, и цвет столешниц, и форма подставок для пивных бокалов, и оформление окон. Подобрать цвет и форму так, чтобы они передавали смысл, чувство, настроение, — это ведь целое искусство.

В морге все совсем иначе. Кто придумал эти чудовищные цвета, которыми выкрашены стены в последнем приюте умершего? Они тупы и бессмысленны, они не передают ничего — ни чувства, ни смысла, ни настроения. В морге невозможно понять, что такое смерть и чем она отличается от жизни. Смерть — это великое таинство, о котором никто ничего достоверно не знает, а все неизвестное требует уважения к себе и отношения трепетного и внимательного. Разве морг с его унылой однообразной цветовой гаммой может передать всю сложность и тонкость отношений между человеком и смертью? Нет, не может.

А это неправильно.

И взаимоотношения человека с жизнью — тоже материя непростая, понять ее не каждому дано. Но в баре на Пролетарской открывается истина. А в морге никакой истины не открывается...

Странно, что Саблин этого не понимает. Он ведь так интересуется смертью... Наверное, ему не хватает душевной тонкости, чтобы почувствовать всю сложность вопроса так, как чувствую ее я.

* * *

Татьяна Геннадьевна Каширина достала из сумочки зеркало, бегло осмотрела лицо и прическу — все в идеальном порядке, можно появляться на людях. А ведь еще пятнадцать минут назад она пребывала в таком состоянии, в каком не то что на людях — родному сыну не покажешься. Злые холодные слезы градом текли из глаз, нанося непоправимый ущерб умело наложенной косметике, руки тряслись, в груди сжималась ржавая тугая пружина, грозящая вот-вот распрямиться и выстрелить истошным надрывным визгом ненависти. Таких приступов неконтролируемой ярости не было уже очень давно. И вот теперь они снова вернулись.

Вернулись совсем недавно, в тот день, когда Глеб рассказал ей о подслушанном в фитнес-клубе разговоре.

«Повезло тебе с бабой...»

«С Танькой-то? Это точно, повезло».

Как он посмел? Как мог допустить, чтобы об их связи узнали посторонние? Много лет о ее романе с Юрой Вихлянцевым, который был моложе Кашириной на 16 лет, знал только сын, Глеб. И все эти годы им удавалось сохранять свои отношения в полной тайне от окружающих. Никто, ни один человек не догадался и ничего не заподозрил, ни в областном центре, где они когда-то познакомились, ни здесь, в Северогорске. И вдруг выясняется, что он все разболтал, да не кому-нибудь, а Валерке Журенко, который неизвестно какими кривыми путями пролез на должность зампрокурора города. Она его терпеть не может, это безграмотный невежественный человек, который даже права не имеет называться юристом, потому что ни буквы закона не знает, ни духа его не чувствует. Валера Журенко — из тех, кто рвется к должности не потому, что ему нужна власть, а исключительно ради денег. Он выбирает профессию и работу не по интересу и склонности, а руководствуясь только одним соображением: есть ли в этой профессии полномочия, которыми можно выгодно торговать. А на должности заместителя прокурора города по надзору за деятельностью органов предварительного следствия таких полномочий — пруд пруди. Люди вроде Журенко вызывали у Кашириной брезгливое отвращение.

И именно ему Юра выдал их тайну. Да не просто выдал, а с определенной окраской, с гадким оттеночком, позволяющим Валерке называть ее «бабой», а Юре — просто Танькой. Какая мерзость!

Жаль, что Глеб не рассказал ей обо всем сразу, как только узнал. Молчал целый год, не хотел ее травмировать. А что изменилось бы, если бы она узнала раньше? Ничего. И в этом весь ужас. Но теперь все будет иначе.

Но это еще не самое плохое...

Она встала из-за рабочего стола, прошлась по просторному кабинету, выпрямив спину и подняв подбородок. Все, она готова, можно выходить. Позвонила в гараж:

— Чижик, мы выезжаем.

Одевшись, она еще раз окинула взглядом кабинет. Ничего не забыто, все в полном порядке. Вышла в приемную, дала указания секретарю и спустилась по лестнице к выходу. Леня Чижик, как обычно, подогнал машину к самым дверям, но сегодня это было уместно: в центре города, как это часто бывает в Северогорске, лопнули трубы, и пока их не залатали, в двадцати метрах от здания мэрии бил вверх фонтан горячей воды, окутанный паром. Вода разливалась по тротуарам и проезжей части, образуя летом настоящие горячие озера, а зимой — катки, ходить по которым было просто опасно. Коммуникации были старыми, проложенными еще при строительстве города, в пятидесятые годы, и аварии, подобные сегодняшней, случались постоянно.

Чижик стоял у самой двери и немедленно подхватил Каширину под локоть, едва та показалась на крыльце. Хороший мальчик. Умеет быть благодарным и преданным. В отличие от некоторых.

— Куда едем, миледи?

Она собралась было ответить: «Домой», но внезапно передумала.

— В салон.

Она не записалась предварительно ни к косметологу, ни к парикмахеру, но салон красоты, который посещала Татьяна Геннадьевна, был самым дорогим и престижным в Северогорске, и кроме косметологии и парикмахерской там оказывалось множество других услуг, в том числе массаж ручной и аппаратный, солярий, сауна, обертывания и все прочее, при помощи чего женщины чувствуют себя именно женщинами, красивыми, любимыми и желанными, а не ломовыми лошадьми и не прорабами в юбках. Свободное место наверняка найдется хоть на какой-нибудь процедуре, а ей, Кашириной, сейчас просто жизненно необходимо снова обрести пошатнувшееся самоощущение ухоженной и любимой.

Леня Чижик возил Каширину не первый год и хорошо изучил и ее распорядок, и ее привычки. В салон она ездила по вторникам, четвергам и субботам. Сегодня понедельник. Значит, миледи не в духе. Что-то случилось. Кто-то вывел ее из душевного равновесия. И в такие минуты лучше ничего не говорить, ни о чем не рассказывать и вопросов никаких не задавать. Он молча вел машину по холодным, съеденным темнотой полярной ночи, улицам. Впрочем, это было не совсем так. Расцвет полярной ночи остался позади, и город уже тонет в сине-серых сумерках, но все равно понимаешь, что дня нет, света и солнца нет, а тепла не будет еще очень-очень долго. Татьяна Геннадьевна смотрела в окно, но ничего не видела. Она думала о себе, о Вихлянцеве и о Лене Чижике. Все, кто был в курсе, что она перетащила водителя из областного центра в Северогорск, а потом взяла его с собой, когда перешла на работу в мэрию, искренне считали, что это «не просто так», и Каширина эти слухи никогда не пресекала. Пусть думают на Ленчика, лишь бы не узнали про Юру. Потому что, начни какой-нибудь настырный, охочий до жареного журналист раскапывать тайну личной жизни Кашириной, он очень быстро обломается и поймет, что ни одного контакта между ней и водителем, кроме служебных, никогда не было. Только в машине, на глазах у всех. Он ни разу не поднимался к ней в квартиру, она никогда даже близко не подходила к дому, где он живет. Одним словом, при внимательном рассмотрении ситуации упрекнуть Татьяну Геннадьевну в любовной связи с водителем Леонидом Чижовым невозможно, как ни старайся, а если кто и посмеет, то она такой иск вчинит в судебном порядке за диффамацию, что небо вздрогнет.

А вот если хоть одна живая душа узнает про Юру Вихлянцева, то раскопать правду окажется легко и просто. Потому что с Юрой она встречалась регулярно на квартире, которую сняла специально для этого. Не домой же его приводить, Глебу на голову! И не в общагу же ей бегать на любовные свидания. А выследить Каширину на пути к этой квартире — раз плюнуть, было бы желание. И тогда вылезет наружу все, в том числе и его перевод из областного центра в Бюро судебно-медицинской экспертизы, который она устроила, нажав на все мыслимые и немыслимые рычаги и задействовав все свои связи. От знакомых в областном Бюро судмедэкспертизы она знала, что в Северогорске есть вакансия в отделении экспертизы потерпевших, свидетелей и иных живых лиц, причем в данный момент там работает всего один эксперт — молодая женщина, поэтому если туда назначать мужчину, то со стопроцентной гарантией его сделают заведующим отделением. Для простого эксперта-биолога это был бы настоящий карьерный скачок.

Она помогла Юре пройти обучение и получить сертификат врача — судебно-медицинского эксперта. Все организовала, со всеми договорилась. Устроила его перевод в Северогорск. Сняла квартиру. И в благодарность получила...

Татьяна Геннадьевна своего любовника не любила. Она им пользовалась. Когда-то, в самом начале знакомства, она в течение примерно двух месяцев испытывала что-то вроде страсти, которая очень быстро сошла «на нет», уступив место нежности и привязанности, но вскоре и эти чувства остыли, однако времени, в течение которого Каширина была действительно увлечена молодым экспертом-биологом, оказалось достаточно, чтобы все вокруг начали делать ей комплименты и говорить, что она потрясающе выглядит. Она и сама видела в зеркале положительные перемены: роман с молодым любовником явно пошел ей на пользу, она помолодела и похорошела, да и чувствовать себя стала намного лучше. Ей было сорок три года. Юре — двадцать семь. Он был женат, а она — замужем. У нее был Глеб, у него — двое маленьких детей, один из которых родился совсем недавно.

И Каширина приняла решение оставить любовника при себе. Пусть будет для здоровья и для настроения. Для женщины необыкновенно важно чувствовать себя любимой и желанной, привлекательной и обожаемой. Это повышает тонус и настроение и благотворно сказывается на внешности и самочувствии. Эдакая живая «таблетка молодости».

Да, она не любила Юру Вихлянцева. Но при этом была совершенно уверена, что он-то ее любит безумно и никогда не предаст. И вдруг оказалось, что он разболтал все подонку Валерке Журенко, с которым снюхался за ее спиной, что он за глаза называет ее просто «Танькой» и, что хуже всего, вступил с заместителем прокурора города в некие отношения, за которыми стоит их общее стремление подмять под себя похоронный бизнес в Северогорске. Тайком от нее! Ничего ей не сказав! Он ухитрился даже скрыть от нее свое знакомство с Журенко.

А ведь у нее есть тайна, которой она поделилась с Юрой. Нет, разумеется, всю правду она ему не рассказала, об этом даже речи быть не может, но она попросила его об одной услуге. И кто знает, как он себя поведет, этот двуличный мерзавец, когда все закончится... Не начнет ли шантажировать ее?

Очень не хотелось бы.

Хорошо, что рядом с ней есть Леня Чижик. Вот уж кому можно доверять безоглядно, кто никогда не обманет и не предаст. Глотку порвет любому за свою миледи.

Они подъехали к салону. Свободные места были на маникюре, и еще можно было сделать обертывание всего тела для придания коже гладкости и упругости. Каширина выбрала обертывание: она хорошо знала эту процедуру, на ней можно было расслабиться и полежать с закрытыми глазами в полутемной комнате, где звучала тихая приятная музыка и сладко пахло восточными ароматическими маслами. А руки у нее и без того в порядке, маникюр делала в минувший четверг.

Она приняла душ, как того требовал протокол процедуры, вытерлась жестким махровым полотенцем и легла на стол. Натирание скрабом, пилинг, снова душ, обмазывание специальным составом, и вот уже она лежит, накрытая термоодеялом, и впереди у нее двадцать пять минут покоя и удовольствия, после которых кожа ее станет гладкой, шелковистой и необыкновенно приятной на ощупь.

Только Юрочке Вихлянцеву уже не придется это почувствовать.

Никогда.

Как хорошо, что рядом с ней есть Ленчик, который...

Татьяна Геннадьевна не заметила, как погрузилась в сон.

ГЛАВА 3

Адвокат Юрия Альбертовича Вихлянцева свой хлеб ел не даром. Он подал кассационную жалобу на решение Северогорского городского суда в областной суд, который решение отменил. Вероятно, зампрокурора Журенко приложил к этому руку. Во всяком случае, у Вихлянцева появилось право подать новый иск о восстановлении на работе, чем он незамедлительно воспользовался. И Саблину пришлось готовиться к новому процессу, в том числе и заново составлять все требуемые судом документы и искать юристов, которые возьмутся представлять сторону ответчика.

Тем временем Вихлянцев развлекался вовсю, составляя бесконечные жалобы в прокуратуру и письма во все инстанции, какие только мог придумать, вплоть до премьер-министра и президента. Все эти жалобы спускались по инстанциям назад в область, а оттуда — в Северогорскую прокуратуру для проведения проверок и решения вопроса о возбуждении уголовного дела. Саблина обвиняли теперь уже не только в разработке и использовании хитроумных коррупционных схем, при помощи которых в Бюро якобы отмывались какие-то неведомые никому деньги. Он оказался виновным еще и в том, что все поголовно сотрудники Бюро больны СПИДом, туберкулезом и гепатитом, поскольку им не выдаются даже самые элементарные средства защиты при работе с инфицированным материалом. Об этом Юрий Альбертович поставил в известность Роспотребнадзор, который с удовольствием и без промедления кинулся проводить проверку. В другой жалобе говорилось о том, что нарушаются условия аренды здания, в котором располагалось Бюро. Одним словом, фантазия Вихлянцева оказалась поистине неисчерпаемой, проверки следовали одна за одной, Саблина без конца вызывали в прокуратуру, где он давал объяснения, потом те же самые вопросы ему задавали обэповцы, потом следователь, который сначала сказал, что выносит постановление об отказе в возбуждении уголовного дела, а затем, буквально через неделю, снова вызвал Саблина и снова терзал его, объяснив, что вынесенное им постановление надзирающий прокурор не утвердил, а материалы проверки вернул с резолюцией, гласящей, что проверка проведена поверхностно и неполно. Так что все придется начинать с самого начала. И здесь тоже явственно ощущалась мощная длань зампрокурора Журенко.

Саблин чувствовал, что в любой момент может сорваться. Силы были на исходе. Приближался апрель, а с ним и отпуск, но какой же может быть отпуск, когда идут проверки и нужно готовиться к новому суду?

Последней каплей стал инсульт, сваливший бессменную и надежную, как скала, Изабеллу Савельевну Сумарокову. Танатология осталась без заведующего. А если учесть, что кто-нибудь из танатологов постоянно находился на амбулаторном приеме, кадровая проблема в отделении экспертизы трупов встала со всей остротой и в полный рост. Заменить Изабеллу Савельевну было некем, и Саблин постоянно звонил в областное Бюро, напоминая, что им срочно нужен эксперт, желательно с опытом работы хотя бы пять лет, а пока, если не давал устные или письменные объяснения, сам ходил в секционную, проводил вскрытия, сидел над микроскопом и составлял заключения. Без Изабеллы Савельевны ему пришлось еще и проверять все акты танатологов, включая и те, которые он никогда прежде не проверял, поручая это Сумароковой.

Он похудел, плохо выглядел, а чувствовал себя еще хуже. Давление скакало, в отпуск уйти он не смог, поскольку танатология оставалась без контроля, он даже не мог позволить себе роскошь взять больничный и несколько дней передохнуть.

Несмотря на всю эту нервотрепку, он периодически вспоминал о рицине, звонил то Глебу, то Кашириной, но ничего обнадеживающего не слышал.

И в какой-то момент ему показалось, что он готов сдаться. Ему все надоело. У него больше нет сил. У него закончилось терпение. Его, точно так же, как и Сумарокову, свалит инсульт прямо на рабочем месте, и останется он беспомощным инвалидом, нищим и никому не нужным.

Впрочем, минута слабости быстро миновала.

* * *

— Миледи, с праздником вас!

Чижик стоял возле машины с сияющей улыбкой. Каширина вышла из дома вместе с Глебом и остановилась от неожиданности, услышав поздравление. Вроде бы сегодня никаких праздников нет...

— С днем рождения дедушки Ленина! — торжественно объявил Леонид.

Глеб рассмеялся, а Каширина укоризненно покачала головой. Потом, словно вспомнив о чем-то, посмотрела на водителя более внимательно.

— Всё в порядке, Ленчик?

— В полном, миледи, — отрапортовал тот.

— Точно?

— Можете не сомневаться.

— Тогда поедем.

Она с деловым видом села в машину, тут же достала из портфеля папку с документами и разложила их у себя на коленях, делая вид, что просматривает бумаги.

Сердце ее колотилось так, что, казалось, вся машина ходит ходуном. Глеб сидел впереди и обсуждал с Ленчиком футбольный матч, который накануне транслировали по телевидению. Глеб и Леонид. Ее мальчики. Ее сыновья. Единственные люди на свете, которые не предадут ее и которые любят ее действительно искренне.

Возле здания горотдела внутренних дел Глеб вышел. Каширина приоткрыла заднюю дверцу:

— Удачи тебе, сынок!

Этими словами она всегда провожала его на работу. Глеб обернулся и помахал рукой:

— Счастливо, мамуленька! До вечера!

Она смотрела ему вслед. Боже мой, как же она его любит!

* * *

Саблин поднимался в свой кабинет, когда мимо него, всхлипывая, промчалась одна из медрегистраторов. «Опять бабские штучки, — с неудовольствием подумал он. — Уже с утра небось с мужем поцапалась, теперь всем на работе рассказывает, какой он негодяй. И никуда не денешься, мужчины в медрегистраторы работать не идут». В приемной он увидел бледную, с дрожащими губами Светлану.

— Что тут у вас происходит? — зло спросил он. — Одна ревет белугой, другая на себя не похожа. Это государственное учреждение, а не место коллективного просмотра бразильских сериалов.

Светлана тряхнула челкой и выставила вперед руки, словно защищаясь от необоснованных обвинений.

— Вы разве не знаете?

— Что?

Саблин похолодел. Неужели Сумарокова? Инсульт — штука, конечно, тяжелая, но ведь многие восстанавливаются, пусть и не полностью. Умирают далеко не все. Господи, только не это...

— Там Вихлянцев... — проговорила Светлана дрожащим голосом.

— Что — Вихлянцев? — он злился все больше и больше и начал повышать голос. — Где Вихлянцев? Он больше не работает в моем Бюро, и делать ему здесь нечего.

— Он в морге. В дежурной камере.

— И что он там делает? Кто его туда пустил? Вызовите ко мне немедленно дежурного санитара! — потребовал Саблин, взявшись за ручку двери своего кабинета.

— Он там... лежит...

Саблин остановился в недоумении, обернулся.

— Что? Лежит? Почему?

— Его привезли... час назад... мертвого...

Ох ты боже мой! Только этого не хватало.

— Где документы на него?

Светлана трясущейся рукой протянула ему несколько скрепленных между собой листков. Направление на судебно-медицинское исследование, составленное и подписанное участковым уполномоченным. Описание обстоятельств дела. Юрия Альбертовича Вихлянцева обнаружили рано утром в своей комнате в общежитии. Дверь не была заперта, сосед по этажу заглянул за какой-то надобностью и увидел Вихлянцева лежащим на кровати и полностью одетым. Подошел, потряс за плечо и понял, что хозяин комнаты мертв. Вызвал коменданта, а та позвонила в милицию. В комнате порядок не нарушен, на подоконнике стоят несколько пустых бутылок из-под водки.

Все это Саблин прочитал стоя, даже не раздевшись. Сорвал с себя куртку, бросил на стул в приемной и помчался вниз, в дежурную камеру, где привезенные труповозами тела находились до вскрытия. Дежурный санитар показал ему черный пластиковый мешок на одном из трехъярусных стеллажей. Саблин открыл «молнию». Да, все верно, это он. Юрий Альбертович Вихлянцев. Одетый в джинсы, рубашку и пуловер с треугольным вырезом. Словно умер, собираясь куда-то идти. Или только что пришел откуда-то.

Он медленно застегнул мешок и вернулся к себе. Вихлянцева надо вскрывать. А кто будет это делать? Все танатологи Бюро знают его лично и вскрывать не возьмутся. Это правильно. И сам Саблин тоже не возьмется. Значит, надо срочно решать вопрос с областным Бюро, потому что в Северогорске больше специалистов нет.

Он не испытывал ни сожалений, ни печали, ни радости. Ровно ничего. Просто труп, вскрытие которого потребует определенных организационных мероприятий. И только когда раздался звонок руководителя следственного отдела, Саблин осознал то, что как-то не пришло ему в голову.

— Это правильно, что с областным Бюро связались, пусть своего эксперта присылают, а то вы ведь у нас, Сергей Михайлович, из доверия-то вышли. Вы и коррупционер тут самый главный, и профсоюзной организации препятствуете в ее деятельности, и с Вихлянцевым судитесь. Он у вас враг номер один. Так что уж вам-то мы вскрывать в любом случае не позволим.

Саблин собрался было ответить какой-то резкостью, но вдруг сообразил, о чем ему только что сказал руководитель следственного отдела. Он, Сергей Саблин, является подозреваемым в убийстве Вихлянцева. Ну, пусть не официально, потому что уголовного дела нет и не будет, пока не будет результатов вскрытия и сформулированной причины смерти. Но если эта причина, не дай бог, окажется криминальной, то Саблин станет первым, с кого начнут снимать шкуру.

В итоге после длительных переговоров с областным Бюро и со следственным комитетом было решено поручить производство вскрытия и исследования трупа Вихлянцева опытному и грамотному эксперту из соседнего района. Эксперт по фамилии Воскобойников оказался примерно ровесником Саблина, мужиком веселым и разговорчивым. Он приехал на следующий день к полудню. Вскрытие было назначено на 13.00: руководителю следственного отдела по городу Северогорску было удобно именно это время. И с этим приходилось считаться. Вместе с ним на вскрытие приехал следователь-криминалист с видеокамерой.

Саблин прислушивался к самому себе и понимал, что совершенно не нервничает. Ни грамма, ни капли. Хотя ситуация, при которой на его глазах будут вскрывать труп давно и хорошо знакомого человека, сложилась у него впервые в жизни. Но это же просто труп, просто материал, который подлежит исследованию и на котором в этих целях нужно произвести определенные манипуляции. Вот и все.

В нем не было ни злорадства, ни облегчения. Да, человека, который испортил ему жизнь и здоровье, больше нет в живых. Но почему-то это Саблина абсолютно не трогало. «Я просто устал, — думал он, идя по длинному коридору морга в сторону секционной. — Я устал до такой степени, что уже ничего не чувствую. Я утратил способность не только радоваться, но и огорчаться, и негодовать, и даже бояться. Мне стало все равно».

Вскрытие началось. Синюшный цвет лица и шеи, обильные трупные пятна, сильный запах алкоголя, исходивший из полости черепа, а также от других внутренних органов, резкое полнокровие внутренних органов, жидкое состояние крови. При вскрытии полости желудка по всей секционной распространился тяжелый сивушный запах.

— М-да, — прокомментировал Воскобойников, — пьют же люди... Как в него столько водки-то влезло? У нас тут острый эрозивный эзофагит, гастрит, мочевой пузырь переполнен, ложе желчного пузыря отечно. Физиономия синяя, одутловатая. Типичные признаки отравления алкоголем.

Саблин смотрел внимательно. Отравление алкоголем — это, конечно, замечательно, это снимает с него всякие подозрения, но... Но обнаружены очаговые неравномерные кровоизлияния в мягкие ткани органокомплекса шеи слева. А вот на коже снаружи в этом месте нет никаких повреждений. И это настораживало. Воскобойников принялся за послойное исследование мягких тканей шеи слева, и там тоже обнаружились видимые невооруженным глазом участки темно-красных блестящих кровоизлияний.

— А это что? — с любопытством спросил руководитель следственного отдела.

— Похоже на травму рефлексогенной зоны, — ответил Воскобойников.

Сергей был с этим полностью согласен. Значит, Юрия Альбертовича не только напоили, но еще и ударили. Кто? Случайные собутыльники? Зачем? Он не похож на человека, который приведет в свое жилище неизвестно кого. Да и не пил он. Выпить мог, как и все, за общим столом рюмку поднять или бокал шампанского, но чтобы так нажраться...

Подошла очередь исследования входа в гортань и в пищевод.

— Обращаю внимание присутствующих, — сказал Воскобойников, — вот здесь у нас две параллельные прерывистые темно-красные ссадины на слизистой задней стенки глотки, направленные к входу в гортань и в пищевод. Аналогичная ссадина длиной... длиной... семь и восемь десятых сантиметра у нас имеется и на задней стенке пищевода в области верхнего сужения.

— А это что значит? — снова спросил руководитель следотдела. — Откуда такие ссадины?

— Да кто ж его знает, — пожал плечами Воскобойников. — Мало ли что человек любил покушать тверденького, с жесткими острыми краями. Сухари, например. Вот слизистую и ободрал. Хотя что-то я не то говорю, господа хорошие... У нас в желудке-то никакой такой пищи нет, даже ее остатков. Только один алкоголь. Сергей Михайлович, вы же работали с умершим, может, заметили за ним какие-нибудь эдакие пищевые привычки, которые могли привести к образованию подобных ссадин? — обратился он к Саблину.

Саблин нагнулся над трупом и посмотрел внимательнее.

— Не думаю, что дело здесь в продуктах, которые ел покойный, — произнес он негромко. — Я такие ссадины видел несколько раз на больничных трупах. Это признаки грубого введения в глотку и пищевод желудочного зонда.

— А это что такое? — задал вопрос следователь-криминалист, не прекращая видеосъемку, которую вел с самого начала вскрытия.

— Это специальная трубка из гибкого эластичного материала, — пояснил Воскобойников. — Ее ставят больным, чтобы в случае отравления промыть желудок от содержимого.

— А-а-а, — разочарованно протянул следователь-криминалист.

— И не только, — добавил Саблин. — Ее используют в реанимации, чтобы кормить больных, которые находятся без сознания. При помощи зонда им в желудок вводят жидкую пищу и размельченные лекарственные вещества. Я сам работал в реанимации несколько лет и ставил такие зонды больным много раз. Если нет хорошего навыка в этой манипуляции, то легко можно при постановке зонда случайно поранить слизистую глотки и гортани.

Руководитель следственного комитета взглянул на Саблина с неожиданным интересом:

— То есть мы имеем следы того, что человека ударили в рефлексогенную зону, от чего он мог потерять сознание, а потом как-то не очень аккуратно ввели ему желудочный зонд, через который влили огромное количество водки, так получается?

— А зачем? — спросил Воскобойников. — Водочку приятнее кушать из стаканчика. Или ваш коллега, Сергей Михайлович, был пищевым извращенцем?

— Мой коллега, — сухо произнес Сергей, — алкоголь употреблял крайне умеренно. И мне кажется, что здесь мы имеем дело с весьма профессионально исполненным убийством.

— Ох, Сергей Михайлович, — вздохнул руководитель следственного отдела, — вы бы поосторожнее. Вот не зря про вас говорят, что у вас язык как помело. Вы же сами себе яму роете.

— Это почему? — не понял Саблин.

— Да потому, что вы и про зонд знаете, и ставить его умеете, и рефлексогенные зоны вам как врачу известны лучше, чем кому бы то ни было. И самое главное — весь Северогорск в курсе вашей войны с покойным Вихлянцевым. Он — ваш враг номер один. И подозрения падут в первую очередь на вас.

Он смотрел на Саблина доброжелательно и спокойно, но у Сергея возникло ощущение, что становится душно, как будто ему на голову надели полиэтиленовый пакет и привязывают его веревкой вокруг шеи.

«Вот и все, — подумал он равнодушно и отстраненно. — Ты хотел снять меня с должности и уничтожить, Юрий Альбертович? Ну что ж, у тебя это получилось».

* * *

Слова, услышанные Саблиным от начальника следственного отдела, оказались пророческими: первым подозреваемым в убийстве Юрия Альбертовича

Вихлянцева назначили именно Сергея. Следователь, которому передали в производство уголовное дело об убийстве, относился к Саблину вполне доброжелательно: они были давно знакомы и неоднократно вместе дежурили. Но при этом он проявлял дотошность, порой совершенно нестерпимую и доводившую Саблина до исступления.

— Начнем с мотива, — говорил он. — У вас был мотив на убийство Вихлянцева?

— Нет, не было.

— Ну как же не было, Сергей Михайлович? Он ведь вам мешал, это всем известно.

— Он мне мешал — я его уволил, — отвечал Саблин. — И он мешать перестал.

— Не скажите, не скажите, — качал головой следователь, хитро улыбаясь. — Он писал на вас многочисленные жалобы, подавал в суд иски, вас замучили проверками, вас обвиняют в коррупции. Он из вас всю душу вынул. И у вас вполне мог созреть мотив отомстить. Я прав?

— Про проверки — да, правы, — соглашался Саблин. — И про то, что он меня достал, — тоже правы. А про мотив отомстить — нет.

— Убедите меня, — просил следователь.

И Саблин замолкал. Как можно убедить в том, что у него не было и мысли мстить, он не знал. Он воин, солдат, а не мститель. Он готов драться и биться до последнего, до крови, до собственной смерти, но открыто, с оружием в руках и у всех на глазах, а не подленько мстить исподтишка. Но разве можно это каким-то образом доказать? Это можно только знать. Или верить в это.

— Теперь займемся вашим алиби. Оно у вас есть? Где вы находились во время совершения преступления? Где вы были в тот день вечером и ночью?

— Я был дома.

— Кто может это подтвердить?

— Никто, — вздыхал Саблин. — Я живу один.

Ольга уехала, и даже соседки Жанны Аркадьевны не было за стеной: после смерти мужа она постоянно жила у дочери и возилась с внуками, а на своей квартире не показывалась вообще. Даже ключи оставила Саблину, попросив раз в три дня заходить поливать цветы и проверять, нет ли протечек и неисправностей.

— Плохо. Идем дальше, — говорил между тем следователь. — Рассмотрим способ совершения преступления. Убийство совершено с применением специальных познаний, которыми вы как врач обладаете. У вас есть навык постановки желудочного зонда. Ведь есть?

— Есть, — снова соглашался Саблин, — не отрицаю, тем более что во время вскрытия я сам об этом и говорил.

— Вы осведомлены о месте расположения рефлексогенных зон, удар по которым может привести к остановке дыхания, немедленной потере сознания и даже к смерти. Осведомлены?

— Да, конечно. Я хорошо учился в мединституте, — усмехался Саблин. — И даже помню, как они называются. Рефлексогенной является зона от точки Фэн-фу и Я-мэнь до точки И-фэн.

— А кстати, — внезапно оживился следователь, — удар по рефлексогенной зоне в моей практике встретился впервые. Я об этом только в книжках читал, ну, в кино еще видел. Так в книжках написано, что на месте удара остаются следы, кровоподтеки там или что у вас остается? А в акте экспертизы я что-то никаких упоминаний про следы не нашел. Может, эксперт все-таки ошибся?

— Не ошибся, — усмехнулся Саблин. — Воскобойников очень хороший и очень опытный специалист, он произвел послойное исследование мягких тканей шеи и нашел неоспоримые доказательства того, что в это место был нанесен удар тупым твердым предметом. А тому, что написано в книжках, не верьте. Там много всякой ерунды пишут. При ударе в рефлексогенную зону, если этот удар нанесен профессионально, никаких следов на коже не остается.

— Жаль, — казалось, следователь искренне огорчился, — а то можно было бы усомниться в том, что преступление совершено именно таким способом. Тогда проще убедить руководство, что убить Вихлянцева мог кто угодно, не обязательно человек с медицинским образованием.

— А зонд? — безнадежно спрашивал Саблин. — Куда вы его денете? Или у вас есть чем его заменить?

— Ну, тут я бы выкрутился. Вы же сами сказали, что остались ссадины, потому что зонд вводили неумело, грубо. А у вас большой опыт в этом деле, вы несколько лет в реанимации проработали. Если бы зонд вводили вы, то никаких ссадин не осталось бы.

— Резонно. Кстати, если бы зонд вводил я, то ссадин действительно не осталось бы, и вы никогда в жизни не догадались бы, что Вихлянцев не выпил всю эту водку сам, а ее влили ему в желудок.

Эти беседы со следователем, именуемые допросами свидетеля, повторялись несколько раз с небольшими вариациями. В конце концов Саблин не выдержал:

— Долго это будет продолжаться? Мы с вами переливаем из пустого в порожнее. Вы мне задаете одни и те же вопросы, я вам даю одни и те же ответы. Может, пора уже поискать других подозреваемых?

Следователь не стал кривить душой и сказал все как есть:

— На меня давит руководство. Они хотят, чтобы виновным в убийстве оказались вы, Сергей Михайлович. Вы им чем-то очень досадили или помешали, уж не знаю чем, но с меня требуют вполне определенный результат. А я человек служивый, подневольный, я обязан слушаться, если хочу еще пожить и поработать.

— Кто именно из руководства? — спросил Сергей. — Зампрокурора по следствию Журенко?

Следователь отвел глаза.

— Ну да... — выдавил он. — И не только он. Все, Сергей Михайлович, больше ничего не скажу, так что и не спрашивайте.

После третьего допроса Саблин почувствовал себя на грани отчаяния. Все складывалось — хуже некуда, и в Бюро, и с этим гребаным следствием. И никакого просвета.

Он решил заехать в спортбар на Пролетарской, к Максиму. Все равно уже седьмой час, рабочий день в Бюро давно закончен, и возвращаться туда смысла нет. Конечно, дел у него как у начальника невпроворот, но он так измучен, что нет никакого желания ими заниматься, хотя и понимает, что надо. Но если он сегодня не расслабится хоть чуть-чуть за парой пива и разговором с Максом, то завтра он окажется уже окончательно непригодным ни к работе в Бюро, ни к тому, чтобы сопротивляться попыткам следователя и его руководителей навесить на Саблина убийство.

Максима в баре не было, администратор сказал, что арт-директор появится где-то через час. Саблин заказал пиво, какую-то немудреную еду и погрузился в размышления о Вихлянцеве. В общем-то, следствие можно понять: действительно, единственным врагом убитого был он, Сергей Саблин. Больше никому в Северогорске этот человек ничего плохого не сделал. Или сделал? Может быть, что-то, связанное с его жизнью вне Бюро? Или вообще хвост тянется из областного центра, где Вихлянцев работал до того, как появился здесь? Мало ли, где и с кем он мог накосячить...

А могло быть и вообще не так. Бывают же убийства безмотивные, законники называют их «совершенными из хулиганских побуждений». Просто так взяли и убили Юру Вихлянцева. Может, лицо его не понравилось, может, отказал в просьбе дать закурить, да мало ли как могло обернуться... Убили первого попавшегося. Разработали в теории метод убийства, начитались какой-нибудь литературки и решили попробовать. Подыскали человечка, первого, кто попался. Всего-то и нужно было: познакомиться, напроситься в гости и принести с собой желудочный зонд и побольше водки. Вот и вся премудрость. Где берутся идиоты, которые способны убить человека из чистого любопытства, это уже другой вопрос, но то, что таких идиотов полно, — установленный факт. Да взять хоть того неуловимого отравителя, который использует рицин! Ведь совершенно очевидно, что потерпевшие, погибшие от этого страшного яда, друг с другом незнакомы, никаких общих дел у них не было, нигде их пути не пересекались, стало быть, они в качестве жертв были выбраны случайно.

А вот интересно, каким надо быть, какой структурой личности обладать, чтобы принять такое чудовищное решение: убивать людей из чистого любопытства, из интереса? Правда, у Раскольникова тоже был интерес, он убийство процентщицы совершил для того, чтобы решить для себя свой личный вопрос, но Достоевский хотя бы объяснил, что это был за вопрос и почему он мучил Родиона Романовича.

А в случае с рицином? Почему? Ответ на какой вопрос искал, а возможно, и продолжает искать неведомый отравитель? И есть ли у него этот вопрос вообще? Может быть, им движет что-то совсем другое, но что?

И почему-то вдруг вспомнился гараж байкера Макса. Занавешенный закуток с окошком, верстак, колбы, склянки, какие-то растения, висящие пучками на натянутой веревке... Что он там химичит? Чем занимается в этом странном закутке? Ведь Саблин, помнится, спросил его, а Макс... Макс не ответил. Ушел от разговора.

Да нет же, нет, глупость какая-то! Не может Максим быть отравителем!

А почему, собственно говоря, не может? Что Саблин знает об отравителях, об их образе мыслей, об их чувствах, об особенностях менталитета? Ничего он об этом не знает. Его специальность — судебная медицина, а не криминальная психология, и ответить на вопрос о том, может Максим убивать людей из пустого интереса или не может, Сергею Саблину не под силу.

Какая-то мысль мелькнула вдалеке, царапнула больно и скрылась, поймать ее Сергей не сумел.

— Привет! — раздался над ухом знакомый голос. — А я прихожу — и мне сообщают, что ты здесь.

Перед ним стоял Максим, уже раздетый, без куртки, в черных кожаных штанах с заклепками и цепочками, светло-синей футболке с длинными рукавами и надетом поверх нее кожаном потертом жилете с многочисленными карманами и карманчиками на «молниях».

Пиво сразу стало горчить, Саблин даже поморщился от неприятного вкуса.

— Ты чего кислый такой, Серега?

Максим присел за столик напротив Саблина и потянулся к тарелке с горкой соленых сухариков из черного хлеба.

— Как дела? Как следствие? Отстали от тебя?

— Нет пока, не отстали, — рассеянно ответил Саблин, пытаясь сосредоточиться и сообразить, как себя вести? Спросить про закуток в гараже? Или не нужно? Если Максиму нечего скрывать, то он... Что? Расскажет, что это за закуток и чем он там занимается? У него была такая возможность, когда Саблин задавал ему вопрос, но байкер ею не воспользовался. Значит, ему есть что скрывать. Поэтому нет никакого смысла спрашивать прямо. А как спросить, чтобы он не забеспокоился? Как получить ответ?

«Саблин, — сказал он себе, — ты — судебный медик, а не оперативник и не следователь. Ты никогда не умел играть в шпионов, ты умел только сражаться в открытом бою. И не лезь ты туда, куда не надо, можешь все испортить».

— Следствие не отстало, — продолжал он, прихлебывая пиво, к которому так и не вернулся прежний приятный хлебный привкус, — зато теперь санэпидстанция меня достает и пожарные мои кишки на кулак наматывают. Явились сегодня с самого утра с проверкой противопожарной безопасности, все розетки осмотрели, схему внутренней проводки потребовали, а где я ее возьму? Здание строилось, когда меня еще на свете не было, а ремонтировалось, когда я здесь не работал. И где эти схемы — черт их знает! Со времени последнего ремонта почти весь персонал поменялся. А у меня же еще муфельные печи для обжига инфицированного материала... Одним словом, морока та еще. Санэпидстанция все-таки лучше, с ними я как-то умею разговаривать и хотя бы понимаю, чего они хотят, а с пожарными мы вообще как будто на разных языках разговариваем. Ни я их не понимаю, ни они меня. Так что имей в виду, дружище: если у тебя есть недвижимость, то и на тебя могут обрушиться сокрушительные радости общения с этой службой.

— Да куда мне! — расхохотался Максим, продолжающий смачно грызть сухарики. — У меня нет ничего, гол как сокол, квартира — и та служебная, мне ее как работнику образования выделили.

— Ну да, а гараж? Тоже арендованный?

— Нет, гараж мой собственный... Е-мое, — Максим вдруг стал озабоченным. — Ты хочешь сказать, что пожарные могут прийти ко мне гараж проверять на предмет соблюдения мер пожарной безопасности?

— Именно! А у тебя там черт знает что творится. Даже огнетушителя нет. Ни топорика, ни ведра с песком, ни багра — ничего. Оштрафуют тебя, а то и к административной ответственности привлекут.

— Ну, это уж ни фига! — уверенно заявил художник. — Гараж мой, он у меня в собственности, и если он сгорит — это сугубо моя головная боль. За что меня штрафовать-то?

— Макс, ну ты тупой, — укоризненно покачал головой Саблин. — Гараж-то твой, но он же находится на территории товарищества, там гаражи плотно стоят, стенка к стенке. Твой сгорит — и хрен бы с ним, но огонь может перекинуться на соседние гаражи, и тогда тебе конец, дружище. А если учесть, что в каждом гараже канистра-другая бензинчика про запас стоит, то можешь себе представить, во что выльется пожар в отдельно взятом боксе. Кстати, у тебя самого есть там канистры? Я как-то внимания не обращал.

Сказал — и показалось, что мгновенно оглох. Бар был полон, во всех трех залах стоял гул, прерываемый взрывами смеха, — сюда обычно приходили компаниями. Но Саблин не слышал ни звука, как в набитый ватой колодец провалился. Вот сейчас Макс ответит... Или не ответит?

— У меня? — рассеянно переспросил Максим. — Нет, у меня там бензина нет.

— Ну, уже легче. А в закутке? Там у тебя склянки какие-то. Ничего горючего или взрывоопасного нет? А то пожарные тебя со свету сживут.

— А... Ну да, там химикаты кое-какие, растворители всякие...

— И на фига они там тебе нужны? Выбросил бы ты всю эту бодягу, дружище, оно бы и спокойнее стало.

Макс смутился, потом широко улыбнулся.

— Ты смеяться не будешь?

— Ни в одном глазу! — пообещал Саблин.

— Понимаешь, Серега, я хочу иконописью заняться. И вот вбил себе в башку идею восстановить рецептуру красок, которыми пользовались древние иконописцы. Тогда ведь никакой особой химии не было, все на растительной основе делалось, вот я и экспериментирую.

— И как? Успешно?

— Пока нет, — вздохнул Максим. — Ничего не получается. Но я не теряю надежды.

Врет? Или правду говорит? Как проверить? Или не проверять ничего, а просто поверить на слово? Ах, кабы знать, чем отравители отличаются от других людей! Но если Максим соврал насчет растительных красок, если ему есть что скрывать и чего опасаться, то он сейчас постарается свернуть разговор и убежит, сославшись на срочные дела. А когда Саблин снова придет в гараж за своим байком, то ничего опасного в закутке уже не будет.

Однако арт-директор никуда не спешил, сидел, вальяжно развалившись на стуле, отодвинутом от стола, рассуждал о посторонних материях, в том числе и рассказывал много любопытного про иконописцев древних веков. И никаких признаков беспокойства Саблин в нем не замечал.

Пора было двигаться в сторону дома.

— В воскресенье поедем покататься? — спросил он на прощание.

— Давай! — охотно согласился Максим. — В котором часу встречаемся?

— В десять. Годится?

— Годится.

Ну вот, Саблин обозначил точный срок, когда он появится в гараже. У Максима есть время убрать оттуда все, что не соответствует его версии с красками. И когда Саблин придет туда в воскресенье, вид закутка будет уже несколько иным. А перемены он в любом случае заметит, в этом Сергей не сомневался, память, в том числе и зрительная, у него была отменной, а наблюдательность развита чрезвычайно, ведь это качество необходимо тем, кто исследует вскрытые трупы. Так что даже если одной колбочки не окажется на месте, Сергей это обязательно увидит.

Или не увидит, потому что Макс ни в чем не виноват, скрывать ему нечего и никаких перемен не будет?

Как бы там ни было, но в воскресенье Саблин получит ответ на свой вопрос.

Он вернулся домой, включил телевизор, хотел послушать новости, но почему-то было не интересно. Не давало покоя ощущение царапины, проведенной тонкой иголкой. Царапины от какой-то мысли... Когда пришла эта мысль? Сергей помнил точно: когда он размышлял о том, какими личностными качествами отличаются отравители от всех других убийц. О чем же тогда подумалось?

Он лениво перебирал диски на стойке, выискивая, чем бы поправить настроение и поднять упавший боевой дух. Любимый фильм «Веревка и кольт» сейчас явно не годился. Он выбрал «Великолепную семерку», вставил диск в проигрыватель и приготовился смотреть.

И вдруг понял. Лаврик. Виктор Павлович Лаврик. Директор похоронной службы. Большой знаток ядов, интересующийся историей отравлений и читающий много соответствующей литературы. И задающий много вопросов о том, чем можно отравиться и как действуют те или иные токсические вещества.

Неужели он — отравитель с рицином?

* * *

Проходя мимо кабинета, где сидели эксперты-биологи, Саблин чуть не врезался лбом во внезапно открывшуюся дверь, из-за которой в коридор выскочил Лев Станиславович Таскон с какими-то бумагами в руке.

— Ох, простите! — виновато воскликнул он. — Не ушиблись?

— Не успел, — мрачно усмехнулся Сергей.

— Сергей Михайлович, когда к вам можно зайти? Мне нужно подписать заявки на гемагглютинирующие сыворотки, ну и еще на кое-какие расходники, а то у нас все вот-вот закончится. Вы когда у себя в кабинете будете?

Гемагглютинирующие сыворотки... Агглютинация. Склеивание эритроцитов. Одно из проявлений действия рицина...

— Давайте зайдем к вам, я все подпишу, — решительно произнес он, открывая дверь в кабинет биологов.

Таскон на коротеньких ножках семенил следом, приговаривая расстроенно:

— Неудобно... ну что вы, Сергей Михайлович... Вы же торопились куда-то, а я, получается, вас своими заявками задерживаю... я бы сам... потом... Ох, как неудобно получилось!

Сергей присел за ближайший к двери стол, бегло просмотрел заявки, ничего крамольного в них не нашел, кроме двух опечаток, которые поправил сам черной шариковой ручкой, и поставил свою подпись.

— Лев Станиславович, вы что-нибудь знаете об отравителях?

Таскон смешно выпучил глаза.

— О ком? Об отравителях? А что я должен о них знать? Вы имеете в виду исторические факты или что-то другое?

— Я имею в виду индивидуально-личностные особенности. Вы ничего об этом не читали? Не слышали?

Таскон озадаченно потер лоб аккуратной небольшой ладонью с короткими волосатыми пальцами.

— Индивидуально-личностные особенности... Нет, специально не читал. Но из всего того, что я вообще знаю об этом предмете, осмелюсь предположить, что это должны быть либо женщины, либо мужчины-эстеты.

— Эстеты? А почему? — заинтересованно спросил Сергей.

Это как-то не приходило ему в голову. Убийство — и эстетика? Что между ними общего?

— Отравление — это вид бесконтактного причинения смерти, — объяснил Лев Станиславович. — Такой способ убийства вообще больше характерен именно для женщин, поскольку мало кто из них способен на контактное насилие. Мужчинам проще, они бьют, душат, одним словом, не брезгуют прикасаться руками к своей жертве. Но только в том случае, если они не эстеты. Эстет-убийца грязный контактный способ никогда не выберет.

— Он может воспользоваться огнестрельным оружием, — возразил Саблин.

— Может, — согласился Таскон, — если он не очень эстетствует. Сами понимаете: рана, кровь... Не особенно красиво. Настоящий эстет выберет только яд, можете не сомневаться.

Значит, либо женщина, либо мужчина со склонностью к эстетству. Любопытно.

— Спасибо, Лев Станиславович.

Он собрался было встать, но взгляд его снова упал на только что подписанные заявки. Ну почему, почему у них в стране никогда не хватает денег на достойное правосудие? Почему они вынуждены пользоваться методами, которые позволяют давать только неточные ответы. «Происхождение представленных на экспертизу объектов от гражданина Тютькина не исключается...» Не исключается! То есть может «да», а может и «нет». Почему у нас нет возможности повсеместно проводить молекулярно-генетические экспертизы, которые дают практически стопроцентный результат? После того, как в США внедрили этот метод, у них появилась возможность пересмотреть приговоры, в основу которых были положены заключения, подобные тем, которые делаются и здесь, в России, по результатам применения устаревших кондовых методов. И в итоге на свободу вышло огромное число заключенных, которых оправдали, поскольку новый метод доказал их непричастность к преступлению.

— А мы с вами словно в каменном веке живем, — пробормотал он.

— Вы о чем?

Таскон проследил направление его взгляда и понимающе улыбнулся.

— Вы про расходники? Ну, что ж поделать, живем соответственно финансированию и инструкциям вышестоящих организаций. Да не расстраивайтесь вы так, Сергей Михайлович, у вас и без того проблем выше головы, вам о них надо думать, а не о наших расходниках и наших устаревших методах. Вы посмотрите, на кого вы похожи! От вас же только халат остался, а под ним прежнего Сергея Михайловича Саблина уже и нет. Ну, разве что скелет на месте.

Он тихонько захихикал, и Саблин внезапно почувствовал раздражение.

— Не думать о том, какие методы применяются в судебной медицине? Не думать о том, что результаты применения этих методов кладутся в основу приговоров? Не думать о том, что, согласно этим приговорам, невинные люди могут оказаться за решеткой, а виновные — остаться на свободе? — Его голос постепенно повышался и наливался гневом. — Вы предлагаете мне об этом не задумываться? Махнуть на все рукой? Дескать, пусть идет как идет, а мое дело — сторона? Вы, Лев Станиславович, как-то умеете жить, ни на что не обращая внимания, вы отгородились от всего вашими книгами по истории, закопались в них и ничего не видите. И душа у вас ни за что не болит. Должен вам заметить: я не уверен, что это правильно вообще и достойно мужчины в частности.

Под конец тирады он вдруг услышал себя как будто со стороны, и ему стало неприятно. Какое право он имеет выговаривать немолодому человеку, отдавшему судебной медицине много лет? Что он вообще знает о биологе Тасконе, кроме того, что он имеет два высших образования и что какое-то время работал в школе, преподавал химию и биологию? Ну, еще знает, что у него есть жена по имени Лялечка, которая печет изумительные пирожки. И все. Они знакомы с Тасконом почти тринадцать лет. И он так мало знает об этом человеке. О чем думает Лев Станиславович? От чего страдает? Чем озабочен? Может быть, он переживает за судьбу судебно-биологической экспертизы не меньше Саблина, а то и больше. Какое право имеет он, Сергей, упрекать его в чем бы то ни было?

— Всего доброго, — уже тише и спокойнее произнес он.

Извиняться Сергей Саблин так и не научился.

— Сергей Михайлович, — Таскон говорил мягко и примирительно, — в нашей жизни достаточно много трудностей, проблем и всяческой грязи. Никто не имеет права считать, что ему морально тяжелее, чем другим. Всем тяжело, каждому по-своему. А насчет книг — это вы зря. Книги — спасение именно от этой грязи и от этих проблем. В них можно найти и очищение, и успокоение, и ответы на волнующие тебя вопросы, и, наконец, просто наслаждение. Чистое наслаждение чистым искусством.

— Это мало кому дано, — пробормотал Саблин, чувствуя себя крайне неловко.

— Ну почему же, — живо откликнулся Таскон. — Людей с книгой в руках можно обнаружить гораздо чаще, чем вы предполагаете. И в самых неожиданных местах.

— Например, в каких?

— Например, среди следователей или оперативников. Да-да, не смотрите на меня с недоверием, именно среди следователей и оперативников. Вот вам самый живой пример: на днях дежурная машина привезла в Бюро Колю Гавриша, он сутки дежурил, и его прямо с места происшествия, где он труп осматривал, доставили в Бюро, а я попросил меня подбросить к Белочке в больницу, навестить хотел, а тут такая оказия с транспортом... Ну вот, сел я в машину, а на сиденье книжка валяется. Вы же понимаете, я как печатное издание вижу, особенно бесхозное, так мои руки мгновенно становятся загребущими. Я ее и прибрал. Поэзия, заметьте себе, не что-нибудь, не боевичок, и не детективчик, и не фэнтези.

— Да быть не может! — не поверил Саблин. — Чтобы кто-то из оперов или следователей стихами интересовался?

— А вот и может! — Лев Станиславович снова хихикнул. — Не верите? Посмотрите сами, вот эта книжица, она у меня так здесь и лежит.

С этими словами он достал донельзя истрепанный поэтический сборник в мягкой обложке. Саблин собрался было полистать его, сборник открылся сам, вероятно, именно на этом месте его чаще всего и открывали.

«Смири гордыню, то есть гордым будь.
Штандарт — он и в чехле не полиняет.
Не плачься, что тебя не понимают:
Поймет хоть кто-нибудь когда-нибудь...»

И дальше:

«У славы и опалы есть одна
Опасность — самолюбие щекочут.
Ты ордена не восприми как почесть,
Не восприми плевки как ордена...»

Евтушенко. Надо же, как права была когда-то Ольга: все должно быть вовремя. И даже такая, казалось бы, отстраненная вещь, как стихотворение, которое он читал когда-то в далекой юности, но не понял. Эти строки казались ему глубокомысленными и очень красивыми, но не имеющими лично к нему, Сереге

Саблину, ни малейшего отношения. И потом, разве гордость и гордыня — это не одно и то же? Поэт просто играет словами, за которыми нет никакого смысла! И почему после этой строчки идет строчка про штандарт, который и в чехле не полиняет? Какое отношение это имеет к гордости и гордыне?

Так рассуждал когда-то пятнадцатилетний Серега. А сейчас слова стихотворения впивались в голову и рвали мозг на части.

Поэт обращался лично к нему. Все должно приходить вовремя, тогда оно имеет смысл.

* * *

— Как вы думаете, долго еще? — обратился Саблин к секретарю Кашириной, которая откровенно скучала за своим столом и раскладывала на компьютере пасьянс.

Та оторвалась от своего занятия и виновато улыбнулась. Она была приятной молодой женщиной без малейших признаков заносчивости перед теми, кто приходил в эту приемную, намереваясь решить свой вопрос при личной встрече с советником мэра по безопасности. Секретарь хорошо понимала, что лишнего времени нет ни у кого, и желания часами просиживать на стуле в ожидании, пока разрешат войти, тоже не наблюдается. Она искренне сочувствовала каждому, кто вынужден был ждать, проявляла любезность и радушие, всем и всегда предлагала выпить чаю или кофе и вообще была милой и обаятельной. Саблину уже приходилось сиживать на этих стульях с неудобной спинкой, которыми заменили такие удобные, но старые кресла, и никогда ожидание его не тяготило: атмосфера в приемной

Кашириной была какой-то удивительно теплой и ненапряжной.

Но сегодня его бесило все. Собственно, не только сегодня. Весь последний месяц он ощущал себя обнаженным нервом, который выставили на всеобщее обозрение. Разумеется, огромное число людей уже знали о том, что его постоянно приглашают в следственный комитет, и вот-вот последует вынесение постановления о привлечении его в качестве подозреваемого, а там и до заключения под стражу рукой подать, не говоря уж об отстранении от должности. Косые взгляды, иногда сочувствующие, но чаще любопытствующие и еще чаще — злорадные, буквально преследовали его. На работе в Бюро все шло наперекосяк, танатология была завалена работой, экспертов не хватало, областное Бюро не спешило присылать кадры, и Саблин, вместо того чтобы организовывать бесперебойное функционирование судебно-медицинской службы, ходил в секционную, вскрывал трупы, сам проводил гистологические исследования и писал заключения. Все разваливалось, включая его собственную жизнь.

Но почему-то внешнему миру не было до этого никакого дела. И когда приняли решение о коренной переработке всей концепции безопасности, в том числе и разделов, касающихся не только чрезвычайных ситуаций, но и гражданской обороны, Саблину, так же как и всем поголовно руководителям заинтересованных служб, вменили в обязанность в недельный срок подготовить свои предложения и доложить их лично Кашириной. Предложения он с грехом пополам написал, позвонил в приемную, спросил, когда можно прийти, и ему назначили время сегодня в 17.30. А теперь уже четверть седьмого, но его до сих пор не пригласили в кабинет советника мэра: перед самым носом пришедшего за десять минут до назначенного времени Саблина к Кашириной зашли двое каких-то мужчин с надутыми озабоченными физиономиями. И до сих пор не вышли.

Секретарь с симпатией посмотрела на Саблина, ничуть не разозлившись на то, что ее оторвали от пасьянса.

— Вы уж потерпите, Сергей Михайлович. Надеюсь, они вот-вот выйдут. Вообще-то, когда они приходят, это бывает надолго, так что... Даже и не знаю, чем вас утешить. Может, кофейку вам сделать?

— Спасибо, не нужно, — отказался он. — Я уже и так три чашки выпил.

В приемной, кроме него, посетителей больше не было. Саблин водил глазами по стенам и пытался выстроить собственные мысли в более или менее логичную цепочку. Но ничего не получалось. В голове в единый клубок сплелись мысли о Вихлянцеве и его убийстве, о собственных перспективах в связи с этим оказаться на нарах, о кадровом провале и в экспертизе трупов, и на «живом» приеме, о рицине и личности того, кто его так странно и страшно использует, об Ольге, по которой он безумно тосковал, о байкере Максиме, который не притронулся к своему закутку в гараже и ничего оттуда не унес после разговора с Саблиным, о директоре похоронной службы, который столь неравнодушен к отравлениям и ядам. И даже о Льве Станиславовиче Тасконе, высказавшем мысль о том, что мужчина-отравитель чаще всего является эстетом. А сам Таскон разве не эстет? Еще какой! Цитирование на память витиеватых старинных оборотов, умение ценить красоту, любовь к книгам и особенно к поэзии... Неужели Таскон? Как-то слабо верится... Впрочем, почему бы нет?

Открылась дверь приемной, ведущая из коридора, и появилась массивная крепкая фигура водителя Леонида Чижова.

— Кать, ну чего там? Мне велено было к восемнадцати машину подавать, пришлось с техосмотра уезжать, а у меня уже и очередь подошла... Теперь только через три дня удастся. Знал бы, что так долго, остался бы. Или случилось что?

— У Татьяны Геннадьевны посетители со сложным вопросом, а потом еще Сергей Михайлович записан на прием, так что даже не знаю... Наверное, не меньше получаса. Ты, Ленечка, почему меня не слушаешь?

— А чего? — как-то совсем по-детски спросил огромный мускулистый Чижов.

— А того, что я тебе сто раз говорила: если не знаешь точно расклад — позвони мне, я тебе все скажу, чтобы тебе зря не ездить и лишнего не ждать. Позвонил бы мне, я бы тебе сразу сказала, что раньше семи вечера Татьяна Геннадьевна точно не освободится. А ты как тот солдат: получил команду — и тупо выполняешь. Инициативу надо проявлять, Ленечка.

На лице Чижова проступила такая растерянность, что секретарь не выдержала и фыркнула.

— Давай я тебе чайку налью, у меня шоколадка есть. Хочешь?

— Давай, — охотно согласился Чижов.

Взяв чашку с чаем и половинку шоколадки, водитель устроился на стуле, стоявшем у другой стены, прямо напротив Саблина, который, с завистью оценив великолепную физическую форму Леонида, невольно переключился мыслями на Каширину. Правда или нет, что этот парень — ее любовник? С одной стороны, она женщина, безусловно, и красивая, и обаятельная, но, с другой стороны, она старше его лет на двадцать. И если мужской интерес Леонида к Татьяне

Геннадьевне был бы Саблину совершенно понятен, то вот интерес зрелой умной женщины к такому молодому и не особенно умному, хотя и накачанному, мужику был для него необъясним. Нет, он в принципе знал о существовании женской тяги к молодому здоровому мужскому телу, но Татьяна Геннадьевна никак не производила впечатления женщины, которой такой интерес мог быть свойствен. Ей нужен партнер-ровня, друг, собеседник, человек с таким же жизненным опытом, как у нее самой. С молодым необразованным Ленчиком ей было бы скучно. Но ведь она, как говорят, притащила его за собой сначала из областного центра в прокуратуру, а потом и в администрацию. Значит, за этим что-то стоит. И все равно непонятно. Как-то не вяжется с образом той Кашириной, который сложился в голове у Сергея.

А может, все это досужие сплетни? Может, нет у нее никакого любовника? Интересно, если бы он спросил у Глеба об этом, какой ответ получил бы? Глеб, дурачок, тоже завел эту песню о том, что якобы Саблин нравится Кашириной. Ольга сколько раз говорила об этом... Неужели правда? Сергей был уверен, что Ольге просто показалось, сыграла злую шутку обыкновенная бабская ревность. Дурь. Но разве Ольге свойственно хоть что-то бабское? Однако сам Саблин ничего такого не замечал. Нет, не так. Он замечал, но не придавал значения, потому что не чувствовал Женского Зова. Не было его, в этом Сергей мог бы поклясться. А зачем же тогда...

И вдруг его словно ледяной водой обдало. Все его неприятности начались именно после того, как он пошел к Кашириной с рассказом о рицине. Через пару недель после этого он уехал в Барнаул на учебу — и началось... Вихлянцев. Да нет, не может быть, это просто совпадение по времени. Какое отношение может иметь Вихлянцев со своими происками и попытками сместить Саблина с должности к тому, что Татьяна Геннадьевна узнала о рицине? Господи, чего только не взбредет в истерзанную проблемами башку!

— Ленечка, еще налить чайку? — послышался голосок секретаря.

Саблин перевел взгляд на Чижова, сидевшего напротив. Тот поднял глаза и встретился взглядом с Сергеем.

Светлые холодные глаза, спокойные, сосредоточенные и какие-то до боли знакомые. Где Саблин мог видеть эти глаза? Когда? Нигде и никогда, потому что Леню Чижова, водителя Кашириной, он встречал много раз, но ему и в голову не приходило пристально его рассматривать. Нет, нигде и ни при каких обстоятельствах Сергей Саблин не мог видеть этих глаз.

Так о чем он думал? Ах да, о своих неприятностях, которые начались после визита к Кашириной. Теперь его настигла настоящая слава: после убийства Вихлянцева невозможно спокойно пройти по коридорам здания мэрии, каждый второй останавливается и спрашивает о ходе следствия, при этом многозначительно похмыкивая и всячески давая понять, что не сомневается в виновности начальника Бюро судмедэкспертизы. Особенно стараются демонстрировать «дружеское расположение» руководители комбината, на котором погиб Алексей Вдовин. У них были особые причины «сильно любить» Саблина. Да, слава... Настигла...

«У славы и опалы есть одна
Опасность: самолюбие щекочут...»

Хорошо сказано. Наверное, человек, который постоянно открывал сборник стихов именно на этом месте, обладает недюжинными амбициями и страдает от своей непризнанности и непонятости. Или... Это стихотворение напечатано на одной стороне, справа. А может быть, ему нравилось не оно, а как раз то, что слева? Что же там было слева?

Саблин напрягся, мысленно восстанавливая перед глазами страницу. Вот! Есть! «Людей неинтересных в мире нет...» Как же там написано? Нет, текста, написанного на странице, он не вспомнит. И само стихотворение тоже. Вероятно, в юности, когда он читал Евтушенко, оно ему либо не попалось совсем, либо попалось, но не запомнилось.

Он встал и подошел к секретарю, которая продолжала мирно раскладывать пасьянс «Паук» на четырех мастях.

— Простите, можно мне воспользоваться Интернетом? — попросил он. — Буквально на одну минуточку. Я быстро.

— Да ради бога, Сергей Михайлович.

Она отодвинула от стола кресло, в котором сидела, чтобы Саблин мог подобраться к клавиатуре. Он быстро вышел в поисковик, нашел нужный сайт, а на нем — нужное стихотворение. Пробежал глазами.

И помертвел.

— Я отойду на пять минут, — сказал он. — Мне нужно жене позвонить. Если Татьяна Геннадьевна освободится — я буду в коридоре.

— Конечно, — кивнула секретарь, занимая свое место и снова открывая пасьянс.

Саблин кинулся в коридор, на ходу вытаскивая из кармана мобильник и ища в активе номер дежурной части, попутно пытаясь вспомнить, когда, какого числа состоялся его разговор с Тасконом. Что сказал

Лев Станиславович? Что он ездил в больницу к Изабелле Савельевне. И потом, вернувшись в Бюро, он наверняка заходил к Светлане и рассказывал, как там дела у Белочки. Не мог не зайти. Значит, Света должна точно помнить, в какой день это было.

Он сбросил уже найденный номер дежурной части и позвонил Светлане. Она немало подивилась такому странному вопросу, но, конечно же, вспомнила: Лев Станиславович заходил к ней с известиями из больницы, где лежала Сумарокова, в понедельник на прошлой неделе. А на следующий день, во вторник, она уже сама ездила навестить больную. Теперь можно было звонить в дежурную часть с вопросом: кто дежурил в составе следственно-оперативной группы в сутки с утра прошлого воскресенья до утра понедельника.

— А вам зачем? — удивился дежурный. — Случилось что?

— Да мне справочку надо навести по одному происшествию, на которое эта группа выезжала.

— А-а-а, — протянул дежурный, — понятно. Сейчас гляну.

Через минуту Саблин сунул телефон в карман, чувствуя, как между лопатками стекает струйка пота.

Глеб. Глеб Морачевский. Сын Татьяны Геннадьевны Кашириной.

Теперь все сложилось. Она знала. Она все знала о своем сыне и оберегала его, как могла. Но настырный Саблин подобрался к тайне рицина слишком близко, и она решила натравить на него Вихлянцева, чтобы отвлечь от мыслей о яде и о том, кто и зачем его использует. И ей это удалось. Более чем удалось. Но... все-таки не совсем удалось, потому что он продолжал думать о рицине и об убитых им людях, и периодически звонил то Глебу, то ей. Надо же! Именно

Глебу он рассказал о своем открытии, именно его попросил подумать, что можно предпринять с точки зрения экспертизы, чтобы проверить остальные случаи, которые были или еще будут в Северогорске. Вот Глеб, наверное, смеялся над доверчивым наивным начальником Бюро судмедэкспертизы!

Каширина поняла, что он не унялся. И решила просто-напросто упечь его в тюрьму за убийство. А если и не упечь, то как минимум потрепать нервы настолько, что о рицине он и не вспомнит в ближайшие несколько лет. Хороший план! Блестящий! Вот почему Вихлянцева убили таким способом, который вполне определенно указывал на медика. А кто из медиков мог желать смерти этому придурку? Да конечно же только он, начальник Бюро судебно-медицинской экспертизы. Ай да Татьяна Геннадьевна! Женщина-мать. Даже Вихлянцева не пожалела, пожертвовала как разменную пешку, лишь бы своего добиться. Интересно, как ей удалось его завербовать себе в помощь? Не могла же она открыть ему истинную причину, по которой просила его начать травлю Саблина. Значит, что-то наврала. Или...

Господи, какой же он идиот! Это же лежит на поверхности! Леня Чижов... Да какой, на хрен, Леня Чижов! Любовником Кашириной был именно Юрий Альбертович Вихлянцев, а вовсе не водитель Ленчик. Вихлянцев-то и в Бюро появился после перевода Кашириной из областного центра. Значит, она с собой не только водителя приволокла, но и любовника. «Все свое ношу с собой», как говорили древние латиняне. И когда ей понадобилось отвлечь Саблина от проблемы рицина, она просто сказала Юре, что пора ему уже становиться начальником Бюро, и расписала целый план, как свалить Саблина, и подсказала, как организовать прокурорские проверки, и много чего другого, наверное, насоветовала. С одной стороны, Каширина, с другой — Журенко, оба советовали, оба помогали, оба поддерживали, каждый в меру своих сил и пакостности характера. А Юрочка плясал под их дудку и методично выматывал Саблину кишки.

А потом Каширина решила, что пора прекращать этот цирк и принимать кардинальные меры. Вероятно, для нее, как и для самого Саблина, участие Журенко в этой авантюре оказалось совершенно неожиданным. Глеб ей об этом рассказал, точно так же, как рассказал самому Саблину. И она решила Саблину перекрыть кислород окончательно, а заодно и от любовника избавиться. Вот только как...

Он вспомнил.

Он вспомнил, где и когда видел глаза Лени Чижова, светлые, холодные и равнодушные. Это были глаза деда Анисима. Это были его собственные глаза, глаза Сереги Саблина, которые тетя Нюта советовала ему прятать от людей. Глаза человека, который может убить и не будет в этом раскаиваться. Леня Чижов убивал. Он ведь бывший контрактник, служил в «горячих точках». Дед Анисим убивал, он воевал, он боролся с бандитами. А он, Саблин? Нет, не убивал. Но бил. Жестоко. До крови. И никогда не раскаивался в этом.

— Сергей Михайлович! — из-за двери, ведущей в приемную Кашириной, выглянула секретарь и поманила его рукой. — Татьяна Геннадьевна освободилась и ждет вас, заходите.

И что теперь делать? Молчать. Ждать. Смотреть, что будет дальше. Потому что предпринимать все равно ничего нельзя. Каширина не позволит, чтобы с ее любимым мальчиком случилась беда.

Он быстрым шагом вернулся в приемную, взял брошенную на стул папку с документами и вошел в кабинет помощника мэра по безопасности.

Как в темный жуткий провал пропасти бросился...

* * *

Ничего не происходило. Не было заметно никакого движения. Никуда. Дело об убийстве Юрия Альбертовича Вихлянцева буксовало. Зампрокурора города Журенко и еще кто-то из руководителей следственного комитета, имени которого Саблин так и не узнал, продолжали давить на следователя, который упорно делал вид, что предпринимает все необходимые шаги для того, чтобы прищучить Саблина, и все вертелось вокруг собственной оси и никуда не продвигалось. В конце концов, руководству это надоело, и дело передали другому следователю, более, на их взгляд, послушному и понятливому. И все началось сначала: допросы через день, алиби, мотив, способ совершения преступления...

Правда, областное Бюро прислало нового сотрудника на должность заведующего отделением экспертизы трупов, и Саблину стало полегче. Но только в смысле работы. На душе у него было тягостно и холодно. Он ждал.

Ждал, что Каширина нанесет очередной удар. Ждал каждый день, каждую минуту, пытался представить себе, что еще она могла бы придумать, чтобы спасти сына. Нервы были натянуты до предела, давление то и дело поднималось до поистине устрашающих цифр, Саблин глотал таблетки горстями и пытался настроить себя на готовность отразить удар, каким бы он ни был.

Получалось плохо. Поэтому когда байкер-художник Максим выступил со своим довольно неожиданным предложением прийти в городской парк на празднование «Последнего звонка», Саблин точно так же неожиданно для самого себя согласился.

— Ну чего ты сидишь, как сыч! — уговаривал его Максим. — На тебя уже смотреть страшно. Живой труп, ей-богу. А будет классно, вот увидишь! Наша школа постаралась, проявила инициативу, и в парке будут праздновать выпускные классы не только нашей, но и еще двух школ и Второй гимназии. Меня отрядили организовывать художественную часть, то есть оформление, концерт, конкурсы, ну и всякое такое по моей специальности. Я же страх какой креативный! — Макс заразительно рассмеялся. — Тебе полезно будет.

— И что я там буду делать, среди детей? — вяло сопротивлялся Саблин.

— Да почему же среди детей-то! Дети — они сами по себе, у них своя свадьба, но у каждого ребенка есть родители, и у многих, между прочим, аж по две штуки. Все эти родители придут на праздник, и у них тоже будет своя свадьба. Они будут участвовать в концерте, я там даже целый спектакль затеял с участием и детей, и взрослых, у родителей тоже будут конкурсы с призами, будет живая музыка, танцы — отдельно для деток, отдельно для взрослых. Ну и выездная торговля, куда ж без этого. Пирожки, гамбургеры, пиво-водка-алкоголь, соки-воды-морсы, торты-пирожные-конфеты, в общем, на любой вкус. Серега, приходи, не пожалеешь. Во-первых, мне хочется похвастаться перед тобой, какой я праздник забацал, и во-вторых, ты такой прибитый, что тебе просто необходимо побыть на свежем воздухе и в атмосфере всеобщего веселья.

Если бы еще месяц назад кто-нибудь сказал Сергею Саблину, что он согласится пойти на «Последний звонок» куда бы то ни было, он бы счел, что над ним просто издеваются. А вот сегодня взял и согласился. Максим прав, он уже дошел до ручки, до предела, ему нужно чем-то подпитаться и хоть немного отвлечься.

В конце мая уже наступил полярный день, и праздник, начавшийся в пять часов вечера, проходил при ярком солнечном свете. Саблин в первые часа полтора никак не мог адаптироваться, громкие голоса и звучащая со всех сторон «живая» музыка били по нервам и раздражали, ему хотелось забиться в уголок и никого не видеть и не слышать. «Еще час прокантуюсь здесь, — решил он, — и поеду домой. Не для меня это веселье. Не пойдет впрок».

Он уныло бродил по аллеям огромного парка, то и дело натыкаясь в кустах на целующиеся парочки — выпускники начинали взрослую жизнь. Оказавшись перед эстрадой, на которой проходил какой-то конкурс, остановился из любопытства и неожиданно для себя увлекся, мысленно отвечая на вопросы, которые задавались конкурсантам, и с досадой отмечая, что ответ может дать далеко не в каждом случае. «Черт возьми, объем знаний у нынешних школьников какой-то совсем другой, — удивленно констатировал Сергей. — Они не знают многого из того, что в обязательном порядке знали мы в их возрасте, однако они, как выясняется, знают кучу других вещей, о которых я, например, даже и сейчас понятия не имею, не то что в школе. Колоссальная разница, а всего-то одно поколение. Ведь это поколение Дашки, моей дочери. А я и не знал никогда, чему там ее в школе учили... Прожил здесь, на Севере, вдали от семьи, и радовался, что они меня не особо достают. Сволочь я, наверное. Или просто человек, не приспособленный для семейной жизни?»

Он с удовольствием просидел на скамейке для зрителей, среди школьников и взрослых, до самого конца конкурса и от души хлопал в ладоши, когда ведущий объявлял победителей и вручал им призы. Настроение незаметно поднялось, и Саблин решил даже позволить себе немного выпить. Сперва подумал было о пиве, но потом сообразил, что на такой выездной торговле вряд ли будут продавать бочковое, а бутылочное пиво в Северогорске оставляло желать много лучшего. Да и пошло это как-то: пиво в парке. Он солидный человек, ему сорок пять лет. И если он хочет выпить, то вполне подойдет кампари. И вкусно, и некрепко, и элегантно. Не хватало еще, при всех его любовно-трепетных отношениях с правоохранительными органами, чтобы его увидели в городском парке на детском празднике пьющим водку или коньяк. Позорище!

Сергей начал предметно исследовать шатры, в которых располагались торговые точки, где можно было присесть за пластиковый столик, легко перекусить и выпить. Он заходил внутрь, изучал ассортимент, оценивал чистоту стаканов и столов и выходил наружу. Ему все не нравилось. Наконец он остановил свой выбор на сине-белом шатре: цвета напомнили ему Крит, на котором было так хорошо... Да и выбор предлагаемых напитков был вполне достойным. Во всяком случае, кампари, в отличие от всех прочих точек, здесь был. Расплатившись, он взял стакан, одноразовую пластиковую тарелочку с пирожками и несколько бумажных салфеток и присел в уголке. Сделал пару небольших глотков и задумчиво, не спеша, с удовольствием съел пирожок с консервированной вишней. Тесто было не особо вкусным, но приемлемым, а вот начинка понравилась. Надо будет купить еще парочку таких же, подумал он.

— Серега! — раздалось снаружи, и в шатер влетел взмыленный Максим. — Куда ты делся-то? Я тебя потерял. Через час начинается спектакль, это моя гордость, гвоздь программы праздника, не прощу, если ты не придешь.

— Да приду, приду, — успокоил его Саблин. — Только ты мне покажи, куда идти.

Максим вывел его наружу и показал ориентиры, которые помогут Саблину найти нужную площадку.

— Понял? Не заблудишься? Или хочешь, я за тобой пришлю бойца?

— Не надо, не маленький, сам найду.

Максим умчался готовить декорации к спектаклю, а Саблин вновь вернулся в шатер, купил еще три пирожка с вишней и уселся за свой стол. Опустошив первую тарелочку, он решил использовать ее в качестве пепельницы и закурил.

— Добрый вечер.

Он поднял голову и увидел Глеба Морачевского. Почему-то сразу стало холодно.

— Добрый вечер, — ответил он как можно спокойнее, но получилось неудачно. Голос дрогнул. И рука, держащая сигарету, тоже дрогнула. — Какими судьбами ты здесь?

— А ты? — задал встречный вопрос Глеб.

— Меня приятель пригласил, он здесь один из главных заводил, организатор и создатель всей художественной части.

— Ну а я просто так пришел, проветриться, заодно и вопросы кое-какие порешать. Чего у тебя руки-то ходуном ходят? Похмелье?

Саблин растерялся. Он ждал удара от Кашириной, он каждую минуту готов был к встрече именно с ней или с организованными ею неприятностями. А о возможной встрече с Глебом он вообще не подумал.

— Да нет, — ответил он неуверенно. — Похмелью быть не с чего вроде бы. Просто нервы, наверное. Ты же в курсе, как меня следователи имеют... Как последнюю шлюху.

— Да, — сочувственно протянул Глеб, — тяжко тебе. Ну, ничего, еще немножко помучаешься — и все, конец.

Саблин решил, что ослышался.

— Какой конец? Прокурорские и следаки от меня отстанут? Откуда ты знаешь? Мать сказала?

— Конец, Сергей, это всегда конец. И больше ничего не будет. Я присяду, не возражаешь?

Глеб смотрел на него и улыбался мягко и сочувственно. Сев напротив Саблина за столик, он протянул руку к лежащему на тарелке пирожку.

— Ничего, если я пирожок съем? — виновато проговорил он. — Есть хочется просто ужасно. А тебе все равно, голодным умирать или сытым, правда же?

Вот и все. Допрыгался, Саблин. Хотя можно еще поцарапаться, не сводить глаз с Глеба и его рук, не давать ему возможности подсыпать отраву в кампари. Нет, еще не все потеряно, еще есть выход, самый простой...

— А не боишься, что я просто встану сейчас и уйду?

— Ты? — Глеб посмотрел на него с сожалением. — Уйдешь? Ну, попробуй.

Саблин собрался сделать последний глоток кампари из высокого стакана и уйти, но попытавшись поднять стакан, понял, что руки слушаются плохо. Он сделал попытку встать. Не получилось. Ноги тоже не слушались. Глеб все-таки успел... но как? Это не рицин, слишком быстро отрава начала действовать.

Что он подсыпал? Какой яд? Хорошо известный? Или какое-нибудь очередное изобретение?

— Успел, гаденыш, — проговорил Саблин, борясь с быстро нарастающей слабостью.

— Конечно, успел, — кивнул Глеб. Лицо его было грустным. — Я всегда все успеваю. Твой кампари был отравлен уже тогда, когда ты беседовал снаружи со своим приятелем. Мне просто нужно было дождаться, пока ты выпьешь почти все. И только после этого я подошел к тебе. Хочешь, я расскажу тебе, зачем я это делаю?

— Не надо, — Саблин чувствовал, что рот начинает наполняться слюной и говорить ему трудно. Но пока он еще может произнести хоть слово, он его произнесет. — Я и так знаю. «И если умирает человек, с ним умирает первый его снег, и первый поцелуй, и первый бой — все это забирает он с собой». Так, да? «У каждого свой тайный личный мир», да? Ты возомнил себя повелителем миров, сучий ты потрох?

— Ой, а вот ругаться и обзываться не надо, ты все-таки на пороге смерти, имей уважение к таинству, — саркастически произнес Морачевский. — А чего ты на помощь-то не зовешь? Смотри, сколько кругом людей, покричи, позови, может, кто и кинется тебе помочь.

Слюны становилось все больше, она уже переполнила ротовую полость и стекала по подбородку и шее, и говорить было почти невозможно. Но Саблин все-таки сделал последнюю попытку. Он понимал, что умирает, но сдаваться не собирался.

— А толку? — невнятно выговорил он. — Ты ж наверняка постарался, чтобы твоя отрава подействовала быстро. Никакие врачи мне не помогут. Я прав?

— Конечно...

Глеб говорил что-то еще, Саблин видел, как шевелились его губы, но уже не слышал ни слова. А потом и видеть перестал.

* * *

Он начал приходить в себя, слегка приоткрывал глаза, но понимал, что либо спит, либо галлюцинирует: ему мерещилась неясная размытая женская фигура, которая то стояла в изножье кровати, то сидела на стуле, то медленно передвигалась взад-вперед. Ему хотелось надеяться, что это Оля, которую вызвали из Москвы, но как ни напрягал он зрение, разобрать точно ничего не мог. А глаза закрывались сами собой, и он снова проваливался в тяжелое беспамятство, не ощущая ни зондов, ни прилепленных датчиков, ни катетеров. «И все-таки я жив...» — успевал подумать Саблин.

Иногда до него доносился голос врача, спрашивавшего, как он себя чувствует, и Сергей честно пытался ответить, но губы и язык еще не слушались.

И наконец он смог открыть глаза и увидеть все более или менее четко.

— Ну слава богу, — послышался голос. — Сергей Михайлович, нельзя так коллег пугать. Вам давно уже пора в себя приходить.

Над ним склонилось лицо врача, и Саблин вспомнил, что этот доктор работает в отделении токсикологии. Они встречались и на вскрытиях, и на клинико-анатомических конференциях.

— Говорить можете?

— Могу... кажется.

Язык слушался. Губы тоже. Похоже, жизнь вернулась в свою колею.

— Как чувствуете себя, Сергей Михайлович?

— Ничего, терпимо. Я где? В реанимации?

— В токсикологии, в палате интенсивной терапии. Что с вами случилось? Можете рассказать?

— Доктор, выйдите, — послышался женский голос откуда-то сбоку. — Мы с вами договаривались.

Голос показался Саблину смутно знакомым. Но он не мог вспомнить, где и когда его слышал. Понял только, что это не Ольга. Жаль.

— Да-да, — врач торопливо выпрямился. — Оставляю вас, Татьяна Геннадьевна.

Каширина! Что она здесь делает? Что ей надо? Посмотреть, выживет ли очередная жертва ее сумасшедшего сынка?

Каширина подошла ближе, и Саблин ужаснулся. Это была не она. Не та Татьяна Геннадьевна, красивая, моложавая и сияющая женщина, всегда к лицу и стильно одетая. Сейчас перед ним стояла старуха, страшная, черная, с ввалившимися глазами и сжатыми в сухую линию губами. От прежней Кашириной остались только волосы — светлые и красиво уложенные.

— Я не могла допустить, чтобы вы начали всем рассказывать о том, что с вами случилось и кто вас отравил, — произнесла она ровным холодным голосом. — Я использовала свою власть, чтобы получить возможность находиться здесь, в этой палате, куда вообще-то никого не пускают. Но меня пустили. И я сидела здесь и ждала, пока вы придете в себя, чтобы успеть поговорить с вами раньше, чем вы начнете всем рассказывать про моего сына.

— Ваш сын — убийца, — перебил ее Саблин. — И он должен быть наказан. Если вы думаете, что вам удастся меня уговорить, то вы сильно ошибаетесь. Со мной договориться невозможно. Меня можно только убить.

— Вероятно, вы правы, — все так же спокойно и ровно согласилась Каширина. — Вас можно было убить. Более того, вас нужно было убить. Но Глеб не смог. У него не получилось. Когда вас доставили сюда, у вас взяли анализы и выявили яд, но врач сказал, что доза, по всей вероятности, оказалась маленькой, и вам повезло.

— Да уж, повезло, — он криво ухмыльнулся. — Всем бы такое везение. Глеб просто не рассчитал дозу правильно, он не смог верно оценить мой вес, который намного больше, чем можно подумать, глядя на меня. Это меня и спасло. А вот вашего сына, Татьяна Геннадьевна, уже ничто больше не спасет.

— Моего сына нет в живых. Он покончил с собой в тот же день, когда пытался отравить вас и когда выяснилось, что он ошибся с дозой и вы, скорее всего, выживете. Глеб отравился. К сожалению, свой вес он знал совершенно точно.

Она говорила, как механическая кукла, ее голос не дрогнул даже тогда, когда она сказала о смерти сына, и Саблин понял, что ее чем-то «загрузили». Он подумал, надо ли выражать соболезнования или это как-то неуместно? А Каширина, между тем, продолжала:

— Так вот, Сергей Михайлович, я хочу, чтобы вы молчали. Вы знаете много, но дальше вас эта информация пойти не должна.

— Вы делаете мне предложение, от которого я не смогу отказаться?

Он попытался изобразить презрительную усмешку, но понял, что мимические возможности ограничены: из ноздри тянулся носовой зонд. Постепенно возвращалась чувствительность, говорить становилось все легче, но одновременно быстро наваливалась усталость.

— Сергей Михайлович, прежде, чем вы отвергнете мое предложение, я прошу вас взвесить и правильно оценить мои собственные возможности. Я смогу сделать так, что вы сядете за убийство Юры Вихлянцева. Кстати, вы знали, что он был моим любовником?

— Нет, не знал. Но догадывался. Вообще-то все считали, что ваш любовник это ваш водитель Ленечка.

— Так вот, — мерно говорила она, — вы сядете, и параллельно этому из вас еще попьют кровь по вихлянцевским докладным. Кроме того, есть два десятка свидетелей, что перед тем, как вам стало плохо и вы упали, вы сидели за одним столом с Глебом и о чем-то разговаривали. Можете не сомневаться: при моих возможностях этого окажется достаточно, чтобы обвинить вас в доведении до самоубийства. А если я очень захочу, то вас обвинят и в убийстве моего сына. Ну так как? Договоримся?

Перспектива была очерчена четко и выглядела совершенно безрадостно. Каширина не запугивала, она честно открывала свои карты, предупреждая обо всех ходах, которые намерена сделать. Сергей понимал, что под действием препаратов, которыми ее накачали, чтобы она выдержала первые несколько дней после самоубийства сына, Татьяна Геннадьевна не станет лгать и нагнетать ситуацию. Она на это просто не способна. Сейчас, в таком состоянии, она способна говорить только правду. И она сделает все, что перечислила.

— И что вы хотите взамен? — спросил он осторожно.

— Я хочу, чтобы вы уехали отсюда. Я хочу, чтобы правда о моем сыне никогда не вышла наружу. Я не хочу пачкать память о моем мальчике. Вы же помните наш разговор, когда вы пришли ко мне за помощью в деле этого паренька, погибшего на комбинате, Вдовина. Вы тогда говорили, что мать юноши страдает не только из-за того, что потеряла сына, но и из-за того, что память о нем опорочена. Значит, вы должны понять и мои чувства. Итак, вы ничего никому не рассказываете, вы становитесь для всех жертвой отравления неустановленным веществом, которое попало в продукты, купленные вами на рынке у неустановленного лица, это все я легко устрою. Вы поправляетесь, увольняетесь и уезжаете. Если хотите, я помогу вам найти достойную работу в Москве. Возвращайтесь к семье, Сергей Михайлович.

Она не оставляла ему выбора. Можно, конечно, проявить принципиальность и получить срок за убийство, а то и за два. Кому будет лучше? Глеба все равно не посадят. Правосудие не сможет восторжествовать. Правда, настанет торжество истины... А так ли это важно в данном случае?

«Важно, — подумал Сергей. — Пусть хоть что-то, хоть капля, хоть миллиметр. Но эту каплю и этот миллиметр я у нее отвоюю. Я не сдамся без боя».

— Вы предлагаете слишком мало для оплаты такой услуги, какую хотите от меня, — заявил он. — Цена несоразмерна.

— Хорошо, — тут же отозвалась Каширина, — назовите вашу цену.

— Я хочу, чтобы были реабилитированы все, кто так или иначе пострадал из-за обвинений в делах об отравлениях, устроенных вашим сыном.

— Что-нибудь еще? Или это все?

— Это только начало, Татьяна Геннадьевна. Я хочу, чтобы ваш водитель Леонид Чижов написал явку с повинной и признался в убийстве вашего любовника Вихлянцева.

— Для чего вам это? Кстати, почему вы думаете, что это он убил Юру?

— Потому что я знаю, каким способом и для чего было совершено это убийство. Оно было выгодно только вам. А для вас совершить это мог только Чижов. Ни для кого не секрет его патологическая преданность вам. Недаром же все были уверены, что вы с ним любовники.

— А про Юру Вихлянцева, значит, не знали? — ему показалось, что Каширина усмехнулась. — Не знали, Сергей Михайлович. Мы хорошо конспирировались. Так для чего вам нужно, чтобы Ленечка пришел с повинной? Что вам от этого?

— Я хочу, чтобы в убийстве Вихлянцева виновным был признан именно тот, кто действительно виновен. Дело громкое, серьезное, нераскрытым оно остаться не может ни при каких условиях, вы же первая, а с вашей подачи и мэр, и газетчики, и вся прокуратура будут орать, что виновный должен быть наказан. И в результате найдут какого-нибудь несчастного, на которого и повесят труп Юрия Альбертовича. В противном случае будут продолжать подозревать меня, даже из города могут не выпустить, как же я уеду, если мы договоримся?

— Это невозможно, — резко ответила Каширина. — Так мы не договоримся.

— Почему же?

— Потому что я хочу сохранить тайну моего сына. А вы предлагаете Лене пойти и написать явку с повинной, таким образом раскрыв все то, что я стремлюсь утаить. Ему ведь придется рассказать обо всем, в том числе и о том, что я просила его убить Вихлянцева таким способом, который будет прямо указывать на вас как на исполнителя. Мне было важно деморализовать вас и обезвредить, потому что вы были опасны для Глеба. Я всегда чувствовала, что вы можете быть опасны, вы слишком настойчивы и слишком дотошны во всем, что касается вашей работы. Я знала, что Глеб не остановится, и понимала, что рано или поздно его действия попадут в сферу вашего внимания. Мне нужно было подстраховаться. Знаете, Сергей Михайлович, я одно время даже подумывала, не сделать ли вас своим любовником, чтобы вы были более покладистым и управляемым.

— Да? Отчего же не попытались? Вдруг у вас получилось бы? — съязвил он.

— Я вас не хотела. И не смогла заставить себя захотеть. Вы мне не нравились как мужчина. Вы вообще мне не нравились.

— Ну да, вам нравился Юра Вихлянцев...

— Когда-то давно... да, нравился. Потом разонравился. Я его держала при себе для здоровья. И для повышения самооценки.

— Вы пользуетесь людьми как вещами.

— Да, я пользуюсь людьми как вещами, — легко согласилась она. — Я и мужем своим точно так же пользовалась. Мне очень хотелось иметь ребенка, и я вышла замуж. Моей ошибкой было то, что я вышла замуж за человека, который меня по-настоящему любил, любил глубоко и нежно. А я его не любила, мне нужен был производитель и официальный отец для моего ребенка. Когда я родила Глеба, муж перестал быть мне нужным. Он мне мешал любить моего мальчика, он отвлекал мое внимание от сына, он отнимал у него часть нежности и любви, предназначенной только для ребенка. Одним словом, я его выгнала.

Выгнала грубо и унизительно. А он продолжал меня любить. Жил в другом городе, далеко от меня — я поставила такое условие, чтобы он не вздумал общаться с сыном. Прошли годы, и он мне снова понадобился. У него была должность, которая позволяла решать некоторые нужные и важные для меня вопросы. И я снова вышла за него замуж. Он был счастлив. Он ждал меня все эти годы, надеялся... Вот и дождался. Когда он снова перестал быть мне нужным, я опять с ним развелась. Этого удара он уже не перенес. Слег с тяжелейшим инфарктом и превратился в инвалида. С работы, с той самой должности, его, естественно, сразу «попросили». Сегодня инвалиды-сердечники спросом не пользуются, даже если они очень хорошие специалисты. Впрочем, это неважно, — Каширина словно спохватилась и вернулась к тому, что волновало ее сейчас больше всего. — В любом случае я не могу допустить, чтобы Леню привлекали к ответственности за убийство Юры. Это повлечет разглашение моей тайны.

— Татьяна Геннадьевна, я ведь не настаиваю на том, чтобы ваш Ленечка говорил на следствии и на суде правду. Пусть скажет, что был в вас влюблен, приревновал к Вихлянцеву, который за вами ухаживал, но любовником вашим не был, просто поклонник. Приревновал и убил соперника. И все довольны. Убийца понесет ответственность, а тайна вашего сына останется при вас. Более того, у вас наверняка есть возможность добиться признания Чижова невменяемым. И тогда после вынесения решения по делу его направят в спецбольницу, а там так загрузят тяжелыми препаратами, что после окончания лечения он превратится в растение и уже никому ничего не расскажет. Он перестанет быть для вас опасным.

Она помолчала. Потом сказала:

— Хорошо. Мы с вами договорились. Я выполню оба ваших условия. Я готова на все ради сохранения доброй памяти о Глебе. Но имейте в виду, Сергей Михайлович: если вы посмеете нарушить наш договор и произнесете хоть слово, я вас уничтожу. Я ни перед чем не остановлюсь.

— Не сомневаюсь, — буркнул Саблин. — Уходите, Татьяна Геннадьевна. Вы нарушаете все принятые в медицине правила. Вы находитесь в палате интенсивной терапии, где лежит больной, только что пришедший в сознание после тяжелой интоксикации. Он нуждается в медицинской помощи, а не в разговорах с вами. Он нуждается в полном покое. Вам пошли навстречу, уж не знаю, из уважения ли к вашим заслугам или за деньги, но вы злоупотребляете тем разрешением, которое вам дали. Уходите и позовите врача. Искренне надеюсь никогда больше вас не увидеть.

Она молча кивнула, потом внезапно подошла совсем близко к изголовью и наклонилась над Саблиным. Ее лицо оказалось совсем близко, ему удалось даже рассмотреть самые мелкие морщинки, расходящиеся тонкими едва заметными лучами от уголков глаз. Зрачки впились в Саблина, изучая его словно радаром, затем Каширина выпрямилась и слегка улыбнулась.

— Нет, не нравитесь вы мне. Не нравитесь.

Дверь за ней тихо закрылась, и тут же в палату вошел врач. Сергей опустил веки. Как же он устал... Он разговаривал с Кашириной из последних сил, сцепив зубы, чтобы снова не впасть в беспамятство. Он больше не может сопротивляться... Пусть они делают с ним что хотят.

ГЛАВА 4

Максим любовно оглаживал рукой крутой бок саблинского байка.

— Ты все-таки подумай, Серега, может, возьмешь деньги, а? Ну полный же неудобняк, получается, что я, халявщик какой-то? Я же не нищий, у меня бабки есть. Возьми, а?

— Не морочь мне голову, — сердился Саблин. — Я же сказал: отдаю. Дарю. Пусть у тебя хоть что-то на память обо мне останется.

Они с утра съездили и оформили все документы, согласно которым мотоцикл Саблина переходил в собственность Максима. Отныне, как и все последние годы, у него в гараже будут стоять рядышком два байка, словно ничего не случилось и все осталось по-прежнему.

— Черт, — Максим почесал затылок и удрученно вздохнул, — жалко, что не смогу тебя завтра проводить, у меня четыре урока и потом занятия в студии, отменить никак не получится.

— Да ладно, не парься, меня Ванда отвезет на своей машине. И вот еще что я хотел тебе сказать: будь поосторожнее, ладно? Побереги себя.

Макс озадаченно посмотрел на него.

— Ты это о чем? О скорости? Даже не заговаривай, для байкера скорость — главный смысл всей затеи.

— Я не о скорости говорю, а о том, что ты все болячки на ногах переносишь, болеть не умеешь и не любишь, а это опасно. Дай слово, что не будешь садиться на байк, если нездоров.

— Это почему?

— Потому что. Слушай, что тебе врач говорит. Помню, тетку сорока шести лет вскрывал, в Москве еще. Ехала со своим сыном на байке, на заднем сиденье, и вдруг обмякла, положила голову ему на спину и потеряла сознание. Сперва думали — травма черепа при падении на асфальт, а вскрыли — оказалось, что кровоизлияние под оболочки и желудочки мозга. Осложнение гриппа. А с травмой при падении не связано.

— Ладно тебе пугать-то! — рассмеялся Максим. — Ну что, пойдем обмоем перемену собственника?

Саблин покачал головой.

— Извини, дружище, у меня еще дел невпроворот, надо все успеть, а то завтра уже времени не будет.

Они обнялись крепко и коротко, посмотрели друг на друга и обнялись еще раз.

Ну вот, байк пристроен, вся остальная техника тоже обрела новых хозяев: не тащить же ее на материк! Саблин первым делом пригласил к себе домой Светлану с мужем и предложил выбрать все, что им приглянется. Он раздавал имущество бесплатно, почему-то казалось, что это правильно. Светлана ужасно смущалась, говорила, что без денег ничего не возьмет, а ее муж, которого Саблин увидел в тот день впервые и который оказался солидным дядькой с брюшком, окладистой бородой и раскатистым смехом, осекал жену и повторял:

— Светик, не спорь с начальником, мужик сказал — мужик сделал. Ты же видишь: человек принял решение, он поступает так, как ему лучше, как ему удобнее.

Светлана выбрала стиральную машину и всю кухонную технику, которую когда-то Саблин закупал в Москве по составленному Ольгой списку: мясорубку, кофемолку, микроволновую печь, аэрогриль и прочее. Ее муж ни на что не претендовал и ничего не просил, но Саблин заметил, как загорелись его глаза при виде стереоколонок. Сергей без промедления отсоединил провода от розеток и стал выносить аудиотехнику в прихожую, уже и без того заставленную коробками.

Остальное он тоже раздал, оставив себе только микроскоп, компьютер и нетбук, без которого уже не мог обходиться и постоянно носил с собой в сумке. В Москву Сергей Саблин забирал только одежду, книги и диски, ну, еще папки с бумагами. Для этого не нужно было заказывать контейнер, вполне можно было обойтись коробками, сдаваемыми в багаж. Конечно, в норму бесплатного багажа он не уложится, но это не страшно, доплатит.

Накануне отъезда вечером была назначена встреча с Петром Андреевичем Чумичевым. Чума потащил Саблина в ресторан и заказал роскошный ужин в честь прощания. Сергей изо всех сил пытался соответствовать настроению друга, делал веселое лицо и вымученно шутил, а сам все время думал об Изабелле Савельевне, которую навестил днем, чтобы проститься. Сумарокова держалась молодцом, но любому медику было понятно: к работе она никогда уже не вернется.

— Ну признайся, Серега, ведь хорошо, что я тебя тогда вытащил сюда, а? Смотри, как ты приподнялся! И карьеру сделал, и денег заработал.

«И чуть не сдох, — подумал Саблин. — А здешняя карьера мне в Москве не пригодится». Он уже связался с бывшими коллегами по Московскому городскому Бюро, теперь его ждала должность заведующего гистологическим отделением. С чего начал — тем и закончил, только начинал простым гистологом, а теперь, спустя тринадцать лет, станет завотделением.

— Ты бы хоть спасибо мне сказал, — хитро подмигнул Чума. — Я уж давно жду, что ты заговоришь об этом, а ты молчишь, как партизан.

— О чем — об этом? — не понял Саблин. — О переезде в Северогорск? Разве я тебя не поблагодарил?

— Да нет же, — рассмеялся Чумичев. — Я о Вдовине, вернее, о его матери. Ведь ни для кого не секрет, что мы с тобой друзья. Знаешь, как на меня наезжали, чтобы я воздействовал на тебя, поговорил с тобой, денег тебе предложил за то, чтобы ты отступился и перестал помогать Вдовиной. Всю плешь мне проели! Но я — кремень! Не поддался. Не буду, говорю, я свою крепкую школьную дружбу всякой гадостью марать, не стану, говорю, предателем и кулацким подпевалой.

Он разразился хохотом, и Саблин никак не мог понять, серьезно говорит Чума или придуривается.

— Но если честно, — Петр вдруг стал серьезным, — кровушки они мне попортили тогда. Пришлось даже административный ресурс подключать, чтобы отстали и потом не навредили. А ты и не знал ничего, да?

— Опять же, если честно, — в тон ему ответил Саблин, — я каждый день ждал, что ты или позвонишь, или придешь с этим вопросом, отвечать тебе готовился, словами запасался. А ты не позвонил и не пришел. И я был тебе за это искренне благодарен.

— Ну вот, благодарен был, а слова доброго не сказал, — Чума покачал головой, и в его голосе зазвучал упрек. — А доброе слово, как известно, и кошке приятно.

Саблину стало неловко. Не умеет он благодарить. И прощения просить не умеет.

Расстались поздно, Чума подвез Саблина до дома — служебная машина Сергею больше не полагалась, поскольку начальником Бюро судебно-медицинской экспертизы он не был уже целых три дня.

* * *

Ванда явилась ни свет ни заря, у Саблина даже еще будильник не прозвенел. Он открыл дверь заспанный, хмурый, небритый, в наспех натянутом и запахнутом халате.

— Ты чего так рано? — недовольно спросил он. — Мы же договорились на десять, как раз успеваем в аэропорт.

— Ну да, на десять! А завтракать? Ты же все раздал, бессребреник ты мой, вплоть до последней тарелки и чашки, у тебя ни чайника, ни сахара, вообще ничего, даже хлеб порезать нечем.

Это было правдой. Последние предметы обихода и посуду у него забрали накануне утром, потом он обедал в какой-то забегаловке между двумя деловыми встречами, а ужинал с Чумой в ресторане, и о сегодняшнем завтраке даже не подумал.

— Я принесла тебе чай в термосе, ну и покушать кое-что, — деловито щебетала Ванда, выгружая из огромной сумки бесконечные пластиковые контейнеры и какие-то пакетики. — Перед дорогой надо обязательно плотно покушать. И потом, я должна проверить, как ты собрался.

— Как надо — так и собрался, — проворчал Саблин, все еще пытаясь стряхнуть с себя остатки сна, который после вчерашних возлияний был все-таки тяжеловат.

— Ну-ка, покажи! — потребовала она.

Усадив Саблина завтракать на кухне, она проверила все коробки и всплеснула руками.

— Ну кто так укладывает! Вот хорошо, что я пришла пораньше, а то бы так и полетел. И хорошо, что я взяла у подружки мини-вэн, как знала, что у тебя куча багажа. А ты-то о чем думал, когда я говорила, что довезу тебя на своей «малышке»? Тоже мне, руководитель называется! И как ты все это будешь таскать? Один?

— Один, — буркнул он. — У нищих слуг нет, как сказано в одном известном фильме.

— Так на это же тоже время нужно! А ты говоришь: в десять! Нам в девять надо начинать таскать и грузить, чтобы вовремя успеть. Не понимаю, как ты целой организацией руководил.

Она, не спрашивая разрешения, начала ловко перекладывать книги, диски и бумаги, и в результате ящиков стало на два меньше.

— Вот так! — Ванда с гордостью оглядела результаты своей деятельности. — Так гораздо лучше. Теперь давай мне бумажку, где написано: кому какую мебель отдавать. Ты написал?

— Забыл, — признался Саблин.

Они договорились еще несколько дней назад, что мебель останется в квартире до самого отъезда хозяина, а потом он передаст Ванде ключи, и новые владельцы все заберут.

— Садись и пиши, — скомандовала она. — Все подробно: фамилию, имя, отчество и предметы, которые отдавать.

Спорить не хотелось, и хотя Сергей считал, что все вполне можно запомнить на слух, он покорно сел за стол с листком бумаги и ручкой.

По дороге в аэропорт Ванда не умолкала ни на минуту, несла какую-то милую чушь, и Сергей вдруг понял, что ему легче от этого дурацкого звонкого щебета, потому что если оставить за рамками смысл произносимых ею слов, то остается только радость, теплота и доброта, которые ему так нужны. Он вспомнил, как Ольга называла Ванду солнышком. И правда, она как солнышко, которое выглянуло и согрело. Жаль, что он никогда, наверное, больше не увидит эту милую глупышку...

Ванда держалась молодцом, была веселой, улыбалась, и только когда объявили посадку на московский рейс, вдруг расплакалась.

— Я вас так люблю, и вы меня так любите, а теперь Оля уехала, ты уезжаешь, как же я без вас...

Сергею стало нестерпимо грустно. Он проработал в этом городе 13 лет, а провожает его одна Ванда, которая ему, в сущности, никто. Да, у него нет своего кладбища, как у клиницистов, но у него нет и тех, кто относится к нему дружески или хотя бы просто тепло. У него нет НИКОГО. Он — ОДИН. Всегда был, есть и будет.

* * *

Когда Лена спрашивала, нужно ли его встречать, Сергей отказался: слишком большой у него багаж, все равно придется звонить московским приятелям и просить организовать микроавтобус, так что встречающие в любом случае найдутся.

Его встретил бывший сокурсник, который давно уже бросил медицину и занялся бизнесом, связанным с автоперевозками. Вместе с ним в микроавтобусе приехали два рослых парня с накачанными бицепсами, которые ловко и споро, без видимых усилий перетаскали и загрузили саблинские коробки и два чемодана, а потом так же ловко и быстро подняли и затащили их в квартиру.

В большой комнате Саблина ждал красиво накрытый стол. Дашки дома не было, ей уже девятнадцать лет, она взрослая девица, у нее своя жизнь. Лена обняла его, поцеловала, но поцелуй был спокойным и каким-то равнодушным, совсем не таким, каким она встречала его раньше, когда хотела показать, что соскучилась и не может дождаться вечера.

— Душ примешь с дороги? — спросила она. — Или сразу за стол?

— Сначала в душ.

Он вышел из ванной с влажными волосами, внимательно осматривая квартиру: теперь это его дом на всю оставшуюся жизнь. Если раньше, приезжая в Москву только на время отпуска, он не обращал особого внимания ни на новые обои, ни на новые шторы, ни на новые вещи — зачем? Все равно он скоро отсюда уедет, — то теперь смотрел пристально. Это его дом. Ему здесь жить.

Лена ждала его, сидя за столом, одетая так, словно собиралась вот-вот куда-то уйти: не в домашней одежде, а в платье. В ушах серьги, на руках два кольца и браслет. Принарядилась к приезду мужа, подумал Саблин и не смог понять, приятно ему это или смешно.

Еда была вкусной, готовила Лена хорошо, и Саблин с аппетитом поглощал закуски, салат и мясо с картофелем и жареными овощами. Когда дело дошло до чая с пирожными — саблинскими самыми любимыми, за которыми надо было ездить специально и которые продавались только в одной кондитерской, на Тверской, больше нигде такую вкуснотищу не выпекали, — Лена вздохнула.

— Сережа, я ухожу от тебя.

Он оторопел. Решил, что ослышался.

— Уходишь? — глупо переспросил он. — Куда?

— У меня есть другой мужчина, который меня любит и которому я нужна и интересна, — было видно, что Лена нервничает, голос ее подрагивал предатель-

ски, пальцы суетливо бегали вдоль черенка лопаточ-
ки для торта, которую она положила на край блюда
с пирожными. — Ты ведь никогда меня не любил, ты
только мучился со мной и с Дашкой, долг выполнял.
Думаешь, я этого не видела, не понимала? Но я очень
тебя любила и не хотела с тобой расставаться, поэтому какое-то время еще надеялась, что у нас с тобой
все наладится, образуется. А ты уехал и становился
с каждым годом все дальше и дальше. И даже отпуск,
который ты проводил с нами, ничего не менял, я все
время чувствовала, что я для тебя чужая, не родная,
тебе со мной скучно, тебе не интересно, что происходит в моей жизни, что я думаю, что я чувствую. Тогда я впервые решила уйти от тебя, но испугалась, что
не справлюсь одна. Ты решал все наши проблемы,
ты присылал хорошие деньги, гораздо большие, чем
алименты, которые я бы получала в случае развода,
у меня был статус жены, что немаловажно, а Дашка
знала, что я не мать-одиночка и что у нее есть папа.
Пусть в другом городе, но есть, он нас не бросил, он
там работает на интересной и ответственной работе,
им можно гордиться, и он приезжает в отпуск и во-
зит нас всех за границу на курорты. Для девочки это
было важно. И для меня тоже.

Она замолчала, остановив взгляд на стене поверх
головы Саблина. Смотреть ему в лицо она не хотела.
Или не могла?

— А теперь? — резко спросил он.

— А теперь неважно. Дашка выросла, она вот-вот
сама уже замуж выйдет, а у меня есть мужчина, которому я интересна и которому со мной не скучно.

Значит, его и здесь обманывали. Значит, и дома,
в семье, все было не так, как он думал, не так, как
представлял себе. Наверное, это его пожизненный
крест — ошибаться в людях.

— Ну и почему ты столько лет ждала? — зло проговорил он. — Ушла бы давно к этому своему мужчине.

— Я боялась, что ты начнешь делить квартиру, и алименты были бы меньше, чем то, что ты присылал.

Ему стало противно. Оказывается, Лена все эти годы считала его куркулем, скупым и мстительным, который удавится за копейку и будет при разводе делить все с женой, вплоть до чайных ложечек.

— Господи, Ленка, ты столько лет меня знаешь, неужели ты подумала, что я буду что-то с тобой и Дашкой делить? Я бы вам все оставил. И денег давал бы столько же, сколько и раньше. За кого ты вообще меня принимаешь?

И в этот момент он понял, что они с Леной так и остались друг для друга чужими и малознакомыми. Она никогда не была ему интересна, это правда. И у нее не хватало душевной мудрости и ума, чтобы разобраться в собственном муже и его характере, понять, какой он на самом деле, рассмотреть его. Но ведь он уехал и столько лет жил вдали от семьи, а пока они жили вместе, он много работал и с Леной почти не разговаривал. Не о чем было. Чего ж удивляться, что она его совсем не знает? Все закономерно. Как сказала бы Ольга, «закон жанра».

— Отпусти меня, Сережа, — в голосе жены зазвучала мольба, видно, она неправильно расценила его тяжелое молчание и решила, что он собирается ее удерживать. — Я ведь не нужна тебе. Я не спрашиваю, была ли у тебя все эти годы другая женщина, мне это не интересно, но думаю, что была, при твоем-то сексуальном аппетите и темпераменте. Теперь ты свободен, можешь попробовать связать свою жизнь с ней, если она захочет, конечно.

— Но почему ты молчала? — допытывался он. — Почему не сказала, что тебя что-то не устраивает в нашей семейной жизни, что тебе хочется чего-то другого?

— Я давала тебе понять. Только ты ничего не видел и не замечал. Ты вообще не обращал на меня внимания.

И вдруг он увидел. Увидел то, чего не замечал много лет. Увидел и понял, сколько прошло времени с тех пор, как Лена была для него маленькой девочкой, которую он приручил и которую не смог бросить на произвол судьбы. Он так и считал все эти годы ее маленькой девочкой, не приспособленной к столичной жизни и нуждающейся в опеке и поддержке. И вдруг он увидел, как она постарела. Она уже давно не девочка, и если Дашка действительно собирается замуж, то Лена вот-вот станет бабушкой. Морщинки, седина, дряблость кожи, испортившаяся фигура. Признаки начинающегося старения. Это зрелая самостоятельная женщина, которой он, Саблин, не нужен.

Может быть, это и к лучшему. Он, наконец, разведется и станет жить с Ольгой и ее приемным сынишкой. У него будет новая семья, новая работа. Одним словом, новая жизнь.

Так что все к лучшему. Он звонил Ольге, когда понял, что возвращается в Москву, и знал, что она до середины сентября будет находиться в Прибалтике вместе с родителями и ребенком. Вот и хорошо. Он не станет сейчас ей звонить, ничего не скажет, начнет работать в Московском городском Бюро на новой должности, а когда она вернется — они уже не расстанутся.

* * *

На следующий день Сергей переехал к матери. Юлия Анисимовна не скрывала своей радости. Мало того что сын, любимый и единственный, будет жить с ней, так и еще брак с Леной наконец распался окончательно.

— Тебе понадобилось двадцать лет, чтобы понять, что я права! — заявила она Сергею. — Не слишком ли долго для такого умненького мальчика, как ты?

— Мам, — устало проговорил Саблин, — я все давно понял. Просто не хотел с тобой обсуждать. И давай не будем поднимать эту тему ни сейчас, ни впредь. Как сложилось — так сложилось.

— А Оля знает? Ты ей звонил? Говорил, что ушел он Лены?

— Мама, не надо передергивать. Это Лена ушла от меня, а не я от нее. И Оле я пока не звонил, ты же знаешь: Бондари всем семейством отдыхают в Прибалтике. Вот вернется — и я все ей скажу.

Но Юлия Анисимовна не унималась.

— Ты женишься на ней? Пора бы уже, ведь вы столько лет прожили вместе. Или у нее есть кто-то другой? Не знаешь?

Эта мысль ему даже в голову не приходила. Какой еще другой? Ольга же сказала, что любит его, будет любить всегда и никакой другой мужчина ей не нужен.

Разговор о женитьбе на Ольге мать поднимала каждый день, и, в конце концов, ему стало казаться, что это вопрос решенный и обсуждать тут нечего. Тоска по Ольге в первые месяцы после ее отъезда была острой и болезненной, а потом, как и любая болезнь, перешла из острой фазы в хроническую. Саблин к ней привык. Тосковал, скучал, думал об Ольге, и все это ворочалось в его душе глухим ворчанием, которое он со временем научился не замечать. Оно есть — и есть. Разумеется, они с Ольгой поженятся, о чем тут еще можно говорить?

Он вышел на работу в отделение судебно-гистологической экспертизы и сразу столкнулся со сложностями. Прежняя заведующая отделением не сработалась с новым начальником Бюро и ушла на должность простого эксперта-гистолога, но поскольку проруководила она отделением много лет, то пользовалась огромным влиянием среди сотрудников. Она была завотделением еще тогда, когда Сергей Саблин работал здесь гистологом, поэтому отнеслась к нему как к мальчику в коротких штанишках, которого надо поучать и наставлять, пыталась даже называть Сереженькой, как когда-то, много лет назад, когда он только-только пришел в Бюро.

Начав разбираться в своем новом хозяйстве, Сергей очень быстро натолкнулся на хищения спирта. Его с первого же дня удивило, что немолодые дамы-лаборанты работали на давно устаревших аппаратах гистологической проводки и пользовались старыми саночными микротомами, в то время как лаборанты молодые пользовались новым автоматизированным оборудованием. Неужели в Бюро не хватает средств на то, чтобы оборудовать гистологию новыми аппаратами в потребном количестве? Это в Москве-то? Однако визит на склад его удивил: там стояли два новых аппарата, даже нераспакованных. Но получить от бывшей заведующей внятный ответ на вопрос, почему это происходит, Саблину не удалось.

— Лаборантам так удобнее, — ответили ему. — Они привыкли к этому оборудованию, им на нем легче работать, да и качество микропрепаратов получается выше.

Объяснение показалось ему более чем сомнительным, и он потребовал предоставить ему для проверки журнал выдачи спирта для спиртовых батарей и приготовления реактивов. Сопоставив данные из журнала с отчетами о количестве проведенных исследований за прошлый год, получил весьма любопытный результат: для приготовления одного препарата здесь расходовалось 50 граммов спирта, в то время как по нормативам на один объект исследования полагалось всего 20 граммов. Перерасход в два с половиной раза! Ничего себе! Это сколько же литров спирта было украдено?!

— Сергей Михайлович, вы не понимаете, — сердито объясняла ему бывшая заведующая, к которой в отделении по-прежнему относились как к начальнику, — да, лаборанты воруют спирт, но это происходит повсеместно, и ничего особенного никто в этом не видит. У лаборантов маленькая зарплата, и удержать их на этой работе невозможно без дополнительных благ. Кроме того, спирт — универсальное платежное средство, и когда для отделения нужно что-то сделать, что-то выбить, что-то устроить, мы им расплачиваемся. И это тоже норма. Не понимаю, что вас не устраивает.

Его не устраивало все, и в том числе то обстоятельство, что проблемы, возникающие в отделении, решаются какими-то «левыми» способами при помощи ворованного спирта. Напряжение в отношениях с сотрудниками нарастало с каждым днем, бывшая заведующая не собиралась сдавать своих позиций, а Саблин велел принести со склада новые аппараты и приказал старые убрать с глаз долой.

— Мы не можем на них работать, мы не умеем, — роптали давно работающие дамы.

— Учитесь, — жестко отрезал Саблин. — Здесь не богадельня, поэтому не надо мне рассказывать, что у вас уже такой возраст, в котором учиться поздно. Если возраст позволяет вам работать, то будьте любезны осваивать новую технику.

В отделении зрело недовольство, но Сергею было все равно. Ему не надо, чтобы его любили. Ему надо, чтобы его слушались и выполняли его указания. И он дожмет этих интриганок, он заставит их подчиниться новому порядку, который он собирался насаждать в своем отделении.

Он приходил домой вымотанный и издерганный, но ничего матери не рассказывал. Ему вполне достаточно было того, что пришлось признать ее правоту насчет Лены и брака с ней. Не хватало только еще разговоров о том, что она была права, когда отговаривала его идти в судебную медицину, потому что работа там невыносимо тяжелая, а позитивных моментов, которыми так богата жизнь любого клинициста, нет вообще.

Наступил день рождения Анны Анисимовны, и Сергей вместе с матерью отправился на кладбище. Василий Анисимович, скончавшийся лет семь назад, был похоронен неподалеку, к нему тоже зашли, положили цветы.

— Мам, а что там произошло у Нюты с дядей Васей? — спросил Сергей, рассматривая портрет любимой тетки на памятнике. На портрете она была смеющейся и молодой. — Я у тебя спрашивал, а ты не отвечала никогда. Может, хоть теперь расскажешь? Все-таки столько лет прошло, и Нюта умерла, и дяди Васи уже нет.

Юлия Анисимовна подняла на сына глаза и улыбнулась.

— Ладно, расскажу. Вот прямо сейчас и расскажу.

Когда Нюта заявила отцу о намерении выйти замуж за поляка, тот страшно орал, матерно бранился и даже ударил дочь по лицу. Дед Анисим был человеком прямым, позицию свою не скрывал и дома, в отличие от службы, всегда говорил то, что думал. А вот Василий повел себя иначе, голос на сестру не повышал, даже от свадьбы не отговаривал, только вздыхал, смотрел грустно и повторял, что «нам с батей трудно будет, сама понимаешь». Но взгляд у него был все-таки нехорошим, только Нюта сразу внимания на это не обратила, а вспомнила лишь через неделю, когда ее суженого нашли мертвым в узкой улочке неподалеку от базара. У нее не было никаких доказательств того, что к смерти жениха причастен брат Василий. Но она сразу же, с первой минуты решила и впоследствии ни разу не усомнилась, что он приложил к этому руку.

— Вот такая история, сынок, — закончила мать, не сводя глаз с портрета сестры.

— Ну и характер, — покачал головой Сергей. — Действительно, несгибаемый. Упрямства и упорства на десятерых хватило бы. Наверное, поэтому она и осталась одна, и Володьку одна вырастила, и вообще всегда одна была. Никому с ней было не ужиться. Или она ни с кем ужиться не могла.

— Эта да, — кивнула Юлия Анисимовна. — И ты точно такой же. Так что смотри, сынок, останешься совсем один с твоим-то характером.

— Ну и пусть, — Сергей упрямо сдвинул брови. — Лучше я буду один, чем вместе с кем попало. И потом, у меня есть ты, есть Оля, ее ребенок. Ничего, мам, не пропаду.

Он собрался было процитировать известную газель Омара Хайяма, но вдруг почему-то почувствовал, что это неуместно.

* * *

Наконец Ольга вернулась. Саблин не мог дождаться, когда же она приедет в Москву, сразу же позвонил и сказал, что вечером придет. Она жила все там же, в той квартире, которую ей устроил могущественный родственник и в которую в течение нескольких лет постоянно приезжал Сергей.

Они не виделись с тех пор, как расстались в аэропорту Северогорска, и Сергей, наученный горьким опытом с женой, готовился увидеть явственные приметы того, что прошло много времени. Ольга, наверное, тоже постарела, все-таки сорок три года, уже не девочка. Но ему все равно, пусть седина, пусть морщины, пусть с фигурой что-нибудь не то — это не имеет ровно никакого значения. Он любит только ее и хочет быть только с ней.

Ольга открыла ему дверь еще более красивая, чем раньше. Нет, она не помолодела, она просто изменилась. Лицо стало мягче, темные глаза словно посветлели, и вся она из свободной независимой женщины превратилась в мадонну.

— Какая ты красивая! — прошептал он, переступив порог. — С ума сойти, Оля, какая же ты красавица.

Он даже не поздоровался, просто схватил ее в охапку и потащил в комнату. Успел только спросить, судорожно срывая с себя рубашку:

— Мальчик спит? Мы его не разбудим?

— Он у родителей, — ответила Ольга. — Я его отвезла на сегодняшний вечер. Я же понимала, какой гость у меня будет.

Сергей как-то смутно осознавал происходящее, он только чувствовал, что безумно соскучился по этой женщине и что тоска, оглушившая его после ее отъезда, отупляющая, не дающая видеть яркость красок и воспринимать красоту звуков, рассыпается мелкими осколками, и мир снова становится осязаемым, видимым и слышимым.

— Ты в прекрасной форме, Саблин, — с улыбкой заметила Ольга, когда он откинулся на подушку и прикрыл глаза. — Впору поверить, что у тебя действительно никого не было после того, как мы расстались.

— М-м-м, — промычал он, не в силах произнести ни слова. — Как хорошо, Оль... Я даже забыл, как с тобой хорошо. То есть помнил, что хорошо, но чтобы так...

— Я сварю кофе? Или ты будешь чай, как обычно?

— Нет, — он открыл глаза и весело улыбнулся, — я буду кофе и коньяк. Я принес хороший коньяк, фрукты, сладкое... Только не помню, где все это.

— В прихожей валяется, — сообщила она, накидывая прозрачную тунику. — Через пять минут можешь вставать.

Он снова прикрыл глаза и представлял себе, что так теперь будет всегда. Он будет приходить с работы, рассказывать Ольге о событиях в отделении, в Бюро, об интересных экспертных случаях, которые они будут вместе обсуждать. А потом они лягут спать, и им будет так же хорошо, как сегодня. И еще они вместе будут растить Олиного приемного сына, которого Саблин после развода с Леной и регистрации брака с Ольгой тоже усыновит.

Пять минут промелькнули быстро, и он вышел на кухню, закутавшись в простыню. Его вещей пока нет в этом доме — ни тапочек, ни халата, ни бритвы, но это ничего, уже завтра он приедет сюда с большой дорожной сумкой, в которой будет лежать самое необходимое, а все остальное постепенно перевезет от матери. Господи, как же они будут счастливы!

Едва усевшись за стол и выпив первую рюмку коньяку, он принялся с азартом и воодушевлением рассказывать Ольге о ситуации в отделении судебно-гистологической экспертизы, о кознях бывшей заведующей, о старых и новых аппаратах гистологической проводки, о хищениях спирта... Ольга слушала, как и раньше, очень внимательно и подавала острые и точные реплики, свидетельствующие о прекрасном знании ею предмета. Да и немудрено, ведь 90% работы в патанатомии — это именно гистологические исследования, и кому как не Ольге понимать всю ситуацию и с аппаратами, и с микротомами, и со спиртом. «Она понимает каждое мое слово, — у Сергея внутри все пело, ему так не хватало в последнее время собеседника, с которым можно поделиться всем и который будет его понимать. — Она разделяет каждую мою мысль. Я не могу без нее жить. И не буду. Я буду жить с ней».

Около полуночи Ольга его выпроводила: ей нужно было рано вставать, чтобы успеть до работы съездить к матери, забрать малыша и отвезти его в ясли.

— В котором часу ты завтра придешь с работы? — спросил он уже на пороге. — Во сколько мне приезжать? Или, может, ты мне ключи дашь, чтобы мы друг друга не привязывали к определенному времени?

Ольга улыбнулась и покачала головой.

— Прости, Саблин. Не нужно. Поздно. Ты — воин, твое место на войне, а на войне нет места для ребенка и женщины, это закон жанра. Ты должен быть один.

Он опешил. Он был уверен, что Ольга хочет того же, что и он сам. По-другому и быть не могло.

— Но я не собираюсь больше воевать. Я хочу, чтобы у нас с тобой была семья. Я столько лет...

— Нет, Саблин, — она снова улыбнулась, на этот раз немного грустно. — Тебе не нужна семья. Тебе нужна подруга, с которой ты можешь разговаривать и спать, но которая не связывает тебе руки. Я много лет была для тебя такой подругой. Но теперь у меня есть ребенок, и на роль подруги я больше не гожусь. А ты, в свою очередь, не годишься на роль мужчины, у которого есть жена и ребенок. Один раз ты с этой ролью уже не справился. И второй раз не справишься.

— Но почему? — в отчаянии спросил Саблин. — Почему ты не хочешь?

— Потому что ты не можешь не воевать. И свою войну ты себе всегда найдешь. А женщина, которая растит ребенка, не может позволить себе роскошь жить рядом с войной. Постарайся это понять.

Она легко подтолкнула его к двери и щелкнула замком.

— Целоваться не будем. Иди, Саблин.

* * *

Он вошел в пустую секционную и осмотрелся. Он снова стал брать себе вскрытия. Не век же ему сидеть в гистологии, которую он, конечно, любит, но... Его призвание — экспертиза трупов. И рано или поздно он вернется к ней. Сегодня ему предстоит провести исследование трупа тридцатилетней женщины, матери двоих детей, любимой и любящей жены, которую вынули из петли. Муж утверждает, что никаких причин для самоубийства у нее не было. Может быть, ее все-таки убили? И ответ на этот вопрос будет искать судебно-медицинский эксперт, кандидат медицинских наук, врач высшей категории Сергей Михайлович Саблин.

Распахнулась дверь, санитар Женя, толковый симпатичный паренек, вкатил каталку с трупом.

— Сергей Михайлович, а чего вы... — удивленно протянул он. — Я еще не резал, вы же на одиннадцать назначили. Я что, опоздал? Я думал, вскрою — и вас позову, у нас так принято. Или вы сами хотите?

Он ловко, привычными движениями переложил труп с каталки на секционный стол.

— Все в порядке, Женя. — Саблин махнул рукой в успокаивающем жесте. — Ты не опоздал, это я пришел раньше. Выйди в коридор.

— Зачем?

— Я сказал: выйди, — жестко повторил Сергей. — Я тебя позову.

Санитар недоуменно пожал плечами и скрылся в коридоре.

Саблин медленно обошел секционный стол, не сводя глаз с мертвого тела. Потом отошел к дальней стене, привалился к ней, скрестил руки на груди.

И сразу почувствовал ЕЕ. Она появилась справа, как обычно. Почему-то она никогда не приходила ни слева, ни сзади. Только справа. Пришла посмотреть, полюбопытствовать, как эксперт Саблин будет разбираться с ее загадкой.

— Ну, здравствуй, подруга, — сказал он вполголоса. — Давно не виделись. Соскучилась без меня? Что ж ты тут натворила, а? Думаешь, не разберусь? Надеешься, что ты хитрее меня? Ну, в общем-то это правильно, ты действительно и умнее, и хитрее.

Его успокаивал собственный негромкий голос, помогал обрести сосредоточенность и уверенность в себе. Хорошо, что никто никогда не слышал, как эксперт Саблин разговаривает с НЕЙ перед каждым вскрытием. Раньше он разговаривал с умершими. Теперь — только с НЕЙ.

Он смотрел на мертвое тело, которое еще совсем недавно, всего два дня назад, было красивой женщиной, полной жизни и любви к мужу и детям, к родителям и друзьям. Это был целый мир, сложный, многогранный, уникальный и неповторимый. Именно это так привлекало Глеба... «В этом мы с ним похожи, — неожиданно подумал Саблин. — Только я занимался тем, что устанавливал причину, по которой рвались нити, а ему нравилось эти нити обрывать и слушать, как они издают последний замирающий вдали звон».

— А ты постарела, — снова обратился он к своей гостье. — Раньше ты была злее, ты все время усмехалась у меня за плечом, улыбалась ехидно, а порой и хохотала в полный голос. Теперь ты молча смотришь, как я работаю. Наблюдаешь. Ты привыкла ко мне? Может быть, даже привязалась? Ты по мне скучаешь, когда я долго не работаю. Мы с тобой теперь неразлучны, как старые приятели, которые и не дружат, и расстаться друг с другом не могут. Я тоже к тебе привык. Знаешь, я раньше тебя боялся. Мне все время было холодно, когда ты появлялась в секционной. А теперь я тебя жду как старую знакомую. У меня ведь больше никого нет, кроме тебя. Лена меня бросила. Оля меня бросила. Дашке я не нужен. Мы с тобой, подруга, остались вдвоем. Ты и я. Я буду тебя уважать. И ты, уж пожалуйста, сделай одолжение, яви свою милость, дай мне разгадать твою загадку. Потому что если эту женщину на самом деле убили, то только я смогу это доказать и защитить ее, чтобы ее не считали сумасшедшей самоубийцей, бросившей на произвол судьбы двух маленьких детей, чтобы про нее не говорили и не думали плохо. Я для нее — последний оплот, последняя надежда. Если я не смогу ее защитить, то никто не сможет. А если ты мне поможешь, то нас будет уже двое. Ты ведь поможешь мне?

Постоял еще немного, прислушался. Почувствовал легкое дуновение справа и удовлетворенно кивнул.

— Спасибо тебе, подруга. Мы с тобой — два одиноких путника. Никто нас с тобой не любит, ни меня, ни тебя. Так и будем идти по жизни вдвоем. Ты и я.

Он и Она. Танатолог и Смерть. Такой выбор. Такая профессия. Такая судьба. И нечего жаловаться.

Сергей Саблин быстро прошел к двери, распахнул ее. Санитар Женя стоял в сторонке с электронной «читалкой» в руках, рядом переминалась с ноги на ногу женщина-медрегистратор.

— Можете начинать.

БЛАГОДАРНОСТИ

Всегда легко описывать профессию, которую хорошо знаешь. И невероятно трудно и страшно браться за описание профессиональной деятельности, к которой сам не имеешь отношения. Поэтому я хочу выразить свою глубокую признательность и благодарность тем людям, которые щедро, не жалея ни сил, ни времени, делились своими знаниями и опытом, консультируя меня и помогая при написании этой книги. Если бы не их помощь, эта книга не была бы написана.

Огромное спасибо:

Евгению Христофоровичу Баринову, кандидату медицинских наук, профессору Российской академии естествознания, профессору кафедры уголовно-правовых дисциплин Европейского университета права Justo, члену Международной Коллегии ученых МАН, Сан-Марино, члену Союза журналистов России;

Алексею Михайловичу Верескунову, кандидату биологических наук, начальнику отдела криминалистической экспертизы 111-го Главного государственного центра судебно-медицинских и криминалистических экспертиз Министерства обороны РФ;

Сергею Михайловичу Зосимову, кандидату медицинских наук, судебно-медицинскому эксперту отделения медико-криминалистической экспертизы 111-з Главного государственного центра судебно-медицинских и криминалистических экспертиз Министерства обороны РФ, заслуженному врачу Российской Федерации;

Константину Вячеславовичу Кошаку, кандидату медицинских наук, врачу высшей квалификационной категории, профессору Российской академии естествознания;

Александру Петровичу Ню, врачу-педиатру первой квалификационной категории.

Если в тексте романа найдутся медицинские или экспертные ошибки, то они лежат целиком и полностью на совести автора.

С уважением и любовью,
Александра Маринина

Литературно-художественное издание

КОРОЛЕВА ДЕТЕКТИВА

Александра Маринина

ОБОРВАННЫЕ НИТИ
Том 3

Ответственный редактор *Е. Соловьев*
Художественный редактор *А. Сауков*
Технический редактор *О. Лёвкин*
Компьютерная верстка *М. Тимофеева*
Корректор *Е. Холявченко*

Иллюстрация на переплете *И. Хивренко*

ООО «Издательство «Эксмо»
127299, Москва, ул. Клары Цеткин, д. 18/5. Тел. 411-68-86, 956-39-21.
Home page: **www.eksmo.ru**   E-mail: **info@eksmo.ru**

Өндіруші: «ЭКСМО» АҚБ Баспасы, 127299, Мәскеу, Клара Цеткин көшесі, 18/5 үй.
Тел. 8 (495) 411-68-86, 8 (495) 956-39-21.
Home page: www.eksmo.ru . E-mail: info@eksmo.ru.
Қазақстан Республикасындағы Өкілдігі: «РДЦ-Алматы» ЖШС, Алматы қаласы,
Домбровский көшесі, 3«а», Б литері, 1 кеңсе. Тел.: 8(727) 2 51 59 89,90,91,92,
факс: 8 (727) 251 58 12 ішкі 107; E-mail: RDC-Almaty@eksmo.kz
Қазақстан Республикасының аумағында өнімдер бойынша шағымды Қазақстан
Республикасындағы Өкілдігі қабылдайды: «РДЦ-Алматы» ЖШС,
Алматы қаласы, Домбровский көшесі, 3«а», Б литері, 1 кеңсе.
Өнімдердің жарамдылық мерзімі шектелмеген.

Подписано в печать 18.12.2012.
Формат 84×108 $^1/_{32}$. Гарнитура «Гарамонд».
Печать офсетная. Усл. печ. л. 21,84.
Тираж 85 000 экз. Заказ № 1600.

Отпечатано в ОАО «Можайский полиграфический комбинат».
143200, г. Можайск, ул. Мира, 93.
www.oaompk.ru, www.оаомпк.рф тел.: (495) 745-84-28, (49638) 20-685

ISBN 978-5-699-61982-5

9 785699 619825 >